09/09

MARIO PUZO

Omertà

punto de lectura

Título original: *Omertá*
Traducción: Maria Antonia Menini
© 2000, Mario Puzo
© Ediciones B, S.A.
© De esta edición: mayo 2001, Suma de Letras, S.L.
Barquillo, 21. 28004 Madrid (España) www.puntodelectura.com

ISBN: 84-663-0295-6
Depósito legal: M-12.686-2001
Impreso en España – Printed in Spain

Portada: MGD
Diseño de colección: Ignacio Ballesteros

Impreso por Mateu Cromo, S.A.

MARIO PUZO

Omertà

Traducción de Mª Antonia Menini

A Evelyn Murphy

Omertà. Código de honor siciliano que prohíbe informar sobre los delitos considerados asuntos que incumben a las personas implicadas.

WORLD BOOK DICTIONARY

Prólogo

1967

En el pedregoso pueblo de Castellamare del Golfo, asomado al oscuro Mediterráneo siciliano, yacía moribundo un importante Don de la mafia. Vincenzo Zeno era un hombre de honor que a lo largo de toda su vida había sido apreciado por su justicia e imparcialidad, su ayuda a los menesterosos y su implacable castigo de todos aquellos que se atrevían a oponerse a su voluntad.

A su alrededor se encontraban tres de sus antiguos secuaces que habían adquirido fama y poder por méritos propios: Raymonde Aprile de Nueva York, Ottavio Bianco de Palermo y Benito Craxxi de Chicago. Cada uno de ellos le debía un último favor.

Don Zeno era el último de los verdaderos jefes de la Mafia que durante toda su vida había cumplido con las antiguas tradiciones. Cobraba una cuota sobre todos los negocios pero nunca sobre la droga o la prostitución. Y jamás había acudido un pobre a su casa a pedir dinero y se había ido con las manos vacías. Corregía las injusticias de la ley: el más alto juez de Sicilia podía dictar las sentencias que quisiera, pero si alguien tenía la razón de su parte, Don Zeno las vetaba con la fuerza de su voluntad y de sus armas.

Ningún joven mujeriego podía abandonar a la hija de un pobre campesino; Don Zeno lo convencía antes para que contrajera santo matrimonio con ella. Ningún banco podía extinguir el derecho de redención de una hipoteca de un campesino desamparado sin que interviniera Don Zeno para enderezar el entuerto. Ningún muchacho que anhelara estudiar en la universidad dejaba de hacerlo por falta de medios o preparación. Todos los que estaban relacionados con su *cosca** veían cumplidos sus deseos.

Las leyes de Roma jamás podían justificar las tradiciones de Sicilia, no eran tenidas en cuenta y carecían de autoridad. Y, si alguien acudía a Don Zeno, éste las invalidaba al precio que fuera. Sin embargo, en los últimos tiempos, su poder había empezado a menguar y había tenido la debilidad de casarse con una bellísima joven que le había dado un precioso hijo varón. La madre había muerto de parto y el niño contaba dos años en aquellos momentos.

* Asociación mafiosa siciliana integrada por un número limitado de miembros que desarrollan sus actividades delictivas en una zona territorial o un sector económico determinado. *(N. de la T.)*

El viejo Don de la Mafia, consciente de la proximidad de su fin y de que su *cosca* quedaría pulverizada por las más poderosas de Corleone y de los Clericuzio de Palermo cuando se produjera su ausencia, pensó detenidamente en el futuro de su hijo.

Había llamado a sus tres amigos junto a su lecho de muerte porque tenía una importante petición que hacerles, pero primero les agradeció la amabilidad y el respeto que le habían demostrado al haber accedido a efectuar aquel viaje de miles de kilómetros. Después les comunicó su deseo de que su hijito Astorre fuera conducido a lugar seguro y educado en otras circunstancias, aunque siempre según la tradición de un hombre de honor como él.

—Si consigo la seguridad de mi hijo —les dijo a sus amigos, todos ellos sabedores de que, a lo largo de toda su vida, el Don había ordenado la muerte de centenares de hombres—, podré morir con la conciencia tranquila, pues en este niño de dos años veo el corazón y el alma de un verdadero mafioso, una cualidad excepcional y casi extinguida.

A continuación les explicó por qué los había mandado llamar. Uno de ellos sería elegido para actuar como protector de aquella singular criatura y su responsabilidad sería generosamente recompensada.

—Es curioso —dijo Don Zeno, mirando a su alrededor con sus empañados ojos—, según la tradición, el verdadero mafioso es el primer hijo. Pero en mi caso he tenido que esperar hasta los ochenta años para ver realizado mi sueño. No soy un hombre supersticioso, pero si lo fuera creería que este niño surgió de la tierra de la mismísima Sicilia. Sus ojos son verdes como las aceitunas de mis mejores olivos. Y posee la romántica, musical y feliz delicadeza de sentimientos siciliana. Sin embargo, si alguien lo ofende, jamás lo olvida a pesar de su tierna edad. De todos modos, hay que guiarle.

—En tal caso, ¿qué desea usted de nosotros, Don Zeno? —preguntó Craxxi—. Gustosamente acogeré a este hijo suyo y lo criaré como si fuera mío.

Bianco miró a Craxxi casi con resentimiento.

—Conozco al niño desde que nació. Estoy familiarizado con él. Lo acogeré como si fuera mío.

Raymonde Aprile miró a Don Zeno, sin decir nada.

El Don estudió a los tres hombres, todos ellos dignos de su confianza. Consideraba a Craxxi el más inteligente. Bianco era sin la menor duda el más ambicioso y enérgico. Y Raymonde Aprile el más virtuoso y comedido, el más cercano a su forma de ser. Pero era despiadado.

En sus momentos finales, el anciano Don Zeno comprendió que Raymonde Aprile era, de entre todos ellos, el que más necesitaba al niño. Era el que más se beneficiaría del amor del niño y el que más empeño pondría en que su hijo aprendiera a sobrevivir en aquel mundo de traiciones.

Don Zeno guardó silencio un buen rato.

—Raymonde —dijo al final—, tú serás su padre. Y así yo podré descansar en paz.

El funeral del Don fue digno de un emperador. Acudieron a rendirle homenaje todos los jefes de las *coscas* de Sicilia, algunos ministros del Gabinete de Roma, los propietarios de inmensos latifundios y centenares de miembros de su cosca.

En lo alto de la negra carroza fúnebre tirada por caballos, Astorre Zeno, un niño de dos años, de ojos de fuego, vestido de negro y tocado con un sombrero negro que parecía una cajita de píldoras, avanzaba con toda la majestad de un emperador romano.

El cardenal de Palermo en persona ofició la ceremonia y proclamó solemnemente:

—En la salud y en la enfermedad, en la desdicha y en la desesperación, Don Zeno fue siempre un verdadero amigo para todos. —Después repitió las últimas palabras de Don Zeno—: Me encomiendo a Dios. Él perdonará mis pecados, pues traté de ser justo todos los días de mi vida.

Y así fue como Raymonde Aprile se llevó a Astorre Zeno a América y lo convirtió en miembro de su familia.

1

1995

Cuando los gemelos Sturzo, Franky y Stace enfilaron el camino de entrada de Heskow, vieron a cuatro adolescentes muy altos, jugando al baloncesto en la pequeña cancha de la casa. Franky y Stace bajaron de su enorme Buick y John Heskow, el propietario de la casa, salió a su encuentro. Era un hombre muy alto, con una figura en forma de pera, una calva nítidamente rodeada por un pulcro anillo de ralo cabello y unos pequeños ojos azules que parpadeaban sin cesar.

—Llegáis en el momento más oportuno —dijo—. Hay alguien a quien quiero presentaros.

El partido de baloncesto quedó interrumpido.

—Éste es mi hijo Jocko —dijo Heskow con orgullo.

El más alto de los adolescentes alargó una poderosa mano.

—Oye —le dijo Franky Sturzo—, ¿qué tal si nos dejáis jugar un partidillo?

Jocko contempló a los dos hombres. Debían de medir aproximadamente un metro ochenta y

17

parecían en buena forma. Lucían unos polos Ralph Lauren de color rojo y verde respectivamente, complementados con unos chinos y unos zapatos de suela de goma. Su apostura y su simpática apariencia acrecentaban la serena confianza que irradiaban sus rudas facciones. Estaba claro que eran hermanos, pero Jocko no podía saber que eran gemelos. El joven les calculaba unos cuarenta y tantos años.

—Pues claro —contestó Jocko con juvenil buen humor.

—¡Estupendo! —exclamó Stace, sonriendo—. Acabamos de recorrer casi cinco mil kilómetros y necesitamos desentumecernos un poco.

Jocko señaló a sus gigantescos compañeros y dijo:

—Yo jugaré con ellos contra vosotros tres.

Puesto que él era el mejor jugador, podría concederles una oportunidad a los amigos de su padre.

—Procurad no darles una paliza —les dijo John Heskow a los chicos—. Son simplemente unos carrozones que quieren divertirse un poco.

Era la media tarde de un día de diciembre, y el aire gélido les obligaría a moverse con más rapidez para estimular la circulación de la sangre. El sol amarillento y desmayado de Long Island se reflejaba en los tejados y los muros de cristal de los cobertizos de flores que constituían la fachada comercial de Heskow.

Los compañeros de Jocko tenían buen carácter y se adaptaron sin problemas al juego de sus más veteranos contrincantes. Pero, de repente, Franky y Stace pasaron como una exhalación por delante de ellos para efectuar unos encestes. Jocko se quedó boquiabierto al ver su velocidad; pero después no quisieron lanzar el balón y se lo pasaron a él. No fallaron ni una sola vez. Parecían tener especial empeño en no efectuar encestes fáciles.

El equipo contrario de adolescentes, todos ellos muy por encima del metro ochenta, empezaron a aprovechar su estatura para pasarse el balón alrededor de sus contrincantes, pero aun así sólo consiguieron efectuar unos cuantos rebotes. Al final, uno de los muchachos perdió los estribos y le propinó a Franky un fuerte codazo en el rostro. De repente, el chico quedó tendido en el suelo y Jocko, que lo estaba observando todo, no acertó a comprender cómo había podido ocurrir el percance. A continuación, Stace golpeó a su hermano Franky en la cabeza con el balón y le dijo:

—Vamos. A ver si juegas un poco, cabronazo.

Franky ayudó al chico a levantarse y le dio unas palmadas en el trasero, diciendo:

—Perdona, hombre.

Jugaron unos cuantos minutos más, pero para entonces los jugadores de más edad ya estaban visiblemente cansados, y los muchachos se limitaban a corretear a su alrededor. Al final lo dejaron.

Heskow les sirvió unos vasos de soda en el patio y los adolescentes se congregaron alrededor de Franky. El hombre tenía carisma y había puesto de manifiesto unas cualidades de auténtico profesional de la cancha. Franky abrazó al chico al que había derribado, y al despedirse les dirigió a todos una cordial sonrisa de hombre de mundo que iluminó su bello y anguloso rostro.

—Permitidme que os dé un consejo de hombre maduro —les dijo—. Nunca dribléis cuando tengáis ocasión de pasar el balón. Nunca os deis por vencidos cuando tengáis veinte puntos de desventaja en el último cuarto. Y nunca salgáis con una mujer que tenga más de un gato.

Los muchachos se echaron a reír.

Franky y Stace les estrecharon la mano a todos, les dieron las gracias por el partido y después entraron en la espléndida casa pintada de verde en compañía de Heskow. Jocko les gritó a sus espaldas:

—¡Juegan ustedes muy bien!

En el interior de la casa, John Heskow acompañó a los dos hermanos a su habitación del piso de arriba. Mientras Heskow abría la puerta, los hacía pasar a la habitación y cerraba la puerta a su espalda, los hermanos observaron que la puerta era de madera maciza y tenía una buena cerradura.

La estancia, más bien una suite, era muy espaciosa, contaba con un cuarto de baño anexo y tenía dos camas individuales. Heskow sabía que a los gemelos les gustaba dormir en la misma habitación.

En un rincón del dormitorio había un enorme baúl reforzado con tiras de acero y provisto de un pesado candado de metal. Heskow utilizó otra llave para abrir el baúl y levantó la tapa, dejando al descubierto varias pistolas, armas automáticas y cajas de municiones que formaban todo un conjunto de negras formas geométricas.

—¿Será suficiente? —preguntó Heskow.

—No hay silenciadores —dijo Franky.

—Para este trabajo no serán necesarios los silenciadores —replicó Heskow.

—Muy bien —dijo Stace—. Odio los silenciadores. Jamás consigo dar en el blanco con un silenciador.

—Bueno, pues entonces ya podéis ducharos e instalaros —dijo Heskow—. Yo me libraré de los chicos y prepararé la cena. ¿Qué os parece mi hijo?

—Un muchacho encantador —contestó Stace.

—¿Y qué os parece como jugador de baloncesto? —preguntó Heskow mientras su rostro se iluminaba con un arrebol de orgullo que acentuó su aspecto de pera madura.

—Excepcional —dijo Franky.

—¿Tú qué opinas, Stace? —preguntó Heskow.

—Más que excepcional —contestó Stace.

21

—Consiguió una beca para el Villanova —explicó Heskow—. Y ha pasado directamente a la NBA.

Cuando los gemelos bajaron al salón, Heskow los estaba esperando. Había preparado carne de ternera salteada con setas y una enorme ensalada. En la mesa había una botella de vino tinto.

Los tres se sentaron. Eran viejos amigos y conocían sus respectivas historias. Heskow llevaba trece años divorciado. Su ex mujer vivía a unos tres kilómetros al oeste en una localidad de Long Island llamada Babylon. Pero Jocko siempre lo visitaba, y él lo mimaba todo lo que podía.

—Si hubiera sabido con antelación que llegabais hoy —dijo Heskow— habría aplazado la visita del chico. Cuando me telefoneasteis, ya no me daba tiempo de sacar a los muchachos.

—No te preocupes, hombre —dijo Franky.

—Habéis jugado muy bien —dijo Heskow—. A lo mejor habríais podido convertiros en jugadores profesionales.

—No —replicó Stace—. Somos demasiado bajos, no pasamos del metro ochenta. Los otros eran demasiado altos para nosotros.

—No digáis estas cosas delante del chico —dijo Heskow, horrorizado—. Tiene que jugar con ellos.

—Pues yo jamás lo haría —dijo Stace.

Heskow se fue relajando y tomó un sorbo de su copa de vino. Siempre le gustaba trabajar con los hermanos Sturzo. Eran gemelos pero no idénticos, y tan afables que jamás resultaban antipáticos, a diferencia de casi toda la escoria con la que había de tratar. Tenían un don de gentes que se reflejaba en la naturalidad que reinaba entre ellos como gemelos. Su aplomo les confería un singular atractivo.

Los tres comieron despacio y con toda tranquilidad. Heskow volvió a llenar los platos directamente de la sartén.

—Siempre te lo he querido preguntar —dijo Franky—. ¿Por qué te cambiaste el nombre?

—Eso fue hace mucho tiempo —contestó Heskow—. No me avergonzaba de ser italiano, pero ya veis que tengo una pinta de alemán que no se puede aguantar. Con el pelo rubio, los ojos azules y esta nariz, mi apellido italiano resultaba un poco raro.

Los gemelos soltaron una carcajada. Sabían que Heskow estaba lleno de manías, pero les daba igual.

Cuando se terminaron la ensalada, Heskow sirvió café muy fuerte y sacó una bandeja de pastas italianas. Ofreció unos puros a sus invitados, pero éstos los rechazaron. Preferían sus Marlboros, más acordes con sus rudos rasgos del Oeste.

—Ya es hora de que vayamos al grano —dijo Stace—. Para que hayamos tenido que chuparnos casi cinco mil malditos kilómetros de carretera, el asunto tiene que ser muy gordo. De otro modo, habríamos tomado un vuelo.

—No ha sido tan malo —dijo Franky—. Yo me he divertido. Hemos visto Estados Unidos en directo. Nos lo hemos pasado bien. La gente de las pequeñas poblaciones es muy amable.

—Muy amable —repitió Stace—, pero de todos modos el recorrido ha sido muy largo.

—No quería dejar ninguna huella en los aeropuertos, son los primeros lugares que investigan —explicó Heskow—. Y se armará un gran revuelo. A vosotros no os importa el revuelo, ¿verdad, chicos?

—A mí no, desde luego —dijo Stace—. Pero ¿quién coño es?

—Don Raymonde Aprile —contestó Heskow, casi atragantándose con el café mientras pronunciaba el nombre.

Se produjo un prolongado silencio, y Heskow percibió por primera vez el frío mortal que emanaba de los dos gemelos.

—¿Nos has hecho recorrer casi cinco mil kilómetros para ofrecernos este trabajo? —preguntó Franky en un susurro.

Stace miró sonriendo a Heskow.

—John, ha sido un placer conocerte. Ahora páganos nuestra tarifa de matar y nos largamos.

Los gemelos se rieron de la broma, pero Heskow no captó su significado.

Un amigo de Franky que trabajaba en Los Ángeles como periodista independiente les había explicado una vez que, aunque en algunas ocasiones una revista le pagara los gastos para la elaboración de un artículo, no siempre se lo compraba. Algunas veces se limitaba a pagarle un pequeño porcentaje del precio acordado. Los gemelos habían adoptado aquella práctica. Cobraban simplemente por escuchar una propuesta. En aquel caso, teniendo en cuenta el tiempo que habían invertido en el viaje y que habían participado los dos, la tarifa ascendía a veinte mil dólares.

Pero la misión de Heskow consistía en convencerlos de que aceptaran el encargo.

—El Don lleva tres años retirado —les dijo. Todas sus antiguas conexiones están en la cárcel. Ya no tiene poder. El único que podría plantear algún problema es Timmona Portella, y no lo hará. Vuestra recompensa es un millón de dólares, la mitad cuando lo hayáis hecho y la otra mitad dentro de un año. Pero en el transcurso de este año deberéis ocultaros temporalmente y actuar con discreción. Ahora todo está dispuesto. Vosotros tenéis que limitaros a disparar.

—Un millón de dólares es mucho dinero —dijo Stace.

—Mi cliente sabe que eliminar a Don Aprile es un paso muy grande. Quiere contar con la mejor colaboración. Unos fríos tiradores y unos socios comanditarios con cerebros maduros. Y ocurre, muchachos, que vosotros sois los mejores.

—Y no hay muchos tipos dispuestos a correr este riesgo —dijo Franky.

—Sí —dijo Stace—. Tienes que vivir el resto de tu vida con él. Siempre con alguien que te estará pisando los talones, la policía y los agentes federales.

—Os juro que el Departamento de Policía de Nueva York no pondrá demasiado empeño en investigar —dijo Heskow—. Y el FBI no intervendrá para nada.

—¿Y los viejos amigos del Don? —preguntó Stace.

—Los muertos no tienen amigos —contestó Heskow. Hizo una breve pausa—. El Don se retiró hace tres años y cortó todos sus vínculos. No tenéis por qué preocuparos.

—¿No te parece gracioso que en todos nuestros tratos siempre nos digan que no tenemos por qué preocuparnos? —le dijo Franky a su hermano.

Stace soltó una carcajada.

—Eso es porque ellos no son los tiradores. John, tú eres un viejo amigo. Confiamos en ti. Pero ¿y si te equivocas? Todo el mundo se puede equivocar. ¿Y si el Don aún tuviera viejos amigos? Tú ya sabes cómo actúa, sin la menor compasión. Si nos atrapan, no se limitarán a matarnos. Primero nos pasaremos un par de horas en el infierno. Y además, según las normas del Don, nuestras familias correrán peligro. Eso incluye a tu hijo. Desde la tumba no podría jugar en la NBA. Creo que nos interesa saber quién paga todo esto.

Heskow se inclinó hacia ellos y su tez clara se tiñó de escarlata como si se hubiera ruborizado.

—Eso no os lo puedo decir. Lo sabéis muy bien. Yo soy un simple intermediario. Y ya he pensado en todas las demás mierdas —dijo—. ¿Tan estúpido me creéis? Todo el mundo sabe quién es el Don. Pero ahora está indefenso. Me han dado seguridades desde los más altos niveles. La policía simulará que hace algo. El FBI no puede permitirse el lujo de investigar. Y los jefes más poderosos de la Mafia no se entremeterán. El plan no puede fallar.

—Nunca imaginé que Don Aprile llegara a ser uno de mis objetivos —dijo Franky.

La hazaña halagaba su orgullo. Matar nada menos que a un hombre tan temido y respetado en su mundo.

—Franky —dijo Stace en tono de advertencia—, eso no es un partido de baloncesto. No nos estrecharemos la mano y nos retiraremos de la cancha si perdemos.

—Es un millón de dólares, Stace —dijo Franky—. Y John nunca nos ha llevado por mal camino. Vamos allá.

Stace se sintió entusiasmado. Él y Franky sabían cuidar muy bien de sí mismos, qué demonios. A fin de cuentas, era un millón de dólares. A decir verdad, Stace era más mercenario que Franky, más amigo de los negocios que su hermano, y el millón de dólares ejercía en él una atracción irresistible.

—De acuerdo —dijo Stace—, aceptamos el encargo. Pero que Dios se apiade de nuestras almas si te equivocas.

Había sido monaguillo en otros tiempos.

—¿Y si al Don lo vigila el FBI?

—No tenéis que preocuparos por eso —contestó John Heskow—. Cuando sus viejos amigos fueron a parar a la cárcel, el Don se retiró como un caballero. Y el FBI valoró el detalle. Lo dejan en paz. Os lo garantizo. Y ahora permitidme que os exponga el plan.

Durante media hora se lo explicó con todo detalle. Los gemelos lo escucharon sin interrumpirle.

Al final, Stace preguntó:

—¿Cuándo?

—El domingo por la mañana —contestó John Heskow—. Los dos primeros días os quedaréis aquí. Después, un jet privado os llevará a Newark.

—Necesitamos un chófer muy bueno —dijo Stace—. Un chófer excepcional.

—Conduzco yo —dijo Heskow. Y después añadió casi en tono de disculpa—: Será un día de pago muy importante.

Heskow se pasó el resto del fin de semana haciendo de niñera de los hermanos Sturzo,

preparándoles las comidas y haciéndoles recados. No era un hombre que se dejara impresio-
nar fácilmente, pero a veces los Sturzo le pro-
ducían escalofríos en el corazón. Eran como
víboras y estaban con la cabeza constantemente
alerta, pero, a pesar de todo, eran muy amables,
y hasta lo ayudaron a cuidar las plantas de sus
invernaderos.

Los hermanos jugaron al baloncesto el uno
contra el otro antes de la cena, y Heskow contempló fascinado cómo se retorcían sus cuerpos
el uno alrededor del otro como si fueran ser-
pientes. Franky, más rápido que su hermano,
era un encestador infalible. Aunque no fuera
tan bueno, Stace era más listo. Sin embargo,
aquello no se trataba de un partido de baloncesto-
to. En caso de que se produjera una auténtica
crisis, tendría que ser Stace. Stace sería el principal tirador.

2

La gran incursión del FBI en los años noventa en las familias de la Mafia de Nueva York sólo dejó a dos supervivientes. Don Raymonde Aprile, el más destacado y el más temido, se mantuvo intacto. El otro superviviente, Don Timmona Portella, que casi igualaba su poder, aunque era un hombre muy inferior a él, escapó al parecer por pura casualidad.

Sin embargo, el futuro estaba claro. Con aquellas leyes RICO* tan antidemocráticamente redactadas y el celo de los equipos especiales de investigación del FBI, y con el declive de la tradicional creencia en la omertà entre los soldados de la Mafia norteamericana, Don Raymonde Aprile sabía que ya había llegado el momento de abandonar discretamente el escenario.

El Don había gobernado su Familia durante treinta años y ahora ya se había convertido en una leyenda. El hecho de haberse criado en Sicilia lo había salvado de las ideas erróneas y la pre-

* *Racketeer Influenced and Corrupt Organizations [Act]*, Ley contra las organizaciones corruptas sometidas a la influencia del crimen organizado. *(N. de la T.)*

suntuosa arrogancia de los jefes mafiosos norte-americanos. En realidad era una encarnación de los antiguos sicilianos del siglo XIX que gobernaban ciudades y aldeas con su carisma personal, su sentido del honor y su implacable y definitivo juicio sobre cualquier persona sospechosa de ser su enemiga. Por si fuera poco, había demostrado poseer tanta habilidad estratégica como aquellos antiguos héroes.

Ahora, a sus sesenta y dos años, su vida estaba en orden. Se había deshecho de sus enemigos y había cumplido con sus obligaciones de padre y amigo. Podía disfrutar de la vejez con la conciencia tranquila, apartarse de las discordias de su mundo y pasar a interpretar el más digno papel de caballero banquero y puntal de la sociedad.

Sus tres hijos ya estaban cómodamente asentados en provechosas y honradas profesiones. El mayor, Valerius, de cuarenta años, casado y con hijos, era coronel del Ejército de Estados Unidos e impartía clases en la Academia Militar de West Point. Para corregir la infantil timidez de su personalidad, el Don había decidido que ingresara como cadete en West Point.

Su segundo hijo, Marcantonio, a la temprana edad de treinta y ocho años era, por un inexplicable misterio de mutación genética, un alto ejecutivo de una cadena nacional de televisión. Había sido un niño taciturno, encerrado en un mundo ficticio, y el Don siempre había pensado que fracasaría irremediablemente en cualquier proyecto serio que emprendiera. Sin embargo, ahora su nombre aparecía a menudo en los periódicos como un sesudo intelectual, cosa que complacía al Don, pero no lo convencía. A fin de cuentas, él era el padre del chico. ¿Quién mejor que él podía conocerlo?

Su hija Nicole, llamada cariñosamente Nikki en su infancia, a los seis años había exigido que la llamaran por su nombre completo. Era su vástago preferido. A los treinta y dos años, trabajaba como abogada especialista en derecho mercantil, era una feminista convencida y defendía gratuitamente a los delincuentes pobres y desesperados que, de otro modo, no habrían podido contar con una defensa apropiada. Estaba especializada en salvar a los asesinos de la silla eléctrica, a los maridos asesinos de la cárcel y a los violadores compulsivos de la cadena perpetua. Se oponía decididamente a la pena de muerte, creía en la rehabilitación de todos los delincuentes y criticaba con dureza la estructura económica de Estados Unidos. Creía que un país tan rico no tendría que haberse mostrado tan indiferente ante los pobres, cualesquiera que fuesen los defectos que tuvieran. A pesar de todo ello era una hábil y dura profesional y una mujer de sorprendente fuerza. El Don discrepaba de ella en todo.

Astorre, por su parte, era un miembro más de la familia y, en su calidad de sobrino de nombre, el que mantenía una relación más estrecha con el Don. Sin embargo, por su enorme vitalidad y su encanto, los demás lo consideraban más bien un hermano. Desde los tres años hasta los dieciséis, es decir, hasta el exilio del Don a Sicilia once años atrás, cuando éste lo había llamado de nuevo a su lado, para ellos había sido su queridísimo hermano menor.

El Don planificó cuidadosamente su retiro. Repartió su imperio para aplacar a los posibles enemigos, pero también rindió tributo a sus leales amigos, sabiendo que la gratitud es la virtud menos perdurable y que las dádivas siempre se tienen que multiplicar. El Don puso especial empeño en pacificar a Timmona Portella, el cual era muy peligroso debido a su excentricidad y a su apasionado instinto asesino, que a veces no guardaba la menor relación con la necesidad.

La forma en que Timmona Portella había escapado de la redada de los años noventa del FBI era un misterio para todos, pues era un Don nacido en Estados Unidos, nada astuto, imprudente, violento y dotado de un carácter explosivo. Tenía un corpachón enorme con una tripa impresionante y vestía como un *picciottu** de Palermo, de seda y mil colores. Su poder se basaba en la distribución de drogas ilegales. A pesar de

---

* «Muchacho», en dialecto siciliano. *(N. de la T.)*

sus cincuenta años, jamás se había casado, pero era un mujeriego empedernido. Sólo profesaba un sincero afecto a su hermano menor, Bruno, que parecía un poco retrasado, pero compartía su misma brutalidad.

Don Aprile jamás se había fiado de Portella y raras veces hacía negocios con él. A pesar de su aparente debilidad, era un hombre peligroso: tenía que ser neutralizado. Por eso lo había mandado llamar para tener una reunión con él.

El hombre se presentó en compañía de su hermano Bruno. Aprile los recibió con su serena cortesía habitual, pero fue directamente al grano.

—Mi querido Timmona —dijo—. Voy a retirarme de todos mis negocios menos de mis bancos. Ahora tú estarás muy a la vista del público y conviene que tengas cuidado. Si alguna vez necesitas algún consejo, llámame, porque no me voy a quedar enteramente sin recursos en mi retiro.

Bruno, una copia a escala reducida de Timmona, impresionado por la fama del Don, esbozó una sonrisa de satisfacción al ver con cuánto respeto trataba éste a su hermano mayor. Pero Timmona conocía mucho mejor al Don. Sabía que le estaba haciendo una advertencia.

Asintió respetuosamente ante las palabras del Don.

—Usted siempre ha sido el que mejor criterio ha demostrado de entre todos nosotros —dijo—. Y yo respeto lo que hace. Cuente con mi amistad.

—Muy bien, muy bien —dijo el Don—. Y ahora, a modo de regalo, te pido que no eches en saco roto esta advertencia. Cilke, ese hombre del FBI, es un tipo muy taimado. No te fíes de él para nada. Está borracho de éxito y tú serás su próximo blanco.

—Pero usted y yo ya hemos escapado de él —dijo Timmona—, aunque derribó a todos nuestros amigos. No le temo, pero le agradezco el consejo.

Tomaron un último trago para celebrarlo y después los hermanos Portella se fueron.

—¡Qué gran hombre! —dijo Bruno en el coche.

—Sí —dijo Timmona—. Era un gran hombre.

Por su parte, el Don estaba plenamente satisfecho. Había visto encenderse un fulgor de alarma en los ojos de Timmona y estaba seguro de que éste ya no constituiría un peligro para él.

Don Aprile preparó una reunión privada con Kurt Cilke, el jefe del FBI en Nueva York. Para su gran asombro, el Don admiraba a Cilke. Era el que había enviado a la cárcel y había destruido casi todo el poder de la mayoría de los jefes de la Mafia de la Costa Este.

Don Raymonde Aprile se le había escapado, pues conocía la identidad del confidente secreto de Cilke, el que le había proporcionado el éxito. Sin embargo le admiraba sobre todo porque siempre jugaba limpio, jamás había utilizado pruebas fraudulentas para encausarle ni había echado mano de maniobras de poder con fines coactivos, y nunca había hecho el menor comentario público respecto a sus hijos. Por eso el Don consideraba un deber de justicia hacerle una advertencia.

La reunión, a petición del Don, se celebró en su casa. Cilke tendría que acudir solo, lo cual constituiría un quebrantamiento de las normas del FBI. El mismo director del FBI había dado su aprobación, pero había insistido en que Cilke utilizara un dispositivo de grabación. No el de costumbre sino un implante en su cuerpo por debajo de la caja torácica, que no se notaba por fuera. Era un dispositivo de escucha desconocido para el público y cuya fabricación estaba estrictamente controlada. Cilke sabía muy bien que el verdadero propósito del dispositivo era grabar lo que él le dijera al Don.

Se reunieron una dorada tarde de octubre en la galería de la hacienda del Don en Montauk. Cilke jamás había conseguido colocar un micrófono oculto en aquella casa, y un juez le había prohibido ejercer una vigilancia física constante. Para su gran asombro, los hombres del Don no lo cachearon. Estaba claro que Don Raymonde Aprile no iba a hacerle una propuesta ilícita.

Como siempre, Cilke se sorprendió de la impresión que el Don le causaba. Aunque sabía que aquel hombre había ordenado centenares de asesinatos y quebrantado innumerables leyes de la sociedad, Cilke no podía odiarlo. Y sin embargo consideraba que los hombres como él eran unos malvados y los aborrecía con toda su alma por la forma en que destruían el tejido de la civilización.

Don Aprile vestía traje negro, corbata negra y camisa blanca. Tenía una expresión severa pero comprensiva, y las suaves arrugas alrededor de sus ojos eran las propias de un hombre amante de la virtud. ¿Cómo podía un rostro tan humano pertenecer a alguien tan despiadado?, se preguntó Cilke.

El Don no le tendió la mano, por delicadeza, para no ponerlo en un aprieto. Le indicó por señas que se sentara e inclinó la cabeza a modo de saludo.

—He decidido ponerme junto con mi familia bajo su protección, es decir, bajo la protección de la sociedad —dijo.

Cilke se quedó de una pieza. ¿Qué demonios quería decir aquel viejo?

—Durante los últimos veinte años, ha sido usted mi enemigo. Me ha perseguido. Pero yo siempre le he agradecido su juego limpio. Jamás presentó pruebas falsas contra mí ni alentó a nadie a cometer perjurio contra mí. Ha enviado a la cárcel a casi todos mis amigos y se ha esforzado al máximo en hacer lo mismo conmigo.

—Lo sigo intentando —dijo Cilke con una sonrisa en los labios.

El Don asintió con la cabeza en gesto de admiración.

—Me he desprendido de todos los negocios salvo de algunos bancos, que son sin la menor duda una actividad respetable. Me he colocado bajo la protección de la sociedad. A cambio, yo cumpliré con mi deber para con esta sociedad. Usted me lo podrá facilitar mucho si no me persigue, porque ya no será necesario.

Cilke se encogió de hombros.

—Eso lo decide el Bureau. Llevo mucho tiempo persiguiéndole, ¿por qué me voy a detener ahora? A lo mejor tengo suerte.

El rostro del Don adoptó una expresión más grave y fatigada.

—Tengo algo que intercambiar con usted. Sus grandes éxitos de los últimos años han influido en mi decisión. Pero el caso es que yo conozco a su principal confidente, sé quién es. Y no se lo he dicho a nadie.

Cilke titubeó tan sólo unos segundos antes de replicar serenamente:

—No tengo ningún confidente. Y le repito, el que decide es el Bureau, no yo. Me parece que me ha hecho usted perder el tiempo.

—No, no —dijo el Don—. Yo no busco ninguna ventaja, simplemente pido que me ayuden a adaptarme. En atención a mi edad, permítame decirle lo que he aprendido. No ejerza el poder por el hecho de tenerlo a mano. Y no se deje arrastrar por la certeza de la victoria cuando su inteligencia

le diga que puede haber una posibilidad de tragedia, aunque sólo sea mínima. Y permítame añadir
que ahora le considero un amigo y no un enemigo, y piense qué puede ganar o perder rechazando
este ofrecimiento.

—Pero si está usted auténticamente retirado,
¿de qué me puede servir su amistad? —preguntó
Cilke, sonriendo.

—Contará usted con mi benevolencia —le
contestó el Don—. Y eso vale algo aunque pro-
ceda del más insignificante de los hombres.

Más tarde Cilke le pasó la cinta a su ayudante Bill Boxton.

—¿Y a qué demonios venía eso? —preguntó
Boxton.

—Eso es lo que tú tendrás que averiguar
—contestó Cilke—. Me ha querido decir que
no está totalmente indefenso, que me sigue vigilando.

—Menuda estupidez —dijo Boxton—. No
pueden tocar a un agente federal.

—Es cierto —dijo Cilke—. Por eso yo le he
seguido vigilando, tanto si está retirado como si
no. No obstante, voy con cuidado. No podemos
estar totalmente seguros...

Tras analizar la historia de las más prestigio-
sas familias de Estados Unidos, las de aquellos

barones del latrocinio que habían amasado despiadadamente sus fortunas quebrantando las leyes y la ética de la sociedad humana, Don Aprile se convirtió como ellos en un benefactor de la sociedad. También él tenía su imperio, pues era propietario de diez bancos privados en las ciudades más grandes del mundo. Así pues, hizo generosas donaciones para la construcción de un hospital destinado a los pobres, aportó grandes cantidades para el fomento del arte y fundó en la Universidad de Columbia una cátedra de Estudios Renacentistas.

Cierto que Yale y Harvard habían rechazado sus veinte millones de dólares para la construcción de una residencia estudiantil que hubiera tenido que denominarse Cristóbal Colón, un personaje por aquel entonces bastante desacreditado en los círculos intelectuales. Yale se mostró dispuesta a aceptar el dinero siempre y cuando la residencia se bautizara con los nombres de los anarquistas Sacco y Vanzetti, pero al Don le importaban un pimiento Sacco y Vanzetti. Despreciaba a los mártires.

Un hombre menos importante se habría ofendido y habría tramado una venganza, pero no así Raymonde Aprile. En vez de eso se limitó a entregar el dinero a la Iglesia católica para la celebración de misas diarias en sufragio de su difunta esposa, que ya llevaba veinte años en el cielo.

Donó un millón de dólares a la Asociación Benéfica de la Policía de Nueva York y otro millón a una asociación dedicada a la protección de los inmigrantes ilegales. A lo largo de los tres años transcurridos desde su retiro, derramó dádivas sin cuento sobre todo el mundo. Su bolsa estaba abierta a todas las peticiones menos a una. Rechazó la que le hizo su hija Nicole en favor de la Campaña contra la Pena de Muerte.

Es curioso que tres años de buenas obras y de generosidad monetaria puedan borrar casi por completo una fama de treinta años de actos despiadados. Pero los grandes hombres también compran la benevolencia, el olvido y el perdón por haber traicionado a los amigos y haber promulgado sentencias letales. Y el Don también tenía esta debilidad universal.

Don Raymonde Aprile era un hombre que vivía de acuerdo con las severas normas de su moralidad particular. Uno de sus protocolos le había granjeado el respeto de todo el mundo durante más de treinta años y había sido el origen del extraordinario temor que había constituido la base de su poder. Aquel protocolo se fundaba en una absoluta falta de compasión.

Esta falta de compasión no se debía a una innata crueldad o a un psicopático deseo de causar dolor sino que surgía de una profunda convicción: la de que los hombres siempre se negaban a obedecer. Hasta el ángel Lucifer había desafiado a Dios y había sido expulsado de los cielos.

Por consiguiente, a un hombre ambicioso que luchaba por el poder no le quedaba otro recurso. Cierto que a veces uno intentaba convencer o hacer concesiones en interés de otro hombre. Era razonable que así lo hiciera. Pero cuando todo fracasaba, sólo quedaba el castigo de la muerte. Jamás amenazas de otras modalidades de castigo que pudieran dar lugar a represalias. Simplemente que desapareciera del globo terráqueo para que ya no se le tuviera que tomar en consideración.

La traición era la mayor ofensa. La familia del traidor sufriría las consecuencias; su círculo de amistades y todo su mundo serían destruidos. Hay muchos hombres orgullosos y valientes dispuestos a jugarse la vida a cambio de un beneficio, pero muchos se lo piensan dos veces antes de poner en peligro a sus seres queridos. Don Aprile había creado de esta forma en torno a sí un inmenso terror, y ahora confiaba en su generosidad en bienes mundanos para ganarse el amor menos necesario de los demás.

Cabía decir no obstante en su honor que era tan despiadado con su propia persona como con los demás. A pesar de su enorme poder, no había podido impedir el final de la joven esposa que le había dado tres hijos. Había muerto lenta y terriblemente de cáncer, y él no se había apartado ni un solo momento de su lado en el transcurso de aquellos seis meses, en los que llegó a pensar que su esposa estaba sufriendo el castigo de todos los pecados mortales que él había cometido. De ahí que él mismo decretara su propio castigo.

Jamás se volvería a casar. Apartaría a sus hijos de su lado para que se educaran según los principios de la sociedad legal y no crecieran en su mundo de odio y peligro. Los ayudaría a encontrar su camino, pero jamás participaría en sus actividades. Con profunda tristeza decidió no conocer jamás la verdadera esencia de la paternidad.

Así pues, el Don decidió enviar a sus tres hijos —a la niña Nicole y a los dos chicos, Valerius y Marcantonio— a unos internados privados especiales y jamás permitió que formaran parte de su vida privada personal. Cuando sus hijos regresaban a casa para pasar las vacaciones, interpretaba el papel de padre afectuoso pero distante, pero ellos jamás formaron parte de su mundo.

Y sin embargo sus hijos lo amaban pese a conocer su mala fama. Jamás hablaban de aquel asunto entre ellos. Era uno de esos secretos familiares que no son un secreto.

Nadie habría podido calificar al Don de sentimental. Tenía muy pocos amigos personales, carecía de animales domésticos y evitaba todas las fiestas y los actos sociales que podía. Sólo una vez, muchos años atrás, había llevado a cabo un acto de compasión que había asombrado a sus congéneres de Estados Unidos.

Don Aprile, a su regreso de Sicilia con el niño Astorre, encontró a su amada esposa muriéndose de cáncer y a sus tres hijos destrozados por la pena. Para evitar que la impresionable criatura viviera aquella triste situación y temiendo que ésta pudiera perjudicarle en cierto modo, decidió dejarlo al cuidado de dos de sus más fieles consejeros, un hombre llamado Frank Viola y su esposa. Fue una decisión imprudente. Por aquel entonces, Frank Viola aspiraba a suceder al Don.

Sin embargo, poco después de la muerte de la esposa del Don, Astorre Viola, que contaba tres años, se convirtió en miembro de la propia familia del Don cuando su «padre» se suicidó en extrañas circunstancias en el maletero de su coche y su «madre» murió de una hemorragia cerebral. Fue entonces cuando el Don acogió a Astorre en su casa y asumió el título de tío.

Cuando Astorre tuvo edad suficiente para empezar a preguntar por sus padres, Don Raymonde le dijo que era huérfano. Pero Astorre era un niño curioso y porfiado y el Don, para acabar con sus preguntas, le explicó que sus padres eran unos pobres campesinos que no podían darle de comer y habían muerto ignorados en una pequeña aldea siciliana. El Don sabía que la explicación no había convencido por entero al muchacho y sintió una punzada de remordimiento por haberle engañado, pero sabía que, mientras el niño fuera pequeño, era de todo punto necesario mantener en secreto sus raíces mafiosas... por la seguridad de Astorre y por la de sus propios hijos.

Don Raymonde era un hombre muy perspicaz y sabía que su éxito no duraría eternamente; el suyo era un mundo demasiado traidor. Desde el principio decidió cambiar de bando cuando llegara el momento de incorporarse a la seguridad de la sociedad organizada. Y no es que fuera verdaderamente consciente de su decisión, pero los grandes hombres intuyen instintivamente lo que el futuro les va a deparar. Y en este caso actuó movido por una auténtica compasión, pues Astorre Viola, a los tres años, no podía causar la menor impresión ni ofrecer ninguna clave sobre lo que sería más tarde cuando se convirtiera en un hombre. O de la importancia que revestiría su papel en la Familia.

El Don comprendió que la gloria de Estados Unidos residía en la aparición de grandes familias y sabía que la mejor clase social procedía de hombres que, al principio, habían cometido grandes crímenes contra la sociedad. Aquellos hombres que trataban de hacer fortuna habían construido también Estados Unidos y habían dejado que sus malas obras se fueran desintegrando hasta convertirse en polvo olvidado. ¿De qué otra manera se habría podido hacer? ¿Dejando las grandes praderas norteamericanas en poder de aquellos indios que ni siquiera podían imaginar una vivienda de tres pisos? ¿Dejando California en manos de los mexicanos, que carecían de conocimientos técnicos y no podían concebir los grandes acueductos para el riego de unas tierras que permitirían la prosperidad de millones de personas? Estados Unidos había sabido atraer a millones de pobres trabajadores de todo el mundo para encomendarles el duro trabajo de la construcción de ferrocarriles, presas y edificios que se elevaran hasta el cielo. Ah, la Estatua de la Libertad había sido un extraordinario rasgo de aquella genialidad. ¿Y acaso no había sido todo para bien? Cierto que se habían producido tragedias, pero eso formaba parte de la vida. ¿Acaso Estados Unidos no era el mayor cuerno de la abundancia que el mundo había conocido? ¿Acaso una pequeña injusticia no era un pequeño precio a cambio de todo aquello? Los individuos siempre se habían tenido que sacrificar en aras del progreso de la civilización y de la sociedad.

Pero existe otra definición de un gran hombre: es el que se niega por encima de todo a aceptar dicha carga. Por algún medio criminal o inmoral o por simple astucia conseguirá cabalgar en la ola del progreso humano sin hacer ningún sacrificio.

Don Raymonde era uno de estos hombres. Había creado su poder individual con su inteligencia y su total falta de compasión. Infundía temor y se había convertido en una leyenda. Pero sus hijos, de mayores, jamás creyeron aquellas atroces historias.

Estaba, por ejemplo, la leyenda del comienzo de su dominio como jefe de la Familia. El Don controlaba una empresa constructora dirigida por un subordinado suyo, un tal Tommy Liotti, a quien él había enriquecido a una edad muy temprana por medio de contratos de construcción adjudicados por el municipio. Era un hombre apuesto, ingenioso y encantador, y el Don siempre disfrutaba de su compañía. Pero sólo tenía un defecto: bebía demasiado.

Además, se había casado con Liza, la mejor amiga de la esposa del Don, una bella mujer chapada un poco a la antigua que, con su lengua tremendamente afilada, se sentía obligada a luchar contra el vicio de su esposo. Esto dio lugar a unos desgraciados incidentes. Tommy aceptaba de buen grado los irónicos comentarios de su mujer cuando estaba sobrio, pero cuando estaba borracho la abofeteaba con tal fuerza que ella tenía que morderse la lengua.

También fue una desgracia que el marido hubiera adquirido una increíble fuerza física debido al duro trabajo que había realizado en la construcción durante su juventud. De hecho, siempre llevaba camisas de manga corta para poder lucir sus soberbios antebrazos y sus espléndidos bíceps.

Lamentablemente, los incidentes fueron adquiriendo cada vez mayor gravedad a lo largo de los años. Una noche Tommy le rompió la nariz y unos cuantos dientes a su mujer, lo cual exigió una costosa intervención quirúrgica. Liza no se atrevió a pedir protección a la esposa de Don Aprile, pues probablemente tal petición la habría convertido en viuda, y ella amaba a su marido a pesar de todo.

Don Aprile no deseaba entremeterse en las riñas domésticas de sus subordinados. Tales asuntos jamás se podían resolver. A él le habría dado igual que el marido hubiera matado a su mujer, pero las agresiones suponían un peligro para sus relaciones en el mundo de los negocios. Una esposa furiosa podía hacer ciertas declaraciones y facilitar información perjudicial, pues el marido guardaba en su casa elevadas cantidades de dinero en efectivo para pagar los sobornos de los contratos municipales.

Por consiguiente, Don Aprile mandó comparecer al marido ante su presencia y le hizo saber con la máxima cortesía que sólo se inmiscuía en su vida personal porque ello afectaba a su negocio. Aconsejó al hombre que matara inmediatamente a su mujer o se divorciara de ella, o que jamás la volviera a maltratar. El marido le aseguró que nunca lo volvería a hacer. Pero el Don no se fiaba. Había observado en los ojos del hombre un cierto fulgor, el fulgor de su soberana voluntad. Éste era, a su juicio, uno de los grandes misterios de la vida, el hecho de que un hombre hiciera lo que considerara oportuno hacer cualesquiera que fueran las consecuencias. Los malvados se entregan a la satisfacción de sus más pequeños caprichos y aceptan el destino de arder en el infierno.

Y eso fue lo que ocurrió con Tommy Liotti. Transcurrió casi un año y la lengua de Liza se mostraba cada vez más afilada con el vicio de su marido. A pesar de la advertencia del Don y del amor que sentía por su mujer y sus hijos, Tommy le pegó una brutal paliza. La mujer acabó en el hospital con las costillas rotas y un pulmón perforado.

El marido era rico, tenía conexiones políticas y compró a uno de los jueces corruptos del Don con un elevado soborno. Después convenció a su mujer de que regresara a su lado.

Don Aprile observó todo aquello con cierta cólera y tomó cartas en el asunto muy a su pesar. Primero resolvió los aspectos prácticos de la cuestión. Obtuvo una copia del testamento del marido y averiguó que, como buen padre de familia que era, dejaba todos sus bienes terrenales a su mujer y a sus hijos. La mujer se convertiría en una acaudalada viuda. Después envió a un equipo especial con instrucciones también especiales. Una semana después el juez recibió una alargada caja con papel de envolver y lazos, en cuyo interior había un par de costosos guantes largos de seda que cubrían los dos poderosos antebrazos del marido, uno de ellos luciendo en la muñeca el caro reloj Rolex que el Don le había regalado años atrás en prueba de su aprecio. Al día siguiente el cadáver fue descubierto flotando en el agua alrededor del Puente de Verrazano.

Otra leyenda resultaba estremecedora por su ambigüedad y parecía una especie de historia infantil de fantasmas. Mientras los tres hijos del Don se encontraban en el internado privado en el que cursaban estudios secundarios, un emprendedor periodista, conocido por el ingenio con que dejaba al descubierto las debilidades de los famosos, los localizó y consiguió mantener con ellos una charla aparentemente intrascendente. El periodista la comparó con la mala reputación del padre de los muchachos, reconociendo, sin embargo, que Don Aprile jamás había sido declarado culpable de ningún delito.

Se trataba de un trabajo muy bien hecho —el periodista era un hombre de gran talento— en el que se comparaba la inocencia de los hijos con la maldad del padre. El reportaje alcanzó una gran notoriedad y circuló por las redacciones de todos los periódicos del país antes incluso de ser publicado. Era la clase de éxito con que sueña cualquier escritor. A todo el mundo le encantó.

El periodista era un hombre muy amante del aire libre y de la naturaleza, y cada año se iba con su mujer y sus hijos a una cabaña del norte del estado para cazar, pescar y disfrutar de la sencilla vida del campo.

Fue un largo fin de semana de un Día de Acción de Gracias. El sábado se incendió la cabaña, situada a más de quince kilómetros de la localidad más próxima. Los equipos de rescate tardaron más de dos horas en llegar.

Para entonces la casa se había convertido en un montón de troncos humeantes, y el periodista y su familia se habían transformado en unos frágiles y carbonizados palillos. Hubo un enorme revuelo y se llevó a cabo una exhaustiva investigación, pero no se pudo descubrir ninguna prueba de actuación delictiva. Se llegó a la conclusión de que la familia se había asfixiado con el humo antes de poder escapar.

Después ocurrió algo muy curioso. A los seis meses de la tragedia empezaron a circular rumores y habladurías. Unas informaciones anónimas llegaron al FBI y a la policía y se filtraron a la prensa. Los rumores apuntaban en el sentido de que todo había sido una venganza del infame Don Aprile. La prensa, ávida de noticias sensacionales, exigió la reapertura del caso. Así se hizo, pero nuevamente sin resultado alguno. Sin embargo, a pesar de la ausencia de pruebas, el hecho se convirtió en otra leyenda de la crueldad del Don: que se había vengado del periodista por haber descubierto el paradero de sus hijos.

Pero eso era lo que decía la gente; en aquella ocasión, las autoridades estaban convencidas de que el Don se encontraba por encima de toda sospecha. Todo el mundo sabía que los periodistas no eran objeto de represalias. Además, ¿de qué hubiera servido matar a uno? El Don era demasiado inteligente como para correr aquel riesgo. Pese a todo, la leyenda no murió. Algunos equipos del FBI pensaban incluso que el propio Don había inspirado los rumores para mantener viva su leyenda. Y ésta siguió creciendo. Pero había otra faceta. Su generosidad. Si lo servías con lealtad, te enriquecías y contabas con un formidable protector en los momentos de necesidad. El Don recompensaba con enorme esplendidez, pero sus castigos eran definitivos. Ésta era la leyenda.

Tras sus reuniones con Portella y Cilke, a Don Aprile aún le quedaban algunos detalles por resolver. Puso en marcha la maquinaria para que Astorre Viola regresara a casa tras su exilio de diez años en Sicilia.

Necesitaba a Astorre; en realidad lo había preparado para aquel momento. Astorre era el preferido del Don, por encima de sus propios hijos. En su infancia, Astorre siempre era el jefe de su grupo y, por su precoz don de gentes, parecía un adulto. Amaba al Don y no lo temía, como a veces les ocurría a sus hijos. Y a pesar de que Valerius y Marcantonio tenían dieciocho y diecisiete años cuando él sólo tenía diez, Astorre consiguió independizarse de ellos. Cuando Valerius, que era una especie de ordenancista militar, trataba de castigarlo, él se defendía. Marcantonio era mucho más cariñoso con él y fue el que le compró su primer banjo para animarle a cantar. Astorre lo aceptó como una atención de un adulto a otro.

Las únicas órdenes que cumplía Astorre eran las de Nicole. A pesar de que Nicole sólo le llevaba dos años, lo trataba como a un pretendiente, tal como él le había solicitado cuando era más pequeño. La muchacha le pedía que le hiciera recados, escuchaba con nostalgia las canciones italianas que él le dedicaba y le propinaba una bofetada cuando él intentaba besarla, pues a pesar de su tierna edad se sentía subyugado por la belleza femenina.

Lo cierto es que Nicole era muy guapa. Tenía unos grandes ojos oscuros y una sensual sonrisa, su rostro vibraba con todas las emociones que experimentaba, y se enfrentaba a cualquiera que insinuara que por su condición de mujer no era tan importante como los hombres que constituían su mundo. Le molestaba carecer de la fuerza física de sus hermanos y de Astorre y no poder imponer su voluntad con la fuerza sino tan sólo con su belleza. Y todo eso la convertía en una persona absolutamente intrépida y la inducía a provocarlos a todos, incluso a su padre, a pesar de su temible reputación.

Tras la muerte de su mujer, y cuando sus hijos aún no habían alcanzado la mayoría de edad, Don Aprile adquirió la costumbre de pasar un mes estival en Sicilia. Le gustaba la vida de su aldea natal y todavía conservaba una propiedad allí, Villa Grazia, una casa que había sido el refugio campestre de un conde.

Al cabo de unos años contrató los servicios de un ama de llaves, una viuda siciliana llamada Caterina, una mujer muy guapa, dotada de una recia belleza campesina y de una fina intuición para gobernar la propiedad y granjearse el respeto de los aldeanos. No tardó en convertirse en su amante, cosa que él ocultó a su familia y a sus amigos a pesar de ser un hombre de cuarenta años y el rey del mundo.

Astorre Viola contaba sólo diez años la primera vez que acompañó a Don Raymonde Aprile a Sicilia. El Don había recibido la petición de trasladarse a Sicilia para mediar en un gran conflicto entre la cosca de Corleone y la de Clericuzio. Pero además le gustaba pasar un mes de tranquilidad en su aldea natal, muy cerca de la ciudad de Montelepre.

A los diez años, Astorre era un niño simpático, no había otra palabra para describirlo. Era muy alegre y su hermoso y redondo rostro de tez aceitunada irradiaba afecto. Cantaba constantemente con una dulce voz de tenor. Y cuando no cantaba, conversaba. Sin embargo, y a pesar de todo ello, poseía las apasionadas cualidades de un rebelde nato y aterrorizaba a los demás niños de su edad.

El Don lo llevó consigo a Sicilia porque era el mejor compañero para un hombre de mediana edad, lo cual reflejaba la manera de ser de ambos y la forma en que el Don había educado a sus tres hijos.

Tras haber arreglado los asuntos de sus negocios, el Don medió en la disputa y se produjo una efímera paz. Ahora disfrutaba de sus jornadas, reviviendo su infancia en su aldea natal. Comía fruta, limones, naranjas y aceitunas conservadas en unos toneles con sal, y daba largos paseos con Astorre, contándole lejanas historias de los Robin Hood de Sicilia, de sus luchas contra los moros, los franceses, los españoles e incluso el papa. Y después le contaba historias de un héroe local, el gran Don Zeno.

Juntos en la terraza de Villa Grazia, ambos contemplaban cómo el cielo azul celeste de Sicilia se iluminaba con miles de estrellas fugaces mientras el fulgor de los relámpagos estallaba a través de las cercanas montañas. Durante el día caminaban bajo la hosca y mortífera luz del sol siciliano que bañaba todas las casas de piedra y las innumerables rocas con su impresionante calor.

Astorre no tardó en aprender el dialecto siciliano y comía las aceitunas del tonel como si fueran caramelos.

En pocos días se convirtió en el jefe de un grupo de niños de la aldea. El Don se sorprendió de su hazaña, pues los niños sicilianos eran muy orgullosos y no le tenían miedo a nadie. Muchos de aquellos querubines de diez años ya estaban familiarizados con la lupara, la escopeta de caza de cañones recortados, que era el arma tradicional de la Mafia siciliana.

Don Aprile, Astorre y Caterina se pasaban las largas noches estivales comiendo y bebiendo en el florido jardín cuyos naranjos y limoneros saturaban el aire con su cítrico perfume. A veces invitaban a algunos antiguos amigos de la infancia del Don a cenar y a jugar una partida de cartas. En tales ocasiones, Astorre ayudaba a Caterina a servirles las bebidas.

Caterina y el Don jamás se manifestaban afecto en público, pero en la aldea todos lo sabían, por lo que ningún hombre se atrevía a cortejar a Caterina y todos le tributaban el respeto debido a la señora de la casa. Fue el período más feliz de la vida del Don.

Faltaban apenas tres días para el término de la visita cuando ocurrió lo inimaginable: el Don fue secuestrado mientras paseaba por las calles de la aldea.

En la cercana localidad de Cinisi, una de las más remotas y atrasadas de Sicilia, el jefe de la *cosca* de la aldea, el mafioso local, era un feroz e intrépido bandido llamado Fissolini. Su poder era absoluto y no mantenía prácticamente relación con el resto de las *coscas* de la isla. No podía ni imaginar el enorme poder del Don y menos aún que éste pudiera penetrar en su apartado y seguro mundo. La única regla que creía haber quebrantado era la de traspasar los límites del territorio de la vecina *cosca*, pero el americano parecía un trofeo lo bastante importante como para que mereciera la pena correr el riesgo. Decidió secuestrar al Don y pedir un rescate.

La *cosca*, que es la unidad básica de la Mafia, suele estar integrada por miembros de una misma familia. Y los ciudadanos que respetan la ley, como los médicos o los abogados, suelen adherirse a ella para que les proteja sus intereses. A pesar de ser una organización en sí misma, la cosca puede aliarse con otra *cosca* más fuerte y poderosa. Y todo este entramado es lo que comúnmente se conoce como Mafia. Pero no hay ningún comandante o jefe supremo.

Una *cosca* suele centrarse en un determinado fraude organizado en un territorio determinado. Una *cosca* controla el precio del agua, por ejemplo, e impide que el Gobierno central construya embalses para que baje el precio. De esta manera destruye el monopolio del Gobierno. Otra controla la alimentación y los mercados. Las más poderosas eran la cosca de los Clericuzio de Palermo, que controlaba las construcciones inmobiliarias de toda Sicilia, y la *cosca* de Corleone, que controlaba a los políticos de Roma y se encargaba de la distribución de droga a todo el mundo. Después estaban otras *coscas* más insignificantes que exigían cuotas a los jóvenes románticos a cambio de permitirles cantar serenatas delante de los balcones de sus amadas. Todas las *coscas* organizaban el crimen. No permitían que los perezosos e inútiles robaran a los inocentes ciudadanos que pagaban su cuota a la *cosca*. Los que robaban carteras o violaban a las mujeres solían ser inmediatamente castigados con la muerte. Además, dentro de las *coscas* no se toleraba el adulterio. Tanto los hombres como las mujeres eran ejecutados sin piedad. Todo el mundo lo tenía muy claro.

La cosca de Fissolini llevaba una existencia más bien precaria. Controlaba la venta de imágenes sagradas, cobraba para proteger el ganado de los campesinos y organizaba los secuestros de los ricos despreocupados.

Y así fue como Don Aprile y el pequeño Astorre, que paseaban por la calle de su aldea, fueron introducidos por el ignorante Fissolini en dos camiones del Ejército norteamericano.

Los diez hombres vestidos de campesinos iban armados con rifles. Levantaron a Don Aprile del suelo y lo arrojaron al interior del primer camión. Astorre se lanzó sin dudar a la caja abierta del camión para no separarse de su tío. Los bandidos trataron de echarlo, pero él se agarró a los pilares de madera. Los camiones tardaron una hora en llegar al pie de las montañas de los alrededores de Montelepre. Después cambiaron los camiones por caballos y asnos e iniciaron el ascenso por las rocosas laderas hacia el cielo azul celeste de Sicilia. A lo largo del trayecto, el niño lo observó todo con sus grandes ojos verdes, pero no dijo ni una sola palabra.

Cerca del ocaso llegaron a una profunda cueva excavada en la montaña. Allí les prepararon una cena de cordero asado, pan casero y vino. En el campamento había una imagen de gran tamaño de la Virgen María protegida por una especie de capilla de madera oscura labrada a mano. A pesar de su crueldad, Fissolini era muy devoto. Poseía además la natural cortesía de los campesinos.

Fissolini se presentó al Don y al niño. Estaba claro que se trataba del jefe de la banda. Era un hombre bajo, y corpulento como un gorila. Llevaba un rifle, y dos pistolas al cinto. Su rostro parecía esculpido en una piedra tan dura como Sicilia, pero sus ojos estaban iluminados por un risueño centelleo. Disfrutaba de la vida y de sus pequeñas bromas, y por encima de todo le encantaba tener en su poder a un rico americano que valía su peso en oro. Pese a todo, carecía de malicia.

—Excelencia —le dijo al Don—, no quiero que se preocupe por el chico. Mañana por la mañana él mismo llevará la nota del rescate al pueblo.

Astorre comió con buen apetito. Jamás había saboreado nada tan delicioso como aquel cordero a la parrilla. Al final dijo con alegre valentía:

—Yo me quedo con mi tío Raymonde.

Fissolini se echó a reír.

—La buena comida infunde valor. Para manifestarle mi respeto a Su Excelencia, yo mismo he preparado esta comida. Y he utilizado las especias que utilizaba mi madre.

—Yo me quedo con mi tío —repitió Astorre con voz clara y desafiante.

Don Aprile le dijo a Fissolini con una severidad no exenta de gentileza:

—Ha sido una noche maravillosa, la comida, el aire de la montaña y su compañía. Estoy deseando contemplar el rocío de la campiña, pero le aconsejo que me devuelva a mi aldea.

Fissolini se inclinó ante él en respetuosa reverencia.

—Sé que es usted rico. Pero ¿es poderoso? Sólo pienso pedir cien mil dólares en dinero americano.

—Eso es un insulto —dijo el Don—. Usted me ofende. Duplique la cantidad. Y añada otros cincuenta para el chico. Recibirá el dinero. Pero después su vida será una eterna desgracia. —El Don hizo una momentánea pausa—. Me sorprende que haya sido usted tan imprudente.

Fissolini lanzó un suspiro.

—Tiene que comprenderlo, Excelencia, soy pobre. Cierto que puedo tomar lo que quiera en mi territorio, pero Sicilia es un país tan maldito que los ricos son demasiado pobres como para mantener a los hombres como yo. Tiene que comprender que usted es mi ocasión de hacer fortuna.

—En tal caso debería haberme ofrecido sus servicios —dijo el Don—. Siempre tengo trabajo para los hombres inteligentes.

—Lo dice ahora porque se siente débil y desamparado —replicó Fissolini—. Los débiles son siempre muy generosos. Pero yo seguiré su consejo y pediré el doble, aunque le confieso que me siento un poco culpable. Ningún ser humano vale tanto. Y dejaré libre al niño. Tengo debilidad por los críos. Yo tengo cuatro, y necesito alimentar sus bocas.

Don Aprile miró a Astorre.

—¿Irás?

—No —contestó Astorre, inclinando la cabeza—. Quiero estar contigo.

Astorre levantó la cabeza y miró a su tío.

—Pues entonces, deje que se quede —le dijo el Don al bandido.

Fissolini sacudió la cabeza.

—Irá. Tengo que mantener mi buena fama. No quiero que se me conozca como un secuestrador de niños. Porque a fin de cuentas, Excelencia, y a pesar del gran respeto que siento por usted, tendré que enviarle a usted trocito a trocito si no pagan. En cambio, si lo hacen, le doy la palabra de honor de Pietro Fissolini de que no se le tocará ni un solo pelo del bigote.

—El dinero se pagará —dijo tranquilamente el Don—. Y ahora procuremos sacar el máximo provecho de la situación. Sobrino, cántales una de tus canciones a estos caballeros.

Astorre cantó para los diez o más bandidos, que se mostraron encantados y lo felicitaron, alborotándole cariñosamente el pelo. Fue un momento mágico para todos, pues la dulce voz del niño llenó el aire de las montañas con canciones de amor.

Los bandidos sacaron de una cercana cueva unas mantas y unos sacos de dormir.

—Excelencia —dijo Fissolini—, ¿qué le apetece para mañana? ¿Un poco de pescado fresco para el desayuno, y unos espaguetis con carne de ternera para el almuerzo? Estamos a su servicio.

—Se lo agradezco —dijo el Don—. Un poco de queso y fruta será suficiente.

—Que descanse —dijo Fissolini. Enternecido por la cara de tristeza del niño, le dio a Astorre unas palmadas en la cabeza—. Mañana descansarás en tu cama.

Astorre cerró los ojos y se quedó dormido de inmediato en el suelo, junto al Don, que lo rodeó con su brazo.

—Quédate conmigo —le dijo.

Astorre durmió tan profundamente que el naciente sol rojo como las brasas ya se había elevado por encima de su cabeza cuando lo despertó un ruido ensordecedor. En la hondonada había cincuenta hombres armados. Don Aprile, amable, sereno y tranquilo, estaba sentado en un gran resalto de piedra, bebiendo de una jarra de café.

Al ver al niño, Don Aprile le hizo señas de que se acercara.

—¿Quieres un poco de café, Astorre? —Señaló con el dedo al hombre que tenía delante—. Es mi buen amigo Bianco. Él nos ha rescatado.

Astorre vio a un gigantesco individuo muy bien recubierto de grasa y vestido con traje y corbata. A pesar de que parecía ir desarmado, su aspecto resultaba infinitamente más temible que el de Fissolini. Tenía una buena mata de canoso cabello rizado y unos grandes ojos de color rosado. Todo el poder que irradiaba quedó oscurecido por la grave suavidad de su voz.

—Don Aprile —dijo Ottavio Bianco—, tengo que pedirle disculpas por haber llegado tan tarde y que haya tenido usted que dormir en el suelo como un campesino. Pero he venido en cuanto me he enterado. Siempre he sabido que Fissolini era un zopenco, pero nunca imaginé que fuera capaz de hacer una cosa así.

Se oyeron unos martillazos y unos hombres desaparecieron del campo visual de Astorre. El niño vio a dos jóvenes clavando unos maderos en forma de cruz. Después, con la hondonada al fondo, vio a Fissolini y a sus diez bandidos atados de pies y manos en el suelo y amarrados a unos árboles. Estaban envueltos en una red de alambre y cuerdas, con las extremidades entrelazadas. Parecían un montículo de moscas sobre un trozo de carne.

—Don Aprile —preguntó Bianco—, ¿a quién de esta escoria desea usted juzgar primero?

—A Fissolini —contestó el Don—. Es el jefe.

Bianco arrastró a Fissolini hasta el Don, todavía fuertemente atado como si fuera una momia. Bianco y uno de sus soldados lo levantaron y lo obligaron a permanecer de pie.

—Fissolini —dijo Bianco—, ¿cómo has podido ser tan estúpido? ¿No sabías que el Don se encontraba bajo mi protección, pues de otro modo yo mismo lo hubiera secuestrado? ¿Acaso pensabas que estabas pidiendo prestada una simple garrafa de aceite, o un poco de vinagre? ¿He entrado yo alguna vez en tu territorio? Lo malo es que siempre has sido muy testarudo y yo sabía que acabarías mal. Bueno, vas a colgar de la cruz como Jesús, y pedirás perdón a Don Aprile y al chiquillo. Tendré compasión de ti y te pegaré un tiro antes de clavarte en la cruz.

—Bien —le dijo el Don a Fissolini—, explíqueme esta falta de respeto.

Fissolini echó orgullosamente los hombros hacia atrás.

—La falta de respeto no fue contra su persona, Excelencia. Yo no sabía lo importante que era usted y lo mucho que le apreciaban mis amigos. Este necio de Bianco me hubiera podido mantener perfectamente informado. Excelencia, he cometido un error y lo tengo que pagar. —Hizo una breve pausa y después le gritó a Bianco con una mezcla de rabia y desprecio—: Diles a esos hombres que dejen de pegar martillazos. Me estoy volviendo sordo. ¡No es necesario que me muera de miedo antes de que me mates! —Tras otra breve pausa, el bandido añadió, dirigiéndose al Don—: Castígueme pero perdone la vida a mis hombres. Cumplieron mis órdenes. Tienen familia. Destruirá usted toda una aldea si los mata.

—Son hombres responsables —contestó sarcásticamente Don Aprile—. Los insultaría si no les hiciera compartir su destino.

El pequeño Astorre, a pesar de su mentalidad infantil, comprendió en aquel momento que estaban hablando de cuestiones de vida o muerte.

—Tío —dijo en un susurro—, no le hagas daño.

El Don no dio muestras de haberle oído.

—Siga —le dijo a Fissolini.

Fissolini le dirigió una inquisitiva mirada, mezcla de orgullo y cautela.

—No le pediré que respete mi vida. Pero aquellos hombres tendidos allí abajo son parientes míos. Si los mata, destruirá a sus mujeres y a sus hijos. Tres de ellos son yernos míos. Tenían una confianza absoluta en mí. Si los deja usted libres, antes de morir les haré jurar lealtad inquebrantable a usted. Y ellos me obedecerán. Tener diez amigos leales no es cualquier cosa. Me dicen que es usted un gran hombre, pero no puede ser verdaderamente grande si no tiene compasión. No tendría que convertirlo usted en una costumbre, naturalmente, pero sólo por esta vez —dijo Fissolini, mirando con una sonrisa a Astorre.

Aquel momento le era muy familiar a Don Aprile, que no albergaba la menor duda en cuanto a su decisión. Siempre había desconfiado del poder de la gratitud y creía que nadie podía influir en la voluntad de un hombre como no fuera mediante la muerte. Contempló fríamente a Fissolini y sacudió la cabeza. Bianco se adelantó.

Astorre se acercó a su tío y le miró directamente a los ojos. Lo había comprendido todo. Alargó la mano para proteger a Fissolini.

—No nos ha hecho daño —dijo—. Sólo quería nuestro dinero.

—¿Y eso no es nada? —replicó el Don con una sonrisa en los labios.

—Era por una buena razón —dijo Astorre. Quería el dinero para alimentar a su familia. Y a mí me cae bien. Por favor, tío.

—Bravo —dijo el Don, sonriendo.

Después permaneció un buen rato en silencio sin prestar atención a Astorre, que le tiraba de la mano. Y por primera vez en muchos años, el Don experimentó el impulso de mostrarse clemente.

Los hombres de Bianco habían encendido unos pequeños puros muy fuertes cuyo humo fue arrastrado por la brisa de la montaña a través del aire del amanecer. Uno de los hombres se adelantó, se sacó del bolsillo de la chaqueta de caza un puro y se lo ofreció al Don. Con claridad infantil, Astorre comprendió que no se trataba de una simple cortesía sino de una manifestación de respeto. El Don aceptó el puro y el hombre se lo encendió, ahuecando las manos alrededor.

El Don dio unas lentas y deliberadas caladas antes de proseguir.

—No le insultaré ofreciéndole mi compasión. Pero le ofreceré un trato de carácter profesional. Sé que no obró con malicia y que tuvo la mayor consideración con mi persona y con el chico. Por consiguiente, ahí va el trato. Usted vivirá. Sus compañeros también vivirán. Pero durante el resto de sus vidas, estarán a mis órdenes.

Astorre lanzó un suspiro de alivio y miró con una sonrisa a Fissolini. Después observó cómo Fissolini hincaba la rodilla en tierra y besaba la mano del Don. Astorre vio que los hombres armados que los rodeaban daban unas fuertes caladas a sus puros y que incluso Bianco, inmenso como una montaña, se estremecía de placer.

—Dios le bendiga, Excelencia —murmuró Fissolini.

El Don posó el puro sobre una cercana roca.

—Acepto su bendición, pero debe usted comprenderlo. Bianco acudió a salvarme; espero de usted la misma obligación. Yo le pago a él una suma de dinero y cada año haré lo mismo con usted. Sin embargo, si comete un solo acto de deslealtad, usted y su mundo serán destruidos. Usted, su esposa, sus hijos, sus sobrinos, sus yernos dejarán de existir.

Fissolini se incorporó. Abrazó al Don y estalló en sollozos.

Y así fue como el Don y su sobrino Astorre quedaron oficialmente unidos para siempre. El

Don amaba al chico por haberlo convencido de que fuera compasivo, y Astorre amaba a su tío por haberle otorgado las vidas de Fissolini y de sus hombres. El vínculo duró para el resto de sus días.

La última noche en Villa Grazia, el Don se tomó el café en el jardín y Astorre comió aceitunas del tonel. El niño se mostraba muy pensativo y menos locuaz que de costumbre.

—¿Te entristece abandonar Sicilia? —le preguntó el Don.

—Ojalá pudiera quedarme a vivir aquí —contestó Astorre, guardándose los huesos de las aceitunas en el bolsillo.

—Bueno, pero vendremos juntos todos los veranos —le dijo el Don.

Astorre lo miró como a un sabio y viejo amigo con su juvenil rostro alterado por la preocupación.

—¿Caterina es tu novia? —preguntó.

El Don se echó a reír.

—Es una buena amiga —contestó.

Astorre reflexionó un instante.

—¿Saben mis primos algo de ella? —preguntó.

—No, mis hijos no saben nada —contestó el Don con expresión risueña mientras se preguntaba qué otra pregunta le iba a formular el chico.

Astorre lo miró con semblante muy serio.

—¿Saben mis primos que tienes poderosos amigos como Bianco que harían cualquier cosa que tú les mandaras?

—No —contestó el Don.

—Pues yo no les diré nada —dijo Astorre—. Ni siquiera les contaré lo del secuestro.

El Don sintió una oleada de orgullo. Llevaba la *omertà* en los genes.

Aquella noche, solo en el exterior de la casa, Astorre se dirigió al rincón más alejado del jardín, cavó un hoyo con las manos e introdujo en él los huesos de aceituna que se había guardado en el bolsillo. Levantó los ojos hacia el pálido cielo azul de la noche siciliana y se imaginó a la edad de su tío, sentado en aquel jardín en una noche como aquélla, contemplando sus olivos.

A juicio del Don, todo lo que ocurrió después de aquello fue obra del destino. Él y Astorre efectuaron su viaje anual a Sicilia hasta que Astorre cumplió los dieciséis años. En lo más recóndito de la mente del Don estaba adquiriendo forma una visión, un vago esbozo del destino del muchacho.

Fue su hija Nicole la causante de la crisis que lo encauzó hacia aquel destino. A los dieciocho años, dos más que Astorre, Nicole se enamoró de él y, dado su ardiente temperamento, apenas se tomó la molestia de disimularlo y se adueñó por completo del impresionable joven. Las relaciones íntimas entre ambos se desarrollaron con toda la pasión propia de la juventud.

El Don no podía permitirlo, pero era un general que adaptaba sus tácticas al territorio. Jamás dejó traslucir que supiera algo de aquel asunto.

Una noche llamó a Astorre a su estudio y le anunció su intención de enviarlo a Inglaterra no sólo para estudiar sino también para hacer su aprendizaje bancario con un tal señor Pryor de Londres. No le dio ninguna explicación lógica, sabiendo que el chico comprendería que lo enviaba lejos para acabar con aquellas relaciones. Pero no había contado con su hija, que estaba escuchando detrás de la puerta. La joven irrumpió furiosa en la estancia, presa de una apasionada indignación cuya violencia acrecentaba más si cabe su belleza.

—Tú no lo vas a enviar lejos de aquí —le gritó a su padre—. Huiremos juntos.

El Don la miró sonriendo.

—Los dos tenéis que terminar los estudios —le dijo en tono apaciguador.

Nicole se volvió hacia Astorre y vio el intenso rubor de su rostro.

—Astorre —le dijo—, no irás, ¿verdad?

Al ver que Astorre no contestaba, Nicole rompió a llorar.

A cualquier padre le hubiera resultado difícil no conmoverse ante aquella pequeña escena, pero al Don le hizo gracia. Su hija era una criatura espléndida, una verdadera mafiosa en el antiguo sentido de la palabra, un auténtico trofeo desde todos los puntos de vista. Aunque durante muchas semanas la joven se negó a hablar con su padre y permaneció encerrada en su cuarto, el Don no temía que el corazón se le hubiera partido de pena para siempre.

Más gracia le hizo todavía ver a Astorre preso en la trampa de todas las adolescentes en flor. Era evidente que Astorre amaba a Nicole. Y también que la pasión y la entrega de la muchacha lo hacían sentirse la persona más importante de la tierra. Cualquier joven se hubiera dejado seducir por semejante interés. Pero al Don le resultaba también evidente que Astorre estaba deseando encontrar un pretexto para librarse de cualquier estorbo que se interpusiera en su camino hacia las glorias de la vida. El Don esbozó una sonrisa. El muchacho estaba dotado del instinto necesario, y había llegado el momento de que empezara a aprender en serio.

Y ahora, tres años después de su retiro, Don Raymonde Aprile se sentía seguro y experimentaba la satisfacción del hombre que ha tomado decisiones acertadas a lo largo de toda su vida. De hecho, el Don se sentía tan seguro que empezó a entablar unas relaciones más estrechas con sus hijos y a gozar finalmente de los frutos de la paternidad. Hasta cierto punto.

Al haber pasado buena parte de los últimos veinte años de su vida en destinos del Ejército en el extranjero, Valerius nunca había estado demasiado unido a su padre. Ahora que había sido enviado a West Point, los dos hombres se veían con más frecuencia y se hablaban con más sinceridad. Pero el diálogo seguía siendo difícil.

Con Marcantonio, la situación era distinta. Entre el Don y su segundo hijo se había establecido una especie de afinidad. Marcantonio explicaba la emoción que le deparaba la programación teatral, su deber para con los telespectadores y su deseo de convertir el mundo en un lugar mejor. Las vidas de aquellas personas eran como cuentos de hadas para el Don, el cual se sentía fascinado por ellas.

Durante las cenas familiares, Marcantonio y su padre discutían amistosamente sobre los temas que divertían a la gente.

—Yo jamás he visto a personas tan buenas o tan malas como los personajes que aparecen en estas obras —le dijo una vez el Don a Marcantonio.

—Eso es lo que creen los telespectadores —contestó su hijo—. Y nosotros se lo tenemos que dar.

Durante una reunión familiar, Valerius había tratado de explicar el fundamento lógico de la guerra del Golfo, que además de proteger los derechos humanos y toda una serie de importantes intereses económicos, se había traducido también en una elevación de los índices de audiencia para la cadena de televisión de Marcantonio. Pero el Don se había limitado a encogerse de hombros. Aquellas sutilezas del poder le tenían sin cuidado.

—Dime —le dijo a Valerius—, ¿cómo ganan realmente las guerras las naciones? ¿Cuál es el factor decisivo?

Valerius reflexionó un instante.

—Un ejército bien preparado, unos brillantes generales. También las grandes batallas que se pierden o se ganan. Cuando trabajaba en el servicio de espionaje y analizábamos todos los factores, la cuestión se reducía a lo siguiente: gana la guerra el país que produce más acero, así de sencillo.

El Don asintió, finalmente satisfecho.

Sin embargo, la relación más intensa y cordial la mantenía con su hija Nicole. Estaba orgulloso de sus éxitos, de su belleza física, de su apasionada naturaleza y de su inteligencia. A pesar de su juventud, sólo treinta y dos años, Nicole se estaba convirtiendo en una prestigiosa abogada con muy buenas conexiones políticas, y en los juicios se enfrentaba sin temor a cualquier representante de los poderes fácticos.

Ahí el Don la había ayudado bajo mano, pues su bufete jurídico le debía muchos favores. Pero sus hermanos se mostraban muy cautos con ella por dos motivos: estaba divorciada y defendía gratuitamente a mucha gente. A pesar de la admiración que sentía por ella, el Don jamás podía tomarse en serio a Nicole. A fin de cuentas, era una mujer. Y le gustaban demasiado los hombres.

En las comidas familiares discutían constantemente como dos enormes gatazos que estuvieran retozando peligrosamente hasta hacerse sangre. Tenían un motivo de discusión muy serio, el único que podía alterar el buen humor del Don. Nicole creía en el carácter sagrado de la vida humana y consideraba que la pena de muerte era una cosa abominable. Había organizado y dirigido la Campaña contra la Pena de Muerte para la abolición de dicho castigo.

—¿Por qué? —le preguntó el Don.

Nicole se enfurecía una y otra vez, porque creía que la pena de muerte acabaría destruyendo a la humanidad. Y estaba segura de que si la muerte de un hombre resultaba aceptable en determinadas circunstancias, también se podría justificar en otras circunstancias y en otras creencias. No sería beneficiosa para la evolución de la humanidad. Esta creencia la colocaba en una situación de conflicto permanente con su hermano Valerius. A fin de cuentas, ¿qué otra cosa hacía un ejército? A ella no le importaban los motivos. El hecho de matar era siempre lo mismo, y nos haría retroceder al canibalismo o a cosas peores.

Nicole aprovechaba todas las ocasiones para luchar en los tribunales del país y salvar a los asesinos condenados a muerte. Y el Don lo consideraba una pura insensatez.

En el transcurso de otra cena familiar el Don propuso un brindis por su hija, que acababa de ganar un sonado proceso en el que había actuado de oficio, consiguiendo la conmutación de la pena de muerte a la que había sido condenado uno de los más célebres criminales de la década. El hombre había matado a su mejor amigo y había penetrado analmente a la viuda. En su huida, había atracado y asesinado a dos empleados de una gasolinera. A continuación había violado y asesinado a una niña de diez años. Su carrera delictiva terminó cuando intentó matar a dos agentes de policía que circulaban en un coche patrulla. Nicole había ganado el caso alegando enajenación mental, aunque el hombre tendría que pasar el resto de sus días en una institución para delincuentes desequilibrados, sin posibilidad de ser puesto en libertad.

La siguiente cena familiar fue otra celebración en honor de Nicole por haber ganado otro caso. Había defendido un difícil principio jurídico, corriendo un grave riesgo personal pues había tenido que comparecer ante una comisión del Colegio de Abogados por conducta poco ética. Afortunadamente había sido absuelta, había ganado; estaba exultante y no cabía en sí de felicidad.

El Don, que se encontraba de muy buen humor, había mostrado un insólito interés por aquel caso. Felicitó a su hija por la absolución, pero no comprendía, o fingía no comprender, las circunstancias. Nicole se las tuvo que explicar.

Había defendido a un hombre de treinta años que había violado, penetrado analmente y asesinado a una niña de doce años, y que después había escondido su cuerpo para que la policía no lo encontrara. Los indicios en su contra eran muy sólidos, pero sin el hallazgo del cadáver el jurado y el juez se resistían a condenarlo a la pena de muerte. Los padres de la víctima confiaban desesperadamente en encontrar el cadáver.

El asesino le reveló a Nicole, su defensora, dónde estaba enterrado el cuerpo y la autorizó a concertar un trato: él revelaría el paradero del cadáver a cambio de una condena a cadena perpetua en lugar de la pena de muerte. No obstante, cuando Nicole inició las negociaciones con el fiscal, tuvo que enfrentarse con una amenaza de enjuiciamiento en caso de que no revelara inmediatamente el paradero del cadáver. Nicole creía sin embargo que la sociedad estaba obligada a proteger el carácter confidencial de la relación entre abogado y cliente, por lo que se negó a facilitar la información. Un destacado juez declaró ajustada a derecho su actuación.

Tras consultar con los padres de la víctima, el fiscal aceptó finalmente el pacto.

El asesino reveló que había troceado el cadáver, lo había colocado en una caja llena de hielo y lo había enterrado en una zona pantanosa próxima a Nueva Jersey. Encontraron el cadáver y el asesino fue condenado a cadena perpetua. Pero entonces el Colegio de Abogados la acusó de negociación poco ética. Y aquel día había obtenido la absolución.

El Don brindó por todos y después le preguntó a Nicole:

—¿Y tú te comportaste con honradez durante todo este proceso?

Nicole perdió una parte de la alegría que sentía hasta ese momento.

—Era una cuestión de principios. No se puede consentir que el Gobierno rompa el privilegio de confidencialidad entre abogado y cliente en cualquier situación, por grave que ésta sea, pues en tal caso perdería su carácter sacrosanto.

—¿Y no sentiste nada por la madre y el padre de la víctima? —le preguntó el Don.

—Por supuesto que sí —contestó Nicole en tono de hastío—, pero no podía permitir que eso influyera en un principio básico del derecho. Te aseguro que la situación me hizo sufrir mucho, pero para sentar precedentes con vistas al futuro hay que hacer ciertos sacrificios.

—Sin embargo el Colegio de Abogados te sometió a juicio —dijo el Don.

—Para salvar la cara —replicó Nicole—. Fue un gesto político. La gente corriente que no está familiarizada con las complejidades del ordenamiento jurídico, no puede admitir estos principios legales y se armó un buen jaleo. De ahí que mi comparecencia ante la comisión contribuyera a suavizarlo todo. Tenía que intervenir un eminente juez y explicar públicamente que, según la Constitución, yo estaba en mi derecho al negarme a facilitar aquella información.

—Bravo —dijo jovialmente el Don—. El derecho siempre depara sorpresas, aunque sólo para los abogados, claro.

Nicole sabía que su padre se estaba burlando de ella.

—Sin un ordenamiento jurídico no puede haber civilización —replicó en tono cortante.

—Muy cierto —dijo el Don, como si quisiera aplacar a su hija—. Pero parece injusto que un hombre que ha cometido un terrible delito pueda salvar la vida.

—Por supuesto que lo es —convino Nicole—. Pero nuestro ordenamiento jurídico está basado en los acuerdos tácticos entre defensor y fiscal para agilizar los trámites judiciales. Es verdad que los delincuentes son condenados a unos castigos inferiores a los que se merecen, pero en cierto modo eso es bueno. El perdón cura. Y, a la larga, los que cometen crímenes contra la sociedad se pueden rehabilitar más fácilmente.

Por eso el Don propuso un brindis con sarcástica jovialidad.

—Pero dime una cosa —dijo volviéndose hacia Nicole—, ¿en algún momento creíste que el hombre era inocente debido a su locura? A fin de cuentas, actuó siguiendo los impulsos de su voluntad.

Valerius miró a Nicole con sus ojos fríos e inquisitivos. Había cumplido los cuarenta, y era muy alto, con un bigotito y un cabello ya entreverado de gris. En su calidad de oficial del servicio de espionaje, había tomado algunas decisiones al margen de la moralidad humana. Le interesaban los argumentos de Nicole.

Marcantonio comprendía a su hermana y sabía que aspiraba a llevar una vida normal porque en parte se avergonzaba de la vida de su padre. Y él temía que dijera algo que su padre jamás le pudiera perdonar.

Astorre, por su parte, estaba deslumbrado por Nicole, por sus ardientes ojos y por la increíble energía con que replicaba a los aguijonazos de su padre. Recordaba sus amores adolescentes y sabía que ella le seguía teniendo cariño. Pero ahora él había cambiado, ya no era el amante de antaño. Eso estaba muy claro. Se preguntaba si los hermanos de Nicole sabían algo de aquellas largas relaciones. Y él también temía que la discusión rompiera los vínculos de la familia, una familia a la que él quería y que constituía su único refugio. Confiaba en que Nicole no llegara demasiado lejos. Pero no compartía sus puntos de vista. Sus diez años en Sicilia le habían enseñado otra cosa muy distinta. Le extrañaba sin embargo que las dos personas a las que más quería en el mundo pudieran ser tan diferentes. Y pensaba que, aunque ella tuviera razón, él jamás se podría poner de su parte contra su padre.

Nicole miró con descaro a los ojos de su padre.

—No creo que actuara siguiendo los impulsos de su voluntad —contestó—. Actuó obligado por las circunstancias de su vida... por sus deformadas percepciones, su herencia genética, su bioquímica y la ignorancia de la medicina... estaba loco. Por consiguiente, es evidente que lo creo.

El Don reflexionó un instante y después preguntó:

—Dime, si él te hubiera confesado que todas sus excusas eran falsas, ¿hubieras seguido empeñada en salvarle la vida?

—Sí —contestó Nicole—. La vida de cada persona es sagrada. El Estado no tiene derecho a quitársela.

El Don esbozó una burlona sonrisa.

—Eso se debe a tu sangre italiana. ¿Sabes que en la Italia moderna jamás ha habido pena de muerte? Se salvaron muchas vidas humanas.

Sus hijos y Astorre se asustaron al oír el sarcástico tono de su voz, pero Nicole no se amilanó.

—Es una barbaridad que el Estado, bajo el manto de la justicia, cometa un asesinato premeditado —le contestó severamente a su padre—. Creo que tú, más que nadie, deberías estar de acuerdo con este principio. —Era un desafío, una referencia a su mala fama. Nicole se echó a reír y añadió, más serena—: Tenemos una alternativa. El criminal está encerrado a buen recaudo en una institución o prisión de por vida y no tiene ninguna esperanza de alcanzar la libertad condicional. Y por tanto ya no constituye un peligro para la sociedad.

El Don la miró fríamente.

—Cada cosa a su tiempo —dijo—. Yo apruebo que el Estado le quite la vida a una persona. Y en cuanto a lo de la prisión de por vida sin posibilidad de puesta en libertad o de libertad condicional, creo que es un cuento chino. Supongamos que al cabo de veinte años se descubren nuevas pruebas o se supone que el individuo se ha rehabilitado, se ha convertido en otra persona y rezuma bondad por todos sus poros. Pero de la muerta nadie se acuerda. El hombre es puesto en libertad. Y eso no es lo más importante...

Nicole frunció el entrecejo.

—Papá, yo no he dado a entender en ningún momento que la víctima no fuera importante. Pero el hecho de quitarle la vida al asesino no le devolverá la vida a la víctima. Y cuanto más aceptemos la muerte de una persona, cualesquiera que sean las circunstancias, tanto más tiempo se prolongará esta situación.

Aquí el Don hizo una pausa, bebió un poco de vino y miró a sus dos hijos y a Astorre, sentados en torno a la mesa.

—Permíteme que te cuente la realidad —dijo, volviéndose hacia su hija y hablando con insólita vehemencia—. ¿Dices que la vida humana es sagrada? ¿En qué pruebas te basas? ¿Dónde dice eso la historia? Todos los gobiernos y todas las religiones han respaldado las guerras que han matado a millones de hombres. Tenemos constancia a través del tiempo de las matanzas de miles de enemigos por disputas políticas o por intereses económicos. ¿Cuántas veces el dinero se ha colocado por encima del carácter sagrado de la vida humana? Tú misma aceptas la supresión de la vida humana cuando consigues salvar a tu cliente.

—Yo no la he aceptado —contestó Nicole mientras un extraño fulgor se encendía en sus negros ojos—. Yo no la he disculpado. Creo que es una barbaridad. ¡Simplemente me he negado a sentar las bases de más supresiones de vidas humanas!

Ahora el Don habló más calmado y con más sinceridad, como si quisiera que todos lo escucharan.

—Por encima de todo eso —dijo—, la víctima, tu ser querido, yace bajo tierra. A él se le aparta para siempre de este mundo. Jamás volveremos a ver su rostro, jamás volveremos a oír su voz, jamás tocaremos su carne. Está en la oscuridad, perdido para nosotros y para el mundo.

Todos escucharon en silencio mientras el Don bebía otro poco de vino.

—Y ahora, Nicole, escúchame bien. Tu cliente, el asesino, ha sido condenado a cadena perpetua. Se pasará el resto de su vida entre rejas o en una institución. Eso es lo que tú dices. Pero cada mañana verá salir el sol, se alimentará con comida caliente, oirá música, circulará la sangre por sus venas y le hará sentir interés por el mundo. Sus seres queridos lo podrán seguir abrazando. Tengo entendido que hasta podrá estudiar libros y aprender carpintería para construir mesas y sillas. En resumen, seguirá vivo. Y eso es injusto.

Nicole no dio su brazo a torcer.

—Papá, si uno quiere domesticar a un animal, no permite que coma carne cruda. No permite que la saboree para que no se aficione a ella. Cuanto más matemos, tanto más fácil resultará matar. ¿Es que no te das cuenta? —Al ver que su padre no contestaba, le preguntó—: ¿Y cómo estableces lo que es justo y lo que es injusto? ¿Cómo se traza la línea?

Su desafío se estaba convirtiendo en una petición a su padre para que comprendiera todos los años que ella se había pasado abrigando dudas sobre él.

Todos esperaban un estallido de furia del Don ante la insolencia de su hija, pero de repente el Don recuperó el buen humor.

—He tenido mis momentos de debilidad —dijo—. Pero jamás he permitido que un niño juzgara a sus padres. Los niños son inútiles y viven con nuestro consentimiento. Y yo me considero un padre irreprochable. He educado a tres hijos que son unos puntales de la sociedad, inteligentes, cultos y triunfadores en sus profesiones. Y que no están totalmente desamparados contra el destino. ¿Puede alguno de vosotros hacerme algún reproche?

Al llegar a este punto se desvaneció la cólera de Nicole.

—No —contestó—. Como padre, nadie te puede hacer ningún reproche. Pero has olvidado algo. Siempre se ahorca a los oprimidos. Los ricos acaban librándose de la pena de muerte.

El Don miró a Nicole con semblante muy serio.

—Pues entonces, ¿por qué no luchas para modificar las leyes de manera que los ricos también sean ahorcados, como los pobres? Eso es más inteligente.

—No quedaría nadie —intervino Astorre, con una sonrisa en los labios.

El comentario rompió la tensión.

—La mayor virtud de la humanidad es la clemencia —dijo Nicole—. Una sociedad culta no ejecuta a un ser humano y se abstiene del castigo todo lo que el sentido común y la justicia le permiten.

Sólo entonces el Don perdió su habitual buen humor.

—¿De dónde has sacado esas ideas? —preguntó—. Son cobardes y comodonas; más aún, son sacrílegas. ¿Hay alguien más despiadado que Dios? Él no perdona, no prohíbe el castigo. Hay un cielo y un infierno porque él lo ha decretado. En este mundo no nos libra del dolor y la tristeza. Su deber todopoderoso consiste en no mostrar más clemencia que la estrictamente necesaria. Por consiguiente, ¿quién eres tú para otorgar esta maravillosa gracia? Eso es arrogancia. ¿Crees acaso que siendo tan virtuosa podrás crear un mundo mejor? Recuerda que los santos sólo pueden murmurar plegarias al oído de Dios y sólo cuando se han ganado este privilegio por medio del martirio. No. Nuestro deber es perseguir a nuestro semejante. ¡A saber los grandes pecados que éste sería capaz de cometer! De esta manera, entregaríamos nuestro mundo al poder del demonio.

Nicole volvió a enmudecer de cólera mientras Valerius y Marcantonio sonreían. Astorre inclinó la cabeza como si estuviera rezando.

—Papá —dijo finalmente Nicole—, lo que ocurre es que eres exageradamente moralista. Y desde luego no eres un ejemplo a seguir.

Se produjo un prolongado silencio alrededor de la mesa. Cada uno recordaba sus extrañas relaciones con el Don. Nicole jamás se había creído del todo las historias que había oído contar sobre su padre, y sin embargo temía que fueran ciertas. Marcantonio recordaba que uno de sus compañeros de la cadena le había preguntado taimadamente:

—¿Cómo os trata tu padre a ti y a tus hermanos?

Marcantonio, tras una breve reflexión y sabiendo que el hombre se refería a la mala fama de su padre, le había contestado con la cara muy seria:

—Mi padre es muy cariñoso con nosotros.

Valerius estaba pensando en lo mucho que se parecía su padre a algunos generales bajo cuyas órdenes había servido. Eran hombres que cumplían su tarea sin escrúpulos morales ni dudas respecto a su deber. Unas flechas que salían disparadas hacia su blanco con mortífera rapidez y precisión.

El caso de Astorre era distinto. El Don siempre le había manifestado afecto y confianza. Pero, por otra parte, él era el único de la mesa que sabía que la mala fama del Don era auténtica. Recordaba lo ocurrido tres años atrás, al volver de sus años de exilio. El Don le había dado ciertas instrucciones.

—Un hombre de mi edad —le había dicho el Don— puede morir por un tropiezo con una puerta, por un lunar en la espalda o por la simple interrupción de los latidos del corazón. Es curioso que un hombre no recuerde su carácter mortal en todos los segundos de su vida. No importa. No tiene por qué tener enemigos. Pero, aun así, uno tiene que planificar las cosas. Te he nombrado principal heredero de mis bancos y tú los controlarás y te repartirás los beneficios con mis hijos. Y eso por una razón: ciertos grupos están interesados en la compra de mis bancos; uno de ellos está encabezado por el cónsul general del Perú. El Gobierno me sigue investigando según las leyes RICO para poder apoderarse de mis bancos. Menudo negocio para ellos. Pero no encontrarán nada. Mis instrucciones son que no vendas jamás los bancos. Cada vez serán más rentables y poderosos. Y con el tiempo se olvidará el pasado.

»Si ocurriera algún acontecimiento inesperado, llama al señor Pryor para que te ayude como interventor. Tú ya lo conoces muy bien. Es un hombre extraordinariamente cualificado que también se beneficia de la buena marcha de los bancos. Me debe lealtad. Además te presentaré a Benito Craxxi en Chicago. Es un hombre de infinitos recursos y también se beneficia de los bancos. Es de confianza. Entretanto te daré una empresa de macarrones para que tengas algo que hacer y te ganes bien la vida. A cambio de todo eso, te encomiendo la seguridad y la prosperidad de mis hijos. Es un mundo muy duro y los he educado en la inocencia.

Y ahora, tres años después, Astorre estaba pensando en aquellas palabras. Después del tiempo transcurrido le parecía que sus servicios ya no serían necesarios. El mundo del Don no se podía destruir.

Pero Nicole aún no había terminado con sus argumentos.

—¿Y qué me dices de la virtud de la compasión? —le preguntó a su padre—. Eso que predican los cristianos, ya sabes.

—La compasión es un vicio —contestó el Don sin dudar—. Es arrogarse unos poderes que no poseemos. Los que tienen compasión le hacen una imperdonable ofensa a la víctima. Y éste no es nuestro deber aquí en la tierra.

—¿O sea que tú no quieres compasión? —preguntó Nicole.

—Jamás —contestó el Don—. No la busco ni la deseo. Si es necesario, aceptaré el castigo que merecen todos mis pecados.

Durante aquella cena, el coronel Valerius Aprile invitó a su familia a asistir a la confirmación de su hijo de doce años, que tendría lugar dentro de dos meses en Nueva York. Gracias al cambio que últimamente había experimentado su carácter, el Don aceptó la invitación.

Así pues, un frío mediodía de un domingo de diciembre, iluminado por una clara luz amarillo limón, la familia Aprile acudió a la catedral de San Patricio de la Quinta Avenida, donde el fulgurante sol grababa la imagen de aquel espléndido templo en las calles que lo rodeaban. Don Raymonde Aprile, Valerius y su mujer, Marcantonio, deseoso de largarse cuanto antes, y la bella Nicole vestida de negro, contemplaron cómo el cardenal en persona, tocado con su rojo capelo, bebía el vino consagrado, administraba la comunión y propinaba el ritual cachete de advertencia en la mejilla del niño.

Fue un dulce y misterioso placer contemplar a los niños al borde de la pubertad y a las niñas a punto de alcanzar la edad núbil avanzando por la nave central de la catedral con sus blancas túnicas y sus pañuelos de seda rojos, bajo la mirada de los ángeles y los santos de piedra, para confirmar que servirían a Dios durante el resto de sus vidas. A Nicole se le llenaron los ojos de lágrimas, a pesar de no creer ni una sola palabra de lo que estaba diciendo el cardenal. Se rió para sus adentros.

En las gradas de la catedral, los niños se despojaron de sus túnicas y dejaron al descubierto sus mejores galas: las niñas sus vaporosos vestidos de encaje blanco, los niños sus trajes oscuros con sus resplandecientes camisas blancas y la tradicional corbata roja anudada al cuello para alejar al demonio.

Don Aprile salió de la iglesia flanqueado por Astorre y Marcantonio. Los niños se congregaron a su alrededor mientras Valerius y su mujer sostenían orgullosamente la túnica de su hijo, y un fotógrafo les tomaba una instantánea.

Don Aprile empezó a bajar las gradas. Inspiró profundamente. Era un día espléndido y jamás se había sentido tan vivo y despierto. Cuando su nieto recién confirmado se acercó para abrazarlo, le acarició cariñosamente la cabeza y depositó en la palma de su mano una moneda de oro de gran tamaño, el tradicional regalo en el día de la confirmación de un niño. Después introdujo la generosa mano en el bolsillo de su chaqueta y sacó un puñado de monedas de oro más pequeñas para repartirlas entre los demás niños y niñas. Se sintió lleno de satisfacción al oír sus gritos de júbilo y se alegró de encontrarse en una ciudad cuyos altos edificios de piedra gris eran tan hermosos como los árboles. Se acercó al borde del segundo tramo de gradas que bajaba a la calle. Estaba solo, y Astorre le seguía a pocos pasos de distancia. Bajó la mirada hacia las gradas de piedra que tenía delante y se detuvo un instante mientras un enorme vehículo negro se acercaba al bordillo como para recibirlo.

Aquel domingo por la mañana en Brightwaters, Heskow se levantó temprano y salió a comprar el pan y los periódicos. Guardaba el coche robado en el garaje, una berlina negra de gran tamaño llena a rebosar de armas, antifaces y cajas de municiones. Examinó los neumáticos, la gasolina, el aceite y las luces de stop. Perfecto. Entró de nuevo en la casa para despertar a Franky y a Stace Sturzo, pero éstos ya se habían levantado y Stace había preparado el café.

Los gemelos desayunaron en silencio y leyeron los periódicos del domingo. Franky echó un vistazo a la clasificación de los equipos universitarios de baloncesto.

A las diez en punto, Stace le preguntó a Heskow:

—¿Está listo el coche?

—Todo preparado —contestó Heskow.

Se fueron. Tardarían una hora en llegar a la ciudad, lo cual significaba que les sobraría una hora antes de matar. Lo importante era llegar a tiempo.

Franky examinó las armas a bordo del automóvil. Stace se probó uno de los antifaces, unos pequeños cuencos blancos con unos cordones laterales para llevarlos colgados alrededor del cuello y ponérselos en el último momento.

Se dirigieron a la ciudad escuchando música de ópera a través de la radio. Franky delante, con Heskow, y Stace detrás. Heskow era un excelente conductor, suave como la seda, sin bruscos frenazos ni aceleraciones. Siempre dejaba mucho espacio con respecto a los coches que tenía delante y detrás. Stace soltó un leve gruñido de aprobación que alivió la tensión; los tres estaban tensos, pero no nerviosos. Sabían que tenían que ser perfectos. No podían errar el tiro.

Heskow se abrió paso lentamente a través de las calles de la ciudad, pues los semáforos en rojo le impedían circular más deprisa.

Al final enfiló la Quinta Avenida y aparcó a media manzana de los grandes pórticos de la catedral. El repique de las campanas del templo resonó en los rascacielos de acero que lo rodeaban. Heskow puso el motor nuevamente en marcha.

Los tres hombres se mostraron preocupados al ver a los niños que salían corriendo a la calle.

—Franky, el disparo en la cabeza —murmuró Stace.

Después vieron salir al Don, que empezó a bajar las gradas. Éste pareció mirarles directamente.

—Antifaces —dijo Heskow.

Aceleró ligeramente, y Franky acercó la mano al tirador de la portezuela. Listo para bajar a la acera, con la Uzi en la mano izquierda.

El automóvil aceleró y se detuvo justo en el momento en que el Don alcanzaba la última grada. Stace saltó del asiento trasero a la calzada, con el vehículo interponiéndose entre su persona y el blanco. Con un solo y rápido movimiento, apoyó el arma en la capota. Disparó con las dos manos. Sólo un par de veces.

La primera bala alcanzó al Don en la frente. La segunda le desgarró la garganta. Su sangre se derramó sobre la acera, regando profusamente la amarilla luz del sol con gotas de color de rosa...

Simultáneamente, Franky disparó desde la acera una larga ráfaga con su ametralladora Uzi por encima de las cabezas de la gente.

A continuación los dos hombres volvieron a subir al automóvil, y Heskow bajó por la Quinta Avenida, con los neumáticos chirriando. Minutos después ya estaban circulando por el túnel. Desde allí se dirigieron al pequeño aeropuerto, donde subieron a bordo de un jet privado.

Al oír el primer disparo, Valerius empujó a su hijo y a su mujer al suelo y los cubrió con su cuerpo. De hecho, no vio nada de lo que ocurrió. Tampoco Nicole, que miró a su padre con asombro. A la derecha del Don, Marcantonio miró incrédulo hacia abajo. La realidad era completamente distinta de la que mostraban las imaginarias escenas de sus dramas televisivos. El disparo que había alcanzado al Don en la frente se la había abierto como un melón, dejando a la vista la blanda masa de cerebro y sangre de su interior. El disparo de la garganta había arrancado un trozo de carne; parecía como si el Don hubiera sido atacado con una cuchilla de carnicero. Y en la acera había un enorme charco de sangre a su alrededor. Más sangre de la que cabía imaginar en un ser humano. Marcantonio vio a los dos hombres que se cubrían el rostro con unos antifaces parecidos a unas cáscaras de huevo, y vio también las armas que empuñaban, pero todo le pareció irreal. No hubiera podido facilitar ningún detalle acerca de su atuendo o de su cabello. Ni siquiera si eran blancos o negros, si iban vestidos o desnudos, si medían tres metros de estatura o sesenta centímetros. El miedo lo había dejado paralizado.

En cambio Astorre Viola se había puesto en estado de alerta al ver detenerse la berlina negra.

Cuando el Don se desplomó al suelo, vio que Stace abría fuego con su arma y le pareció que apretaba el gatillo con la mano izquierda. Vio que Franky disparaba con la Uzi y observó con toda claridad que era zurdo. Pudo ver fugazmente al conductor, un hombre de cabeza redonda, visiblemente corpulento. Los dos hombres que habían disparado se movieron con toda la soltura de unos atletas perfectamente entrenados. Al caer, Astorre alargó la mano para empujar al Don al suelo, pero lo hizo con una décima de segundo de retraso. Y ahora estaba empapado de la sangre del Don.

Después vio que los niños se movían como en un remolino de terror, en cuyo centro destacaba un enorme punto rojo. Oyó sus gritos. Vio al Don desmadejado sobre las gradas como si la muerte le hubiera descoyuntado el esqueleto. Y experimentó un pánico terrible al pensar en los efectos que todo ello ejercería en su vida y en la de sus seres más queridos.

Por su parte, Nicole se acercó al cuerpo del Don. Se le doblaron las piernas en contra de su voluntad y cayó de rodillas a su lado. Alargó en silencio la mano para tocar la ensangrentada garganta de su padre. Y después rompió a llorar, como si no fuera a parar en toda la vida.

3

El asesinato de Don Raymonde Aprile constituyó un acontecimiento sorprendente para todos los miembros de su antiguo mundo. ¿Quién se habría atrevido a correr el riesgo de matar a un hombre semejante y con qué objeto? Ya había cedido su imperio, no había ningún reino que arrebatarle. Una vez muerto, no podría seguir dispensando sus generosas dádivas ni utilizar su influencia para ayudar a cualquiera que hubiera tenido mala suerte con la ley o el destino.

¿Y si hubiera sido una venganza largo tiempo aplazada? ¿Y si alguien tuviera algo oculto que ganar, algo que ahora saldría a la luz? También podía tratarse de algún asunto de faldas, desde luego, pero el Don llevaba más de veinte años viudo, jamás había sido visto con una mujer y no se le consideraba un admirador de la belleza femenina.

Por consiguiente, su asesinato no era sólo un misterio sino casi un sacrilegio. ¿Cómo era posible que hubieran matado de aquella manera a un hombre que había inspirado tanto temor y al que ni la ley ni los chacales habían causado jamás el menor daño durante los más de treinta años en que había permanecido al frente de su vasto imperio criminal? Y qué ironía tan cruel que sólo hubiera vivido tres breves años tras haber encontrado finalmente el camino de la rectitud y haberse colocado bajo la protección de la sociedad.

Los hijos del Don estaban por encima de toda sospecha. Además, aquello había sido un trabajo profesional y ellos carecían de la experiencia necesaria.

Pero lo que todavía resultó más extraño fue la ausencia de una prolongada resonancia tras la muerte del Don. Los medios de difusión se olvidaron rápidamente de la historia, la policía se mostró reservada y el FBI la despachó como un simple asunto local. Era como si toda la fama y todo el poder de Don Aprile se hubieran desvanecido en el transcurso de sus escasos tres años de retiro.

El mundo del hampa no mostró el menor interés. No hubo asesinatos de represalia: todos los amigos del Don y sus antiguos y leales vasallos parecieron olvidarlo. Dio la impresión de que incluso los hijos del Don olvidaban el asunto y aceptaban el destino de su padre.

Nadie pareció preocuparse, excepto Kurt Cilke.

Kurt Cilke, agente del FBI responsable de la oficina de Nueva York, decidió intervenir en el caso, pese a tratarse de un homicidio estrictamente local según el Departamento de Policía de Nueva York, y decidió entrevistar a la familia Aprile.

Un mes después del entierro del Don, Cilke y su agente auxiliar Bill Boxton hicieron una visita a Marcantonio Aprile. Tenían que andarse con mucho tiento con Marcantonio. Era el director de programación de una importante cadena de televisión y tenía mucha influencia en Washington. Mediante una amable llamada telefónica concertaron una entrevista a través de su secretaria.

Marcantonio Aprile los recibió en la elegante suite de su despacho en la sede de la cadena. Los acogió cordialmente y les ofreció un café, que ellos rechazaron. Era un hombre apuesto, alto y de suave piel aceitunada, exquisitamente vestido con un traje oscuro y una llamativa corbata en tonos rosa y rojo, fabricada por una empresa especializada en la confección de corbatas para los presentadores e invitados de las cadenas de televisión.

—Estamos colaborando en la investigación sobre el asesinato de su padre —dijo Kurt Cilke. ¿Sabe si alguien le guardaba rencor por algo?

—La verdad es que no sabría decirle —contestó Marcantonio, sonriendo—. Mi padre nos mantenía a todos a cierta distancia, incluso a sus nietos. Crecimos completamente al margen de su círculo de actividades comerciales —añadió, haciendo un pequeño gesto de disculpa con la mano.

A Cilke no le gustó aquel gesto.

—¿Y por qué razón cree usted que lo hizo? —preguntó.

—Ustedes ya conocen su pasado. No quería que ninguno de sus hijos se mezclara en sus actividades. Nos enviaron a distintos internados de enseñanza secundaria y a la universidad para que pudiéramos abrirnos camino en la vida. Nunca acudía a cenar a nuestras casas. Estuvo presente en nuestras bodas, y eso fue todo. Pero cuando averiguamos el motivo, se lo agradecimos.

—Subió usted muy rápidamente hasta el cargo que ocupa —dijo Kurt Cilke—. ¿Acaso él le echó una pequeña mano?

Por primera vez en el transcurso de la entrevista, Marcantonio se mostró un poco menos cordial.

—Jamás. En mi profesión no es nada insólito que los jóvenes prosperen rápidamente. Mi padre me envió a las mejores escuelas y me daba una generosa asignación para gastos. Utilicé aquel dinero para desarrollar mis aptitudes teatrales y tomé decisiones acertadas.

—¿Y a su padre le gustó? —preguntó Cilke, observando detenidamente a su interlocutor para poder interpretar sus cambios de expresión.

—No creo que acabara de comprender muy bien lo que yo hacía, pero supongo que sí —contestó irónicamente Marcantonio.

—Mire —dijo Cilke—, yo me pasé veinte años persiguiendo a su padre y jamás pude atraparlo. Era un hombre muy listo.

—Bueno, pues nosotros tampoco pudimos —dijo Marcantonio—. Mi hermano, mi hermana y yo.

Cilke se echó a reír como si fuera una broma.

—¿Y no experimentan ustedes ningún sentimiento de venganza siciliana? —preguntó—. ¿Serían capaces de hacer algo de este tipo?

—Por supuesto que no —contestó Marcantonio—. Mi padre no nos educó para que pensáramos de esa manera. Pero espero que encuentren ustedes al asesino.

—¿Y el testamento? —preguntó Cilke—. Murió muy rico.

—Eso se lo tendrá que preguntar a mi hermana Nicole —contestó Marcantonio—. Es la albacea.

—¿Conoce usted su contenido? —preguntó Cilke.

—Pues claro —contestó Marcantonio en un tono de voz más frío que el acero, por primera vez en la entrevista.

—¿Y no se le ocurre nadie que pudiera desear causarle daño? —terció Bill Boxton.

—No —contestó Marcantonio—. Si supiera de alguien, se lo diría.

—De acuerdo —dijo Cilke—. Aquí le dejo mi tarjeta. Por si acaso.

Antes de ir a hablar con los otros dos hijos del Don, Cilke decidió ver al jefe de la Brigada de Investigación Criminal de la ciudad. Puesto que no quería que quedara constancia oficial de su visita, decidió invitar a Paul Di Benedetto a uno de los mejores restaurantes italianos del East Side. A Di Benedetto le encantaban los placeres de la buena vida siempre y cuando no tuviera que rascarse el bolsillo.

Ambos hombres llevaban varios años colaborando, y Cilke siempre disfrutaba con su compañía. Observó a Paul mientras éste lo probaba todo.

—Bueno —dijo Di Benedetto—. Los federales no suelen invitar a manjares tan suculentos. ¿Qué es lo que quieres?

—Ha sido una comida estupenda, ¿verdad? —dijo Kurt Cilke.

Paul Di Benedetto encogió sus poderosos hombros con un movimiento semejante al de una ola gigantesca. Después esbozó una sonrisa un poco maliciosa. Para ser un tipo de aspecto tan duro, Paul tenía una sonrisa muy atractiva que transformaba su rostro en el de un simpático personaje de Walt Disney.

—Kurt —dijo Paul—, este lugar es una pura mierda. Lo regentan unos alienígenas del espacio exterior. Cierto que sirven una comida que parece italiana y huele como la comida italiana, pero sabe a viscosa sustancia de Marte. Estos tipos son unos alienígenas, te lo digo yo.

—Bueno, hombre, pero el vino es muy bueno —dijo Cilke entre risas.

—A mí todo me sabe a medicina —dijo Di Benedetto—, a menos que sea pimienta roja mezclada con gaseosa aromatizada con vainilla.

—Eres un hombre muy difícil de complacer —dijo Cilke.

—No —replicó Di Benedetto—, soy muy fácil de complacer. Eso es lo malo.

Cilke lanzó un suspiro.

—Doscientos dólares de dinero del Estado malgastados.

—No, hombre —dijo Paul—, te agradezco el detalle. Y ahora dime qué es lo que hay.

Cilke pidió café para los dos.

—Estoy investigando el asesinato de Don Aprile —dijo—. Un caso tuyo, Paul. Nos pasamos años vigilándole, y nada. Se retira y lleva una vida honrada. No tiene nada que alguien pueda ambicionar. ¿Por qué lo han matado? Un acto muy peligroso para quien haya sido.

—Y muy profesional —convino Paul—. Un trabajo muy bien hecho.

—¿Y entonces? —preguntó Cilke.

—No tiene el menor sentido —contestó Di Benedetto—. Eliminasteis a casi todos los peces gordos de la Mafia, un trabajo muy brillante también. Chapó. Hasta puede que tú obligaras al Don a retirarse. Lo cual significa que los listos que todavía quedan sueltos no tenían motivo para quitarlo de en medio.

—¿Y qué me dices de la cadena de bancos que poseía? —preguntó Cilke.

Di Benedetto agitó el puro que sostenía en la mano.

—Eso te corresponde a ti. Nosotros nos limitamos a perseguir a la gentuza.

—¿Y su familia? —dijo Cilke—. Drogas, persecución de mujeres, cualquier cosa...

—Imposible —dijo Di Benedetto—. Prominentes ciudadanos que ejercen importantes profesiones. El Don lo planeó así. Quiso que sus hijos llevaran una vida absolutamente honrada. —Tras una pausa, añadió en tono muy serio—: No ha sido por rencor. Arregló todas sus disputas con todo el mundo. No ha sido un hecho fortuito. Tiene que haber una razón. Alguien se beneficiará. Eso es lo que estamos buscando.

—¿Y el testamento? —preguntó Cilke.

—Su hija lo presenta mañana para la validación —contestó Paul—. Le pregunté. Me dijo que esperara.

—¿Y tú te quedaste quieto? —preguntó Cilke.

—Pues claro —contestó Paul—. Es una abogada de primerísimo orden, tiene influencia y su bufete jurídico es una fuerza política. ¿Por qué demonios voy a ponerme duro con ella? Me tiene totalmente dominado.

—Puede que yo consiga hacerlo mejor —dijo Cilke.

—No me cabe la menor duda de que sí —dijo Paul.

Kurt Cilke conocía a Aspinella Washington, la subjefa de la Brigada de Investigación, desde hacía más de diez años. Aspinella era una afroamericana de metro ochenta, cabello muy corto y rasgos delicadamente cincelados. Era el terror de los policías que tenía bajo su mando y de los delincuentes a los que atrapaba. Se comportaba deliberadamente con la mayor agresividad posible y no les tenía demasiada simpatía ni a Cilke ni al FBI.

—Kurt, ¿has venido aquí para enriquecer de nuevo a uno de mis hermanos negros? —le dijo cuando entró en su despacho.

Cilke soltó una carcajada.

—No, Aspinella —contestó—. He venido en busca de información.

—No me digas. ¿Gratuita? ¿Después de haberle costado a la ciudad cinco millones de dólares?

Vestía sahariana y pantalones color canela. Bajo la sahariana, Cilke vio la pistola enfundada. En la mano derecha lucía una sortija de brillantes capaz de cortar una mejilla como una navaja.

Aún le guardaba rencor a Cilke porque el FBI había conseguido demostrar en cierto caso la brutalidad de la actuación de uno de sus investigadores y, basándose en la ley de defensa de los derechos civiles, la víctima había ganado un sonado juicio. Y no contento con eso, el FBI había enviado a dos de sus investigadores a la cárcel. La víctima que se había enriquecido era un proxeneta y camello a quien la propia Aspinella había propinado en cierta ocasión una soberana paliza. A pesar de haber sido nombrada subjefa de Investigación por razones políticas para atraer el voto de los negros, se mostraba más dura con los delincuentes negros que con los blancos.

—Tú deja de pegar a los inocentes —dijo Cilke— y yo también dejaré de hacerlo.

—Jamás he falseado pruebas contra nadie que no fuera culpable —dijo Aspinella sonriendo.

—Sólo estoy investigando el asesinato de Don Aprile —dijo Cilke.

—Pero ¿a ti qué te importa? Ha sido un golpe de una banda local. ¿O es que lo quieres convertir en otro maldito caso de vulneración de derechos civiles?

—Bueno, se podría relacionar con el dinero o con la droga —dijo Cilke.

—¿Y tú cómo lo sabes? —preguntó Aspinella.

—Tenemos confidentes —contestó Cilke.

Aspinella sintió de repente uno de sus habituales accesos de furia.

—¿O sea que vosotros, los malditos tíos del FBI, venís aquí pidiendo información y no nos queréis facilitar ninguna? Ni siquiera sois honrados con los buenos agentes de la policía. Levitáis por ahí, deteniendo a los sinvergüenzas de guante blanco. Nunca hacéis el trabajo duro. Y no sabéis qué infierno es eso. Lárgate de mi despacho ahora mismo.

Cilke estaba satisfecho del resultado de sus entrevistas. El esquema estaba muy claro. Tanto Di Benedetto como Aspinella se abstendrían de investigar el asesinato de Don Aprile. No colaborarían con el FBI. Se limitarían a simular que hacían algo. En resumen, habían sido sobornados.

Sus suposiciones tenían un motivo. Sabía que el narcotráfico sólo podía sobrevivir sobornando a los oficiales de la policía, y también sabía a ciencia cierta, aunque sus conocimientos no fueran válidos ante un tribunal de justicia, que tanto Di Benedetto como Aspinella estaban a sueldo del señor de la droga.

Antes de entrevistar a la hija del Don, Cilke decidió probar suerte con el hijo mayor, Valerius Aprile. Para ello, él y Boxton tuvieron que desplazarse por carretera hasta West Point. Valerius era coronel del Ejército de Estados Unidos y enseñaba táctica militar en la Academia. A saber qué sería eso, pensó Cilke.

Valerius Aprile le recibió en un espacioso despacho que daba a la plaza de armas, donde los cadetes hacían ejercicios de marcha. No se mostró tan cordial como su hermano, pero fue amable. Cilke le preguntó si conocía a los enemigos de su padre.

—No —contestó—. He prestado servicio en el extranjero durante buena parte de los últimos veinte años. Asistía a los acontecimientos familiares cuando podía. A mi padre sólo le interesaba que me ascendieran a general. Quería verme lucir la estrella. Pero también se hubiera conformado con que me ascendieran a general de brigada.

—¿Eso quiere decir que era un patriota? —preguntó Cilke.

—Amaba a su país —contestó lacónicamente Valerius.

—¿Utilizó su influencia para que pudiera usted ingresar como cadete? —preguntó Cilke.

—Supongo que sí —contestó Valerius—. Pero jamás hubiera podido conseguir que me ascendieran a general. Creo que no tenía ninguna influencia en el Pentágono o, en cualquier caso, yo no debía de ser lo bastante bueno. Pero me encuentro a gusto de todos modos. Ocupo el lugar que me corresponde.

—¿Seguro que no puede darnos ninguna pista acerca de algún enemigo de su padre? —preguntó Cilke.

—No, no tenía ninguno —contestó Valerius—. Mi padre habría podido ser un gran general. Cuando se retiró, lo dejó todo muy bien atado. Cuando utilizaba su poder, siempre daba prioridad a la fuerza. Tenía los medios y el material necesarios.

—No parece que le preocupe demasiado que alguien lo haya asesinado. ¿No siente deseos de venganza? —preguntó Cilke.

—No más que los que siento cuando un compañero oficial cae en combate —contestó Valerius—. Por supuesto que estoy interesado. A nadie le gusta ver matar a su padre.

—¿Sabe usted algo acerca del testamento? —preguntó Cilke.

—Eso se lo tendrá usted que preguntar a mi hermana —contestó Valerius.

A última hora de aquella tarde, Kurt Cilke y Bill Boxton ya se encontraban en el despacho de Nicole Aprile, donde fueron recibidos de una manera completamente distinta. Al despacho de Nicole Aprile sólo se podía acceder atravesando tres barreras de secretarias, tras haber pasado por lo que Cilke identificó como una persona encargada de su seguridad que, pese a su condición de mujer, tenía pinta de ser capaz de despedazarle tanto a él como a Bill Boxton en dos segundos. Por su forma de moverse advirtió que había ejercitado su cuerpo hasta adquirir la fuerza de un varón. Se le marcaban los músculos a través de la ropa. Sus pechos estaban sujetos como con una faja, y vestía chaqueta de lino y jersey y pantalones negros.

El saludo de Nicole no fue muy cordial, a pesar de su atractiva figura y el modelo de alta costura violeta oscuro que lucía. Llevaba unos enormes aretes de oro, y su largo y sedoso cabello negro le enmarcaba un rostro de hermosas facciones cuya severa expresión contrastaba con la dulzura de sus grandes ojos castaños.

—Les concedo veinte minutos, caballeros —dijo fríamente.

Debajo de la chaqueta de color violeta llevaba una vaporosa blusa cuyos puños le cubrieron casi por completo las manos cuando alargó una de ellas para examinar el documento de identificación de Cilke.

—¿Agente especial responsable de la oficina del FBI en la ciudad? —añadió tras estudiar cuidadosamente la documentación—. Eso es mucho para una simple investigación de rutina.

Hablaba con una voz con la que Cilke estaba muy familiarizado, una voz que siempre le molestaba. Era la voz de los fiscales del Estado cuando trataban con los representantes del equipo de investigación que ellos mismos dirigían. El tono era de leve reproche.

—Su padre era un hombre muy importante —dijo Cilke.

—Sí, hasta que se retiró y se puso bajo la protección de la ley —dijo amargamente Nicole.

—Lo cual hace que su asesinato resulte todavía más misterioso —dijo Cilke—. Pensábamos que usted nos podría facilitar alguna idea respecto a las personas que pudieran guardarle rencor por algo.

—No es tan misterioso —replicó Nicole—. Usted conoce su vida mucho mejor que yo. Tenía muchos enemigos. Usted incluido.

—Ni siquiera nuestros peores enemigos se atreverían a acusar al FBI de un asesinato en las gradas de una catedral —dijo secamente Cilke—. Y yo no era su enemigo. Yo era un representante de la ley. Cuando se retiró, ya no tuvo enemigos. Los compró. —Cilke hizo una breve pausa—. Me sorprende que ni usted ni sus hermanos parezcan demasiado interesados en averiguar quién mató a su padre.

—Porque no somos hipócritas —dijo Nicole—. Mi padre no era un santo. Jugaba a un juego y pagó el precio. Y se equivoca al decir que no estoy interesada —añadió—. Por si no lo sabe, voy a solicitar el expediente del FBI sobre mi padre, amparándome en la Ley de la Libertad de Información. Y espero que usted no provoque ninguna demora, pues en tal caso seríamos enemigos.

—Está en su derecho —dijo Cilke—. Pero quizá me podría usted ayudar revelándome las cláusulas del testamento de su padre.

—Yo no redacté el testamento —dijo Nicole.

—Pero tengo entendido que es la albacea —replicó Cilke—. A estas alturas, usted ya debe de conocer las cláusulas.

—Mañana lo presentaremos para su validación —explicó Nicole—. Entonces será un documento público.

—¿Me podría decir en este momento algo que me pudiera ayudar? —le preguntó Cilke.

—Sólo que no me tomaré una jubilación anticipada —contestó Nicole.

—Entonces ¿por qué no me quiere decir nada?

—Porque no tengo por qué hacerlo —contestó fríamente Nicole.

—Conocí muy bien a su padre —dijo Cilke—. Él hubiera sido más razonable.

Por primera vez, Nicole lo miró con respeto por el hecho de haber conocido tan bien a su padre.

—Es cierto —dijo—. De acuerdo. Mi padre regaló grandes cantidades de dinero antes de morir. Lo único que nos ha dejado son sus bancos. Mis hermanos y yo recibiremos el cuarenta y nueve por ciento, y el cincuenta y uno por ciento restante será para nuestro primo Astorre Viola.

—¿Puede decirme algo sobre él? —preguntó Cilke.

—Astorre es más joven que yo. Nunca intervino en los negocios de mi padre y todos le queremos porque es un muchacho encantador. Como es natural, ahora ya no lo quiero tanto.

Cilke trató de hacer memoria. No recordaba haber visto ninguna ficha sobre Astorre Viola. Y sin embargo tenía que haber alguna.

—¿Podría usted facilitarme su dirección y número de teléfono?

—Por supuesto que sí —dijo Nicole—. Pero pierde usted el tiempo, puede creerme.

—Tengo que aclarar unos detalles —explicó Cilke en tono de disculpa.

—¿Y qué es lo que despierta el interés del FBI? —preguntó Nicole—. Se trata de un homicidio local.

—Los diez bancos de su padre son bancos internacionales —contestó fríamente Cilke—. Podría haber complicaciones de carácter monetario.

—Pues entonces será mejor que me apresure a pedir su ficha —dijo Nicole—. A fin de cuentas, ahora yo soy propietaria en parte de estos bancos —añadió, dirigiéndole a Cilke una recelosa mirada.

Éste comprendió que tendría que vigilarla.

Al día siguiente, Cilke y Bill Boxton viajaron por carretera al condado de Westchester para entrevistarse con Astorre Viola. La boscosa finca albergaba una enorme vivienda y tres cuadras distintas. Había seis caballos en una dehesa cercada por una valla metálica que llegaba a la altura de la cintura y que estaba cerrada con una verja de hierro forjado. En el aparcamiento situado delante de la casa había cuatro automóviles y una furgoneta. Cilke grabó en la memoria dos de las matrículas.

Una mujer de unos setenta años les franqueó la entrada y los acompañó a un elegante salón lleno de equipos de grabación. Cuatro jóvenes estaban leyendo las partituras musicales de unos atriles, y uno estaba sentado al piano... una pequeña orquesta profesional, integrada por saxo, contrabajo, guitarra y tambores.

Astorre, de pie junto al micrófono delante de ellos, estaba cantando con áspera voz. Hasta Cilke comprendió que aquella clase de música no podría tener público.

Astorre dejó de cantar.

—¿Puede usted esperar sólo cinco minutos hasta que terminemos de grabar? Después mis amigos recogerán sus cosas y usted dispondrá de todo el tiempo que quiera.

Era muy apuesto y llevaba un medallón de oro que le cubría el centro de la garganta.

—Por supuesto —contestó Cilke.

—Sírveles café —le dijo Astorre a la criada.

A Cilke le gustó. Astorre no se había limitado a hacerles un cortés ofrecimiento; había mandado que les sirvieran algo de beber.

Pero Cilke tuvo que esperar más de cinco minutos. Astorre estaba grabando una canción popular italiana —al tiempo que rasgueaba un banjo—, pero cantaba en un áspero dialecto que Cilke no entendía. Resultaba tan agradable como escuchar la propia voz cuando uno se ducha.

Al final se quedaron solos, y Astorre se enjugó el sudor del rostro.

—No ha estado del todo mal, ¿verdad? —preguntó entre risas.

Cilke simpatizó inmediatamente con él. Tenía unos treinta años, rebosaba de vitalidad juvenil y no se tomaba a sí mismo demasiado en serio. Era alto y bien proporcionado y se movía con la agilidad de un boxeador. Poseía una belleza morena de irregulares pero marcados rasgos, como la de ciertos retratos del siglo XV. No parecía presumido, aunque alrededor del cuello llevaba un collar de oro de unos cinco centímetros de ancho en cuyo centro destacaba un medallón de la Virgen María.

—Ha sido estupendo —contestó Cilke—. ¿Está grabando un disco para distribuirlo?

Astorre esbozó una ancha y afable sonrisa.

—Ojalá. No soy tan bueno como para eso. Pero me encantan estas canciones y se las ofrezco como regalo a los amigos.

Cilke decidió ir al grano.

—Es una simple cuestión de rutina —dijo—. ¿Conoce usted a alguien que quisiera causar daño a su tío?

—No conozco a nadie —le contestó Astorre con la cara muy seria.

Cilke estaba harto de oír la misma respuesta. Todo el mundo tenía enemigos, y Raymonde Aprile más que nadie.

—Usted hereda intereses mayoritarios en los bancos —dijo Cilke—. ¿Tan unidos estaban?

—La verdad es que no lo entiendo —dijo Astorre—. Yo era uno de sus preferidos en mi infancia. Me montó un negocio y después casi se olvidó de mí.

—¿Qué clase de negocio?

—Importo las mejores marcas de macarrones italianos.

Cilke lo miró con escepticismo.

—¿Macarrones italianos? —repitió.

Astorre esbozó una sonrisa; estaba acostumbrado a aquella reacción. No era un negocio brillante.

—Usted sabe que Lee Iacocca nunca dice automóviles sino vehículos, ¿verdad? Pues bien, en mi negocio nunca decimos pasta o espaguetis, siempre decimos macarrones.

—¿Y ahora será usted banquero? —preguntó Cilke.

—Lo probaré —contestó Astorre.

Cuando se hubieron ido, Cilke le preguntó a Boxton:

—¿Qué piensas?

Apreciaba mucho a Boxton. Era un hombre que creía en el FBI tanto como él; estaba convencido de que actuaba con imparcialidad, que era incorruptible y que su eficacia era muy superior a la de cualquier otro organismo policial. Aquellas entrevistas las estaba haciendo en parte para él.

—Todos me parecen bastante honrados —contestó Boxton—. Pero siempre lo parecen, ¿verdad?

Sí, siempre lo parecían, pensó Cilke. Después recordó una cosa. El medallón que colgaba

116

del collar de oro de Astorre no se había movido en ningún momento.

La última entrevista fue la más importante para Cilke. Era con Timmona Portella, el jefe reinante de la MAFIA de Nueva York, el único, además del Don, que se había librado de comparecer ante los tribunales tras las investigaciones que él había llevado a cabo.

Timmona Portella dirigía sus empresas desde el espacioso ático de un edificio de su propiedad en el West Side. El resto del edificio estaba ocupado por filiales controladas por él. Las medidas de seguridad eran tan estrictas como en Fort Knox, y Portella se trasladaba en helicóptero desde el helipuerto del tejado a su finca de Nueva Jersey. Raras veces pisaba las aceras de Nueva York.

Portella recibió a Cilke y a Boxton en un despacho de mullidos sillones y paredes de cristal a prueba de balas que permitían contemplar un espléndido panorama de los rascacielos de la ciudad. Era un hombre corpulento, impecablemente vestido con un traje oscuro y una resplandeciente camisa blanca.

Cilke estrechó la manaza de Portella y admiró la corbata oscura anudada alrededor de su grueso cuello.

—Kurt, ¿en qué puedo ayudarle? —preguntó Portella con una voz que resonó por toda la estancia. No prestó la menor atención a Bill Boxton.

—Estoy examinando el asunto de Aprile —contestó Cilke—, y he pensado que a lo mejor usted me podría facilitar alguna información útil.

—Qué lástima su muerte —dijo Timmona Portella—. Todo el mundo apreciaba a Raymonde Aprile. Para mí es un misterio que alguien lo haya hecho. En sus últimos años fue un hombre bueno a carta cabal. Se convirtió en un santo, un auténtico santo. Regaló su dinero como si fuera un Rockefeller. Cuando Dios se llevó su alma, era puro.

—Dios no se la llevó —replicó secamente Cilke—. Fue un asesinato extraordinariamente profesional. Tiene que haber un motivo. —Al ver que Portella parpadeaba pero no decía nada, Cilke añadió—: Usted fue socio suyo durante muchos años. Tiene que saber algo. ¿Qué me dice de este sobrino que heredará los bancos?

—Don Aprile y yo hicimos algunos negocios juntos hace muchos años —dijo Portella—. Pero cuando Aprile se retiró, me hubiera podido matar con la misma facilidad con que lo han matado a él. El hecho de que yo esté vivo demuestra que no éramos enemigos. En cuanto a su sobrino, sólo sé que es un artista. Canta en las bodas, en pequeñas fiestas e incluso en algunas pequeñas salas nocturnas. Es uno de esos jóvenes que nos caen bien a los viejos como yo. Y vende excelentes macarrones italianos, que se consumen en todos mis restaurantes. —Timmona hizo una pausa y lanzó un suspiro—. Cuando matan a un gran hombre, siempre es un misterio.

—Usted sabe que su ayuda será tenida en cuenta —dijo Cilke.

—Por supuesto —dijo Portella—. El FBI siempre juega limpio. Sé que mi ayuda será debidamente apreciada.

Miró a Cilke y a Boxton con una cordial sonrisa que dejó al descubierto unos dientes casi perfectos.

Mientras regresaban al despacho, Boxton le dijo a Cilke:

—He leído la ficha de este tipo. Tiene grandes intereses en el negocio de la pornografía y la droga, y es un asesino. ¿Cómo puede ser que jamás lo hayamos podido atrapar?

—No es tan malo como la mayoría de los demás —dijo Cilke—. Y algún día lo atraparemos.

Kurt Cilke ordenó que se montara una vigilancia electrónica en los domicilios de Nicole Aprile y Astorre Viola. Un domesticado juez federal dictó la necesaria orden. En realidad no es que Cilke sospechara algo, pero quería estar seguro. Nicole era una perturbadora nata, y la aparente bondad de Astorre resultaba sospechosa.

Cilke se había enterado de que los caballos de la dehesa de la finca de Astorre eran su mayor afición, y que él mismo almohazaba cada

119

mañana a un semental antes de sacarlo. Eso no hubiera tenido nada de extraño de no haber sido porque montaba con todas las galas inglesas, incluyendo la chaqueta roja y el gorro de caza de ante negro. No podía creer que Astorre fuera un blanco tan fácil como para que tres atracadores lo hubieran asaltado en Central Park. Al parecer, había salido bien librado... aunque el informe policial era un poco confuso respecto a la suerte que habían corrido los atracadores.

Dos semanas más tarde, Cilke y Boxton pudieron escuchar las cintas de los micrófonos ocultos que habían colocado en la casa de Astorre Viola. Vigilar a Valerius hubiera sido imposible pues su casa se encontraba situada dentro del recinto de West Point.

Las voces correspondían a Nicole, Marcantonio, Valerius y Astorre. En la cinta, a Cilke le parecieron más humanos; se habían quitado las máscaras.

—¿Por qué han tenido que matarlo? —preguntó Nicole con la voz quebrada por el dolor y sin el menor asomo de la frialdad de la que había hecho gala en presencia de Cilke.

—Tiene que haber un motivo —dijo Valerius. Hizo una pausa antes de seguir adelante. Su voz era mucho más dulce cuando hablaba con su familia—. Yo jamás tuve la menor relación con los negocios del viejo, así que no estoy preocupado por mí. Pero ¿y vosotros?

Marcantonio habló en tono despectivo; estaba claro que no le tenía demasiada simpatía a su hermano.

—Val, el viejo consiguió que ingresaras en West Point porque eras muy blandengue. Quería hacerte más fuerte. Después te echó una mano en tus tareas de espionaje en el extranjero. O sea que tú estás metido en todo eso. Le encantaba la idea de que te convirtieras en general. El general Aprile... le encantaba el sonido de la palabra. Quién sabe qué hilos manejó.

Tras una prolongada pausa, Marcantonio añadió:

—Y a mí también me encauzó en mi profesión, claro. Financió mi productora. Las grandes agencias de actores me ofrecieron la oportunidad de trabajar con sus astros. Mira, nosotros no estábamos en su vida, pero él siempre estuvo en la nuestra. Nicole, el viejo te ahorró diez años de pago de derechos, consiguiéndote aquel empleo en el bufete de abogados. Y tú, Astorre, ¿quién crees que consiguió un espacio en los estantes de los supermercados a tus macarrones?

En la cinta, su voz sonaba más enérgica y apasionada que en persona.

—Puede que papá me ayudara a cruzar la puerta —dijo Nicole, repentinamente furiosa—, pero la única responsable de mi éxito profesional soy yo. Tuve que luchar contra aquellos tiburones del bufete por todo lo que conseguí. Era yo la que me pasaba ochenta horas semanales leyendo la letra menuda. —Hizo una pausa y su voz adquirió un tono más frío al dirigirse a Astorre—. Pero lo que yo quisiera saber es por qué papá te ha puesto al frente de los bancos. ¿Qué demonios tienes tú que ver con eso?

—No tengo ni idea, Nicole —respondió con tono de disculpa—. Yo no lo pedí. Tengo mi negocio y me encanta cantar y montar a caballo. Además, hay una ventaja para vosotros. Yo tendré que hacer todo el trabajo, y en cambio los beneficios se dividirán a partes iguales entre los cuatro.

—Pero tú ejercerás el control y sólo eres un primo —dijo Nicole, añadiendo en tono sarcástico—: Le debían de gustar mucho tus canciones.

—¿Intentarás dirigir los bancos personalmente? —preguntó el coronel.

La voz de Astorre se llenó de fingido horror.

—Oh, no, no, de eso se encargará un director general. Nicole me dará una lista de nombres.

—Sigo sin comprenderlo. ¿Por qué papá no me nombró a mí? —preguntó Nicole en tono exasperado—. ¿Por qué?

—Porque no quiso que ninguno de sus hijos ejerciera su poder sobre los demás —contestó Marcantonio.

—A lo mejor lo hizo para manteneros a todos alejados del peligro —dijo serenamente Astorre.

—¿Qué os parece ese tipo del FBI que ha venido a vernos como si fuera nuestro mejor amigo? Se pasó muchos años persiguiendo a papá. Y ahora cree que le vamos a revelar todos nuestros secretos familiares. Menudo pajarraco —dijo Nicole.

Cilke sintió que se ruborizaba. No se lo merecía.

—Está cumpliendo con su deber, y es una tarea nada fácil —dijo Valerius—. Tiene que ser un hombre muy inteligente. Envió a muchos amigos del viejo a la cárcel. Y por mucho tiempo.

—Eran traidores y confidentes —dijo Nicole en tono despectivo—. Y aplican las leyes RICO con carácter muy selectivo. Si se impusieran universalmente estas leyes, podrían enviar a la cárcel a la mitad de nuestros líderes políticos y a la mayoría de los quinientos de la revista *Fortune*...

—Nicole —dijo Marcantonio—, tú eres una abogada especialista en derecho mercantil. Así que corta el rollo.

—¿De dónde sacan los agentes del FBI todos esos trajes tan elegantes? —preguntó Astorre en tono pensativo—. ¿Hay algún «sastre especial del FBI»?

—Es la manera en que los llevan —dijo Marcantonio—. Ahí está el secreto. En una película nunca consigues que te salga bien un tipo como Cilke. Absolutamente sincero, honrado y noble en todos los sentidos. Y sin embargo nunca acabamos de fiarnos de él.

—Marc, déjate de todos esos inverosímiles programas tuyos de televisión —dijo Valerius—.

Nos encontramos en una situación hostil y hay dos aspectos significativos. El Porqué. Y el Quién. ¿Por qué han matado a papá? ¿Quién puede haber sido? Todo el mundo dice que no tenía enemigos ni nada que alguien pudiera ambicionar.

—Yo he presentado una solicitud para ver el expediente de papá en el FBI —dijo Nicole—. Puede que eso nos dé la clave.

—¿Para qué? —preguntó Marcantonio—. Ya no podemos hacer nada. Papá querría que lo olvidáramos. Que se encarguen de eso las autoridades.

—¿O sea que nos importa una mierda quién mató a nuestro padre? —preguntó Nicole en tono despectivo—. ¿Tú qué dices, Astorre? ¿Tú también piensas lo mismo?

—¿Qué podemos hacer? —contestó Astorre serenamente—. Yo quería a vuestro padre y le agradezco que haya sido tan generoso conmigo en su testamento. Pero esperemos a ver qué ocurre. En realidad, Cilke me cae bien. Si hay algo que encontrar, lo encontrará. Todos vivimos una existencia privilegiada, ¿qué ganamos con retorcerla y cambiarle la forma? —Hizo una pausa y añadió—: Bueno, tengo que llamar a uno de mis proveedores de macarrones y después quisiera grabar otro disco en el estudio, o sea que tengo que irme. Pero vosotros podéis quedaros aquí y seguir hablando de todo esto...

Se produjo una prolongada pausa en la cinta.

Cilke no pudo por menos de encariñarse con

Astorre y sentir rencor contra los demás. Pero a pesar de todo estaba satisfecho. Aquella gente no era peligrosa; no le causaría ningún problema.

—Yo quiero a Astorre —estaba diciendo Nicole—. Estuvo más cerca de nuestro padre que cualquiera de nosotros. Pero está como un cencerro. ¿Tú crees que llegará a alguna parte con sus canciones, Marc?

Marcantonio soltó una carcajada.

—Hay miles de tipos como él. Es como una estrella de fútbol de un pequeño instituto. Tiene gracia, pero le faltan las verdaderas cualidades. De todos modos, tiene un buen negocio y le gusta. Por mí, que haga lo que quiera.

—Ejerce el control sobre unos bancos de muchísimos millones de dólares... todo lo que tenemos, pero a él lo que de veras le gusta es cantar y montar a caballo —dijo Nicole.

—Desde el punto de vista de la indumentaria, espléndido —comentó Valerius con ironía—, pero se sienta fatal en la silla.

El coronel había participado en desfiles de caballería.

—¿Cómo ha podido hacer eso papá? —dijo Nicole.

—El negocio de los macarrones le ha ido muy bien —respondió Valerius.

—Tenemos que proteger a Astorre —dijo Nicole—. Es demasiado ingenuo para dirigir unos bancos, y demasiado confiado para tratar con Cilke.

Al terminar la cinta, Cilke se volvió hacia Boxton.

—¿Qué te parece? —le preguntó.

—Pues opino lo mismo que Astorre, que eres un tipo estupendo —contestó Boxton. Cilke soltó una carcajada.

—No, me refiero a la posibilidad de que esa gente sea sospechosa de asesinato.

—No —dijo Boxton—, son sus hijos, y además carecen de la experiencia necesaria.

—Son bastante listos —dijo Cilke—. Han hecho la pregunta más acertada. ¿Por qué?

—Bueno, ésa no es nuestra pregunta —dijo Boxton—. Es un asunto local, no nacional. ¿O acaso tienes alguna conexión?

—Bancos internacionales —contestó Cilke—. Pero es absurdo seguir gastando dinero del FBI. Anula todas las escuchas telefónicas.

A Kurt Cilke le gustaban los perros porque no podían conspirar. No podían disimular su hostilidad, carecían de astucia, eran incapaces de tramar intrigas y no permanecían despiertos por la noche, planeando robar y asesinar a otros perros. La traición no entraba en sus planes. Tenía dos pastores alemanes que le ayudaban a proteger su hogar, y por la noche los sacaba a pasear por el bosque de alrededor en absoluta armonía y confianza. Cuando regresó a casa aquella noche, Kurt Cilke estaba muy satisfecho. La situación no ofrecía ningún peligro, por lo menos por parte de la familia del Don. No habría ninguna sangrienta *vendetta*.

Cilke vivía en Nueva Jersey con una esposa a la que amaba de verdad y una hija de diez años a la que adoraba. Su casa estaba protegida por un sistema de alarma muy estricto, y además los dos perros. Pagaba el Estado. Su mujer se había negado a adiestrarse en el uso de un arma de fuego y él confiaba en su anonimato. Sus vecinos creían que era abogado (lo cual era cierto) y su hija también lo creía. Cuando se encontraba en casa, Cilke siempre guardaba el revólver y las balas en un cajón cerrado, junto con su documentación.

Nunca tomaba el automóvil para dirigirse a la estación de tren. Los ladronzuelos no respetaban a nadie; le robarían la radio. Cuando llegaba, llamaba a su mujer por el móvil y ella acudía a recogerlo. Era un trayecto de cinco minutos.

Su mujer Georgette le dio un alegre beso en la boca, un cálido roce de carne. Su hija, llena de vitalidad, corrió hacia él para recibir su abrazo. Los dos perros brincaron comedidamente a su alrededor. Todos cabían sin ninguna dificultad en el enorme Buick.

Esta parte de su vida era la que más apreciaba Kurt Cilke. Con su familia, se sentía a salvo y en paz. Su mujer lo amaba y él lo sabía. Admiraba su carácter porque hacía su trabajo sin malicia ni engaño y siempre tratando a su prójimo con justicia, por muy depravado que éste fuera. Él valoraba la inteligencia de su mujer y confiaba en ella hasta el extremo de comentarle los asuntos de su trabajo. Pero, lógicamente, no se lo podía decir todo. Y ella se dedicaba a su propio trabajo, escribía sobre las mujeres famosas de la historia, enseñaba ética en un centro universitario de la zona y defendía causas sociales.

Cilke observó a su mujer mientras preparaba la cena en la cocina. Su belleza siempre lo subyugaba, y el intenso amor que ella sentía por él lo llenaba de orgullo. Vio que su hija Vanessa ponía la mesa, imitando a su madre e incluso tratando de caminar con sus mismos movimientos de bailarina clásica. Como siempre, Cilke se preguntó por qué lo amaba su mujer.

Georgette no creía necesario contar con servicio doméstico y había educado a su hija en la misma creencia. A los seis años, Vanessa ya se lavaba la ropa, arreglaba su habitación y ayudaba a su madre a cocinar y a limpiar la casa. Era una niña autosuficiente. En aquellos momentos del día, Cilke sentía que la vida merecía verdaderamente la pena. Pero siempre con el temor de que su mujer llegara a conocer su verdadera naturaleza y la naturaleza del mundo en el que trabajaba.

Después, tras haber acostado a Vanessa (Cilke siempre comprobaba el estado de la campanilla que la niña podía tocar en caso de que los necesitara), ambos se fueron a su dormitorio. Y, como siempre, Cilke experimentó un fervor casi de carácter religioso cuando su mujer se desnudó. Después, los grandes e inteligentes ojos grises de Georgette se empañaron amorosamente. Más tarde, mientras se iba quedando dormida, Georgette tomó la mano de Cilke para que la guiara a través de sus sueños...

Cilke la había conocido en el transcurso de una investigación sobre ciertas organizaciones radicales universitarias sospechosas de haber cometido actos terroristas. Ella era una activista política que enseñaba historia en un pequeño centro universitario de Nueva Jersey. La investigación de Cilke sólo le permitió descubrir que era una liberal sin la menor relación con ningún grupo extremista. Y entonces Cilke redactó su informe.

Sin embargo, en la entrevista que mantuvo con ella durante la investigación, le sorprendió su total falta de prejuicios o de hostilidad hacia él como agente del FBI. Muy al contrario, mostró curiosidad por su trabajo y le preguntó qué tal se sentía ejerciéndolo, y él le contestó con sinceridad. Se sentía simplemente uno de los guardianes de la sociedad, la cual no podía existir sin ciertas normas. Añadió medio en broma que era un escudo entre las personas como ella y las que habrían sido capaces de devorarla en su propio provecho. El noviazgo fue muy breve. Se casaron rápidamente para que el sentido común no se interpusiera en su amor, pues ambos sabían que eran incompatibles en casi todo. Él no compartía ninguna de sus creencias; y ella ignoraba el mundo en el que él tenía que vivir. Ella no compartía para nada la reverencia que él sentía por el FBI, pero escuchaba sus quejas y comprendía su dolor por el asesinato moral del santo del FBI, J. Edgar Hoover.

—Lo presentan como un homosexual en secreto y un fanático reaccionario. Pero en realidad era un hombre entregado a su trabajo que simplemente carecía de conciencia liberal —le decía—. Los escritores se burlan del FBI y lo califican de una especie de Gestapo o KGB. Pero nosotros jamás hemos recurrido a la tortura, jamás hemos acusado fraudulentamente a nadie, tal como hace, por ejemplo, el Departamento de Policía de Nueva York. Nunca hemos presentado pruebas falsas. Los muchachos de los centros universitarios perderían su libertad si no fuera por nosotros. Los derechistas los destruirían porque son políticamente tontos.

Georgette se conmovió ante su vehemencia.

—No esperes que cambie —le dijo, sonriendo—. Si eso que tú dices es cierto, estamos de acuerdo.

—No espero que cambies —dijo Cilke—. Y si el FBI influye en nuestra relación, me buscaré otro trabajo.

No hizo falta que le dijera el sacrificio que ello supondría para él. Pero ¿cuántas personas podían decir que eran totalmente felices y que tenían un ser humano en el que podían confiar por entero? El hecho de defender y ser fiel al cuerpo y el espíritu de su mujer le deparaba un inmenso bienestar. Y ella percibía en cada segundo del día la fuerza con la que él se entregaba a proteger su seguridad y supervivencia.

Cilke la echaba terriblemente de menos cuando tenía que ausentarse para asistir a cursillos de adiestramiento. Jamás había sido tentado por otras mujeres, pues nunca había querido engañarla. Vivía una experiencia casi sagrada cuando finalmente regresaba a su confiada sonrisa y a su cuerpo acogedor, y ella, que era la mayor felicidad de su vida, lo esperaba desnuda y vulnerable en la cama, perdonándole su trabajo.

Pero su dicha estaba empañada por los secretos que tenía que ocultarle, las graves complicaciones de su trabajo, su conocimiento de que el mundo estaba infectado con el pus de las mujeres y los hombres malvados y con las manchas de humanidad que se derramaban sobre su propio cerebro. Sin ella, no hubiera merecido la pena vivir en el mundo.

Y una vez, al principio, todavía trémulo ante el temor de la felicidad, había hecho la única cosa de la que realmente se avergonzaba. Había instalado micrófonos ocultos en su propia casa para grabar todas las palabras de su mujer, y después había escuchado las cintas en el sótano. Había prestado atención a todas las inflexiones de su voz. Y ella había salido airosa de la prueba y le había demostrado que jamás era maliciosa, mezquina o traidora. Había tardado un año en desconectar los micrófonos ocultos. A Cilke le parecía un milagro que ella lo amara a pesar de sus imperfecciones, su astucia de animal salvaje y su necesidad de perseguir a sus congéneres humanos.

Pero siempre temía que ella descubriera su verdadera naturaleza y acabara odiándolo. Por eso procuraba ser extremadamente escrupuloso en su trabajo y se había ganado la fama de persona imparcial.

Georgette jamás dudaba de él. Y se lo había demostrado. Habían sido invitados a cenar a la casa del director, con otras veinte personas, un acto semioficial y un honor.

En determinado momento de la velada, el director consiguió apartarse un momento con Cilke y su mujer.

—Tengo entendido que está usted comprometida con muchas causas liberales —dijo a Georgette—. Respeto su derecho a hacerlo, naturalmente. Pero quizá no se da verdadera cuenta de que sus acciones pueden perjudicar la carrera de su marido en la agencia.

Ella sonrió y después, con semblante muy serio, dijo:

—Lo sé, y creo que sería un error y una desgracia para la agencia. Pero tenga usted por seguro que si eso llegara a convertirse en un problema demasiado grande mi marido presentaría su dimisión.

El director se volvió hacia Cilke con cara de asombro.

—¿Es eso cierto? —le preguntó—. ¿Presentaría su dimisión?

—Por supuesto —contestó Cilke sin vacilar—. Mañana mismo presento los papeles si usted quiere.

El director se echó a reír.

—No, por Dios —dijo—. No es fácil encontrar a hombres como usted. —Después dirigió a la mujer de Cilke una fría mirada aristocrática—. La complacencia con la propia esposa puede ser el último refugio del hombre honrado —añadió.

Los tres se rieron ante aquella retorcida manifestación de ingenio para demostrar que reinaba entre ellos la mayor cordialidad.

4

Astorre se pasó los cinco meses siguientes a la muerte del Don hablando con algunos de sus antiguos socios, ya retirados, tomando medidas para proteger de cualquier daño a los hijos del Don e investigando las circunstancias de su asesinato. Necesitaba sobre todo descubrir la razón de un acto tan audaz y monstruoso. ¿Quién había podido ordenar que mataran al gran Don Aprile? Sabía que tenía que andarse con mucho cuidado.

Astorre mantuvo su primer encuentro con Benito Craxxi en Chicago.

Craxxi se había retirado de todos los negocios ilegales diez años antes que el Don. El hombre había sido nada menos que el gran *consigliere* de la Comisión Nacional de la Mafia y tenía un profundo conocimiento de las estructuras de todas las Familias de Estados Unidos. Había sido el primero en detectar la pérdida de poder de las grandes Familias y había previsto su declive. Por eso se había retirado prudentemente y había dedicado sus esfuerzos al mercado bursátil, donde tuvo la grata sorpresa de descubrir que podía robar tanto dinero como antes sin correr el menor riesgo de castigo legal. El Don le había facilitado a Astorre el nombre de Craxxi, explicándole que éste sería uno de los hombres con quienes debería consultar en caso necesario.

A sus setenta años de edad, Craxxi vivía con dos guardaespaldas, un chófer y una joven italiana que le servía de cocinera, ama de llaves y, según rumores, compañera sexual. Gozaba de perfecta salud pues llevaba una vida de moderación, comía frugalmente y sólo bebía vino de vez en cuando. Para desayunar, un cuenco de fruta y queso, para el almuerzo, una tortilla o una sopa vegetal, sobre todo alubias y escarola; para la cena, una simple chuleta de buey o de cordero y una buena ensalada de cebolla, tomate y lechuga. Fumaba sólo un cigarro al día inmediatamente después de la cena, con el café y el anisete. Gastaba el dinero con prudencia, y tenía mucho cuidado a la hora de dar consejos, pues a un hombre que da un consejo equivocado se le odia tanto como a un enemigo.

Con Astorre en cambio era generoso, pues Craxxi era uno de los muchos hombres que estaban en deuda con Don Aprile. El Don lo había protegido cuando se había retirado, un gesto siempre peligroso en los negocios.

Ambos se habían reunido para un desayuno de trabajo. Había varios cuencos de fruta: relucientes peras amarillas, rojas manzanas, un cuenco de fresones casi tan grandes como limones, uva blanca y cerezas de un rojo oscuro. Un enorme trozo de queso descansaba sobre una tabla de madera como si fuera una raja de una dorada roca. El ama de llaves les sirvió café y anisete y se retiró.

—Bueno, muchacho —dijo Craxxi—. Tú eres el guardián que ha elegido Don Aprile.

—Sí —dijo Astorre.

—Sé que te adiestró para esta tarea —dijo Craxxi—. Mi viejo amigo siempre fue muy previsor. Lo consultamos. Sé que estás muy bien preparado. Pero la pregunta sigue en pie, ¿deseas hacerlo?

La sonrisa de Astorre era cautivadora y su semblante sincero.

—El Don me salvó la vida y me dio todo lo que tengo —contestó—. Soy como él me hizo. Y juré proteger a la familia. Si a Nicole no la convierten en socia del bufete de abogados, si la cadena de televisión de Marcantonio fracasa, si algo le ocurre a Valerius, les seguirán quedando los bancos. He vivido una existencia muy feliz. Y lamento la causa por la que ahora tengo que cumplir esta misión. Pero le di mi palabra al Don y tengo que cumplirla. Si no lo hiciera, ¿en qué podría creer durante el resto de mi vida?

Pasaron fugazmente por su mente algunos momentos de su infancia, momentos de inmensa felicidad que agradecía profundamente. Escenas de su infancia en Sicilia con su tío, recorriendo vastas zonas montañosas mientras escuchaba las historias que el Don le contaba. Después empezó a soñar con una época distinta en la que los hombres grandes y poderosos sirvieran a la justicia, apreciaran la lealtad y llevaran a cabo memorables acciones. Y en aquel momento echaba de menos tanto al Don como a Sicilia.

—Bien —dijo Benito Craxxi, interrumpiendo el ensueño de Astorre y devolviéndolo al presente—. Tú estuviste presente en la escena. Descríbemelo todo.

Astorre así lo hizo.

—¿Y estás seguro de que los dos tipos que dispararon eran zurdos? —preguntó Craxxi.

—Uno de ellos desde luego, y el otro probablemente también —contestó Astorre.

Craxxi asintió muy despacio con la cabeza y pareció perderse en sus pensamientos. Tras una prolongada pausa, miró directamente a los ojos a Astorre y le dijo:

—Creo saber quiénes fueron, pero no nos precipitemos. Es más importante saber quién los contrató y por qué. He reflexionado mucho sobre esta cuestión. El sospechoso más probable es Timmona Portella. Pero ¿por qué razones y para complacer a quién? Cierto que Timmona siempre ha sido muy temerario. Pero el asesinato de Don Aprile era una empresa muy arriesgada, y hasta Portella temía al Don, tanto si estaba retirado como si no.

»Ahora te digo quiénes creo yo que son los asesinos. Unos hermanos que viven en Los Ángeles y que están considerados los hombres más cualificados del país. No hablan jamás. Pocas personas saben que son gemelos. Y ambos son zurdos. Son valientes, son unos luchadores natos; el riesgo los debió de atraer, y la recompensa habrá sido muy elevada. Además les habrán dado muchas garantías de que las autoridades no investigarán el caso con demasiado interés. Me parece muy raro que no hubiera ningún agente de policía o alguna vigilancia federal en la ceremonia de confirmación en la catedral. A fin de cuentas, Don Aprile seguía siendo un objetivo del FBI a pesar de haberse retirado.

»Pero ten en cuenta que todo lo que he dicho es pura teoría. Tendrás que investigarlo. Y después, si estoy en lo cierto, deberás atacar con toda tu fuerza.

—Otra cosa —dijo Astorre—. ¿Corren peligro los hijos del Don?

Craxxi se encogió de hombros. Estaba pelando cuidadosamente una dorada pera.

—No lo sé —contestó—. Pero no te avergüences de pedirles ayuda. Tú también corres cierto peligro, sin duda alguna. Ahora te haré una sugerencia final. Manda llamar a ese tal Pryor de Londres para que dirija tus bancos. Es un hombre muy cualificado en todos los sentidos.

—¿Y Bianco en Sicilia? —preguntó Astorre.

—A ése déjalo allí —contestó Craxxi—. Cuando hayas adelantado un poco más en el asunto, volveremos a reunirnos.

Craxxi vertió un poco de anisete en el café de Astorre. El joven lanzó un suspiro.

—Qué extraño me parece —dijo—. Jamás imaginé que tendría que actuar por el Don, por el gran Don Aprile.

—En fin —dijo Craxxi—. La vida es muy dura y cruel para los jóvenes.

Valerius se había pasado veinte años en el mundo del espionaje militar y no vivía en un mundo de ficción como su hermano Marcantonio. Pareció adelantarse a todo lo que dijo Astorre y no se sorprendió.

—Necesito tu ayuda —le dijo Astorre—. Tal vez tengas que quebrantar algunas de tus estrictas normas de conducta.

—Ya era hora de que nos enseñaras tu verdadero carácter —replicó Valerius secamente—. Me estaba preguntando cuánto tardarías.

—No sé qué quieres decir —dijo Astorre, un poco sorprendido de su reacción—. Creo que la muerte de vuestro padre fue una conspiración en la que están implicados la policía de Nueva York y el FBI. A lo mejor crees que son figuraciones mías, pero es lo que yo he oído decir.

—Es posible —dijo Valerius—, pero en mi trabajo de aquí no tengo acceso a documentos secretos.

—No obstante debes de tener amigos —dijo Astorre—. En los servicios de espionaje. Puedes hacerles ciertas preguntas.

—No hace falta que les haga preguntas —replicó Valerius sonriendo—. Chismorrean como porteras. Todo eso de la «necesidad de saber» es una tontería. ¿Tienes alguna idea de lo que buscas?

—Cualquier información sobre los asesinos de vuestro padre —contestó Astorre.

Valerius se reclinó en su asiento, dando unas caladas a su puro, su único vicio.

—No me vengas con idioteces, Astorre —dijo Valerius—. Te voy a decir una cosa. Yo hice un análisis. Pudo ser un acto de represalia o venganza del mundo del hampa. Y se me ocurrió pensar que tú controlarás los bancos. El viejo siempre tuvo un plan, y te convirtió en el encargado del cambio de agujas de la familia. ¿Qué se sigue de eso? Pues que tú estás preparado, que tú eras el agente que debería activarse sólo en un determinado momento decisivo del futuro. Hay una brecha de diez años en tu vida, y tu tapadera es tan fabulosa que casi parece increíble: un cantante aficionado, un amante de la equitación. Y este collar de oro que siempre llevas resulta un poco sospechoso. —Valerius hizo una pausa, respiró hondo y añadió—: ¿Qué te parece mi análisis?

—Muy bueno —contestó Astorre—. Espero que te lo hayas guardado para ti solo.

—Por supuesto que sí —dijo Valerius—. Pero después se sigue también que eres un hombre peligroso. De lo cual se desprende que vas a emprender una acción extremadamente drástica. Pero te voy a dar un consejo. Tu tapadera es muy frágil y no tardará en descubrirse. En cuanto a mi ayuda, te diré que llevo una vida muy satisfactoria y soy contrario a todo lo que yo creo que eres. Por consiguiente, de momento mi respuesta es no. No te ayudaré. Si cambian las cosas, me pondré en contacto contigo.

Salió una mujer para acompañar a Astorre al despacho de Nicole. Nicole le dio un beso y un abrazo. Le seguía teniendo cariño y su idilio adolescente con él no le había dejado amargas cicatrices.

—Tengo que hablar contigo en privado —le dijo Astorre.

Nicole se volvió hacia la mujer que también era su guardaespaldas.

—Helene, ¿puedes dejarnos solos? Estoy a salvo con él.

Helene dirigió a Astorre una larga mirada. Quería que su imagen quedara grabada en su conciencia y lo consiguió. Como Cilke, Astorre observó también la gran seguridad con que se movía. Era la seguridad propia de las personas que llevan un arma oculta, una seguridad semejante a la del jugador de cartas que guarda un as en la manga. Astorre se preguntó dónde podía tenerla escondida.

Los ajustados pantalones y la chaqueta moldeaban su soberbia figura; el arma se hubiera notado. Entonces vio una abertura en la parte inferior de la pernera del pantalón. Llevaba una funda de pistola en el tobillo, lo cual no era demasiado inteligente que digamos. Le dirigió una sonrisa mientras se retiraba, echando mano de sus dotes de seductor. Ella lo miró con semblante inexpresivo.

—¿Quién la contrató? —preguntó Astorre.

—Mi padre —contestó Nicole—. Y ha dado muy buen resultado. Te sorprenderías si vieras cómo trata a los atracadores y a los pretendientes.

—No me cabe la menor duda —dijo Astorre—. ¿Ya has conseguido el expediente del FBI sobre el viejo?

—Sí —contestó Nicole—. Y es la lista de acusaciones más horrible que he leído en mi vida. Sencillamente, no me lo creo y ellos jamás han podido demostrar nada.

Astorre sabía que al Don le habría gustado que negara la verdad.

—¿Me puedes dejar el expediente un par de días? —preguntó.

Nicole le dirigió una fría mirada de abogada.

—No creo que tengas que verlo en este mo-

143

mento. Quiero redactar un análisis sobre él, subrayar lo que es importante y dártelo después. En realidad, no hay nada que te pueda servir. Creo que ni tú ni mis hermanos deberíais verlo.

Astorre la miró con aire pensativo y después sonrió.

—¿Tan terrible es?

—Déjame estudiarlo —dijo Nicole—. Los del FBI son unos cerdos.

—Cualquier cosa que tú digas me parecerá bien —dijo Astorre—. Pero recuerda que es un asunto peligroso. Cuídate mucho.

—Lo haré —dijo Nicole—. Tengo a Helene.

—Si me necesitas, ya sabes dónde estoy —dijo Astorre, apoyando la mano en su brazo para tranquilizarla. Ella lo miró con tanto anhelo que le hizo sentirse incómodo—. Llama sin más...

Nicole sonrió.

—Lo haré —dijo—. Pero estoy bien. Te lo aseguro.

En realidad estaba esperando con ansia su velada con un encantador diplomático tremendamente atractivo.

Marcantonio Aprile estaba reunido en la complicada suite de su despacho, en la que destacaba una llamativa hilera de seis pantallas de televisión, con Richard Harrison, el director de la más poderosa agencia de publicidad de Nueva York. Se trataba de un alto y aristocrático personaje, impecablemente vestido. Parecía un ex modelo, pero tenía toda la fuerza de un paracaidista.

Harrison sostenía sobre las rodillas un pequeño estuche de cintas de vídeo. Con absoluta seguridad y sin pedir permiso, se acercó a un televisor e insertó una de ellas.

—Fíjate en eso —dijo—. No es uno de mis clientes, pero me parece tan asombroso como si lo fuera.

Se trataba del anuncio de una pizza americana cuyo vendedor era Mijail Gorbachov, el ex primer ministro de la Unión Soviética. Gorbachov vendía con serena dignidad y sin decir ni una sola palabra, ofreciéndoles trozos de pizza a sus nietos mientras la muchedumbre manifestaba a gritos su admiración.

Marcantonio miró sonriendo a Harrison.

—Una victoria para el mundo libre —dijo—. Bueno, ¿y qué?

—El ex dirigente de la Unión Soviética anda haciendo el payaso por ahí en un anuncio de una empresa de pizzas norteamericana. ¿No te parece asombroso? Y tengo entendido que sólo le han pagado medio millón de dólares.

—De acuerdo —dijo Marcantonio—. Pero ¿por qué?

—¿Por qué hace alguien algo tan humillante? Pues porque necesita desesperadamente dinero.

De repente Marcantonio pensó en su padre, Don Aprile. El Don habría despreciado profundamente a un hombre que, habiendo gobernado un gran país, no hubiera sido capaz de garantizarle la seguridad económica a su familia. Don Aprile lo hubiera considerado el más necio de los hombres.

—Una buena lección de historia y de psicología humana —dijo Marcantonio—. Pero, repito, ¿y qué?

Harrison dio unas palmadas al estuche de las cintas.

—Tengo otras y preveo más resistencia por tu parte. Estas son un poco más delicadas. Tú y yo llevamos mucho tiempo haciendo negocios juntos. Quiero tener la certeza de que estos anuncios saldrán en tu cadena. Lo demás se dará por añadidura.

—No lo comprendo —dijo Marcantonio.

Harrison insertó otro vídeo y se lo explicó:

—Hemos adquirido los derechos para utilizar a personajes ya fallecidos en nuestras cintas. Es una lástima que los difuntos famosos dejen de ejercer una función en nuestra sociedad. Queremos modificar esta situación y devolverles su antigua gloria.

La cinta empezó a pasar. Se veía toda una serie de instantáneas de la Madre Teresa de Calcuta atendiendo a los pobres y a los enfermos de Bombay mientras su hábito cubría a los moribundos. En otra instantánea se la veía recibiendo el Premio Nobel de la Paz, con su feo rostro resplandeciente de felicidad y de conmovedora y santa humildad. En otra instantánea repartía cucharadas de sopa de un recipiente de gran tamaño entre los pobres de las calles de Bombay.

De repente, la imagen se inundaba de color. Un hombre ricamente vestido se acercaba al recipiente con un cuenco vacío y le decía a una bella y hermosa joven: «¿Me puede dar un poco de sopa? Tengo entendido que es maravillosa». La joven, con una radiante sonrisa en los labios, le echaba unas cuantas cucharadas de sopa en el cuenco. Él se la bebía extasiado.

La imagen se iba desvaneciendo gradualmente hasta aparecer un supermercado y todo un estante de latas de sopa de la marca Bombay. Una voz en *off* proclamaba: «Sopa Bombay da la vida a los pobres y a los ricos por igual. Todo el mundo puede permitirse el lujo de saborear las veinte variedades de deliciosa sopa. Recetas originales de la Madre Teresa».

—Creo que ésta se ha hecho con bastante buen gusto —dijo Harrison.

Marcantonio arqueó las cejas.

Harrison insertó otra cinta. Apareció una esplendorosa imagen de la princesa Diana vestida de novia. Después otras imágenes suyas en la soberbia catedral. A continuación, bailando con el príncipe, rodeada de su séquito real, todo en frenético movimiento.

Una voz en *off* entonaba: «Todas las princesas se merecen un príncipe. Pero esta princesa tenía un secreto». Una joven modelo sostiene en alto un elegante frasco de perfume de cristal, con la etiqueta claramente visible. Se rocía el cuello con él. La voz en *off* añade: «Con un pequeño toque de perfume Princess, usted también podrá cautivar a su príncipe... y jamás se tendrá que preocupar por el olor vaginal».

Marcantonio pulsó un botón de su escritorio y la pantalla se apagó.

—Espera —dijo Harrison—, tengo más...

Marcantonio sacudió la cabeza.

—Richard, eres sorprendentemente ingenioso... e insensible. Estos anuncios jamás aparecerán en mi cadena.

—Pero piensa que una parte de los beneficios se destinará a obras de caridad —protestó Harrison—, y creo que están hechos con buen gusto. Yo esperaba que tú fueras el pionero. A fin de cuentas, somos buenos amigos.

—Por supuesto que sí —dijo Marcantonio—. Pero la respuesta sigue siendo no.

Harrison sacudió la cabeza y guardó lentamente los videocasetes en el estuche.

—Por cierto —preguntó sonriendo Marcantonio—, ¿qué tal fue el anuncio de Gorbachov?

Harrison se encogió de hombros.

—Fatal. El pobre no consiguió vender ni una sola pizza.

Marcantonio terminó otras tareas que tenía pendientes y se preparó para sus obligaciones nocturnas. Aquella noche tenía que asistir a la entrega de premios Emmy de televisión. Su cadena había reservado tres grandes mesas para sus ejecutivos y estrellas.

Su despacho disponía de una suite con dormitorio, cuarto de baño y ducha, y un armario lleno de ropa. Muchas veces pasaba allí la noche, cuando tenía que trabajar hasta muy tarde.

Durante la ceremonia, algunos de sus ganadores comentaron que él había contribuido a su éxito, lo cual siempre era agradable. Mientras daba palmadas y besaba mejillas, pensó en todas las galas y cenas de entrega de premios a las que había tenido que asistir a lo largo del año: los Oscar, los premios People's Choice, los homenajes de la AFI y otros premios especiales a los astros, productores y directores veteranos. Se sentía algo así como un maestro que concedía premios a los deberes de unos alumnos de primaria que después regresarían corriendo a casa para enseñarles a sus madres las notas. Se avergonzó momentáneamente de su cinismo: aquella gente se merecía los galardones, necesitaba la aprobación de los demás tanto como el dinero.

Se divirtió observando a la gente de las otras mesas que se levantaban y se reunían para conversar una vez finalizado el acto. Algunos actores de escasos méritos trataban de llamar la atención de las personas que, como él, tenían influencia. Unos periodistas independientes estaban cortejando a la directora de una famosa revista. Marcantonio contempló el cansancio de su rostro, la cuidadosa y fría cordialidad de aquella Penélope a la espera de un pretendiente más célebre.

Vio a los grandes presentadores, a los pesos pesados del sector, a los hombres y mujeres dotados de inteligencia, carisma y talento, enfrentados con el exquisito dilema de cortejar a los astros a los que deseaban entrevistar mientras apartaban de su lado a los astros menores que todavía no eran suficientemente importantes.

Los actores más famosos rebosaban de esperanza y deseo. Ya habían alcanzado el éxito suficiente como para efectuar el salto desde la televisión a las pantallas cinematográficas y jamás regresar. O eso pensaban ellos.

Al final, Marcantonio no pudo más. Las constantes sonrisas de entusiasmo, el cordial tono de voz que tenía que utilizar con los perdedores, la nota de exuberante júbilo que dedicaba a los ganadores, lo habían dejado exhausto. Su acompañante de la velada era una conocida presentadora de telediario llamada Matilda Johnson.

—¿Vas a ir esta noche a mi casa? —le preguntó ésta en un susurro.

—Estoy cansado —contestó Marcantonio—. Ha sido un día muy duro y una noche muy dura.

—No importa —dijo la presentadora con amabilidad. Ambos tenían unos horarios muy apretados—. Me quedaré una semana en la ciudad.

Eran buenos amigos porque no necesitaban aprovecharse el uno del otro. Matilda se sentía segura. No necesitaba a un mentor ni un protector.

Marcantonio jamás intervenía en las negociaciones con los actores o los presentadores de talento; esa tarea correspondía al director de Asuntos Comerciales. La vida que éstos llevaban no les permitía casarse. Matilda viajaba mucho y trabajaba dieciocho horas al día. Pero ambos eran amigos y a veces pasaban la noche juntos. Hacían el amor, se contaban chismes del sector y aparecían juntos en algunos actos sociales. Y se daba por descontado que la suya era una relación secundaria. Las pocas veces que Matilda se volvía a enamorar de un hombre, quedaban interrumpidas las noches con Marcantonio. Marcantonio jamás se enamoraba, y por tanto eso no le suponía ningún problema.

Aquella noche estaba un poco cansado del mundo en el que vivía, por lo que casi se alegró de ver a Astorre Viola, esperándole en el vestíbulo de su edificio de apartamentos.

—Cuánto me alegro de verte —le dijo—. ¿Dónde te habías metido?

—He estado ocupado —contestó Astorre—. ¿Puedo subir a tomar una copa?

—Faltaría más —dijo Marcantonio—. Pero ¿por qué sin avisar? ¿Por qué no has llamado? Te podías haber pasado horas y horas en este vestíbulo. He tenido que asistir a una fiesta.

—No te preocupes —dijo Astorre.

Había mantenido a su primo bajo vigilancia toda la noche.

Una vez en el apartamento, Marcantonio sirvió dos copas.

Astorre parecía un poco incómodo.

—Tú puedes proponer proyectos en tu cadena, ¿verdad?

—Lo hago constantemente —contestó Marcantonio.

—Tengo uno para ti —dijo Astorre—. Guarda relación con el asesinato de vuestro padre.

—No —dijo Marcantonio. Era el célebre «no» que utilizaba en su profesión y que impedía a su interlocutor seguir insistiendo. Pero Astorre no pareció amilanarse.

—No me digas que no de esta manera. No he venido a venderte nada. Es algo relacionado con la seguridad de tu hermana y de tu hermano. Y contigo. Y conmigo... —añadió, esbozando una radiante sonrisa.

—Cuéntame —dijo Marcantonio.

Estaba viendo a su primo bajo una luz totalmente distinta. ¿Sería posible que aquel vividor despreocupado pudiera hacer alguna vez algo de provecho?

—Quiero que hagas un documental sobre el FBI —dijo Astorre—. Concretamente sobre la manera en que Kurt Cilke consiguió destruir a casi todas las Familias de la MAFIA. Tendría una enorme audiencia, ¿no crees?

Marcantonio asintió con la cabeza.

—¿Qué te propones? —preguntó.

—Yo no puedo obtener todos los datos sobre Cilke —dijo Astorre—. Sería demasiado peligroso intentarlo. Pero si tú haces un documental, ningún organismo del Gobierno se atreverá a pararte los pies. Podrás averiguar dónde vive, su currículum, cómo actúa y qué lugar ocupa en la estructura de poder del FBI. Necesito toda esta información.

—El FBI y Cilke jamás colaborarán —dijo Marcantonio—. Y eso dificultaría la realización del documental. Ahora no es como en los viejos tiempos en que Hoover era el director. Ahora la gente nueva se anda con mucho cuidado.

—Tú puedes hacerlo —dijo Astorre—. Necesito que lo hagas. Tienes un ejército de productores y de reporteros de investigación. Necesito saber todo sobre él. Todo. Porque creo que puede formar parte de una gran conspiración contra vuestro padre y nuestra familia.

—Eso es una teoría totalmente descabellada —dijo Marcantonio.

—Es posible —dijo Astorre—. Puede que no sea verdad. Pero yo sé que no ha sido un simple asesinato del mundo del hampa. Y que Cilke está llevando a cabo una extraña investigación, como si quisiera borrar las huellas en lugar de descubrirlas.

—Supongamos que te ayudo a obtener la información. ¿Qué puedes hacer?

Astorre extendió las manos, sonriendo.

—¿Qué puedo hacer? Quiero saber, simplemente. A lo mejor podré cerrar algún tipo de trato. Y tengo que echar un vistazo a los documentos. No haré ninguna copia. No te pondré en ningún compromiso.

Marcantonio lo miró fijamente. Su mente se estaba adaptando al hermoso y seductor rostro de Astorre.

—Astorre —le dijo en tono pensativo—, tengo una curiosidad. El viejo te ha dejado el control de los bancos a ti. ¿Por qué? Tú eres un importador de macarrones italianos. Siempre te consideré un excéntrico encantador, con tu chaqueta roja de montar y tu pequeño conjunto musical. Sin embargo, el viejo jamás se hubiera fiado del hombre que tú aparentas ser.

—Ya no me dedico a cantar —dijo Astorre, sonriendo—. Y apenas monto a caballo. El Don siempre tuvo muy buen ojo y confiaba en mí. Tú también deberías confiar. —Hizo una pausa, y después añadió con toda sinceridad—: Me eligió a mí para que sus hijos no tuvieran que soportar ninguna tensión. Me eligió a mí y me enseñó. Me quería, pero a mí se me podía sacrificar. Así de sencillo.

—¿Sabes devolver los golpes? —preguntó Marcantonio.

—Pues sí —contestó Astorre, reclinándose contra el respaldo del sofá y mirando con una sonrisa a su primo.

Era la sonrisa deliberadamente siniestra que un actor de televisión hubiera esbozado para dar a entender que era un personaje malvado, pero lo hizo con tal gracia que Marcantonio soltó una carcajada.

—¿Eso es lo único que tengo que hacer? ¿No tendré que ir más allá?

—Tú no estás preparado para ir más allá —dijo Astorre.

—¿Me concedes unos días para pensarlo? —preguntó Marcantonio.

—No —contestó Astorre—. Si dices que no, tendré que luchar yo solo contra ellos.

Marcantonio asintió con la cabeza.

—Te aprecio, Astorre, pero no puedo hacerlo. Es demasiado arriesgado.

La reunión con Kurt Cilke en el despacho de Nicole fue una sorpresa para Astorre. Cilke se presentó en compañía de su ayudante Bill Boxton e insistió en que Nicole participara en la reunión. También él fue directamente al grano.

—Según la información que tengo, Timmona Portella está intentando crear un fondo de mil millones de dólares en sus bancos. ¿Es eso cierto? —preguntó Cilke.

—Eso es una información privada —contestó Nicole—. ¿Por qué tendríamos que decírselo?

—Sé que ha hecho la misma oferta que le hizo a su padre, Don Aprile. Y que su padre rechazó.

—¿Y por qué le interesa todo eso al FBI? —preguntó Nicole en tono de «vete a la mierda».

Cilke no cayó en la trampa de enfadarse.

—Creemos que está lavando dinero procedente de la droga —le dijo Cilke a Astorre—. Queremos que usted colabore con Portella para que nosotros podamos seguir la operación. Queremos que usted coloque en cargos de sus bancos a varios de nuestros contables. —Abrió una cartera de documentos—. Tengo aquí varios papeles que usted deberá firmar y que servirán para protegernos a los dos.

Nicole tomó los papeles y leyó rápidamente las dos páginas.

—No firmes —le advirtió a Astorre—. Los clientes de los bancos tienen derecho a que se proteja su intimidad. Si quieren investigar a Portella, necesitarán un mandamiento judicial.

Astorre tomó los papeles. Después de leerlos, miró con una sonrisa a Cilke.

—Me fío de usted —le dijo sonriendo mientras firmaba los papeles y se los devolvía.

—¿Cuál será el *quid pro quo*? —preguntó Nicole—. ¿Qué recibiremos a cambio de nuestra colaboración?

—Cumplir sus deberes de buenos ciudadanos —contestó Cilke—. Una carta de felicitación del presidente de la nación y la anulación de una auditoría de todos sus bancos que podría causarles muchos quebraderos de cabeza si ustedes no lo tuvieran todo completamente en regla.

—¿Qué tal si nos facilitara alguna pequeña información sobre el asesinato de mi tío?

—Suelte la pregunta —contestó Cilke.

—¿Por qué no había vigilancia policial en la ceremonia de la confirmación? —preguntó Astorre.

—Eso lo decidió Paul Di Benedetto, el jefe de la Brigada de Investigación —contestó Cilke—. Y también su mano derecha, una mujer llamada Aspinella Washington.

—¿Y cómo es posible que no hubiera observadores del FBI? —preguntó Astorre.

—Lamento decirle que eso fue una decisión mía —contestó Cilke—. No lo creí necesario.

Astorre sacudió la cabeza.

—Me parece que no puedo aceptar su propuesta. Necesito unas cuantas semanas para pensarlo.

—Ya ha firmado usted los papeles —le recordó Cilke—. Ahora la información ya es reservada. Lo podríamos encausar si usted revelara esta conversación.

—¿Y por qué iba yo a hacer tal cosa? —replicó Astorre—. Simplemente no quiero colaborar en mis bancos ni con el FBI ni con Portella.

—Piénselo —dijo Cilke.

Cuando los dos representantes del FBI se hubieron retirado, Nicole se volvió enfurecida hacia Astorre.

—¿Cómo te has atrevido a vetar mi decisión y firmar esos papeles? Ha sido una estupidez.

Astorre la miró con rabia. Era la primera vez que ella lo veía enojado.

—Se siente seguro con ese papel que le he firmado —contestó Astorre—. Y así es como yo quiero que se sienta.

5

Marriano Rubio era un hombre que tocaba muchas teclas, todas ellas revestidas de oro puro. Ocupaba el cargo de cónsul general del Perú, pero casi siempre residía en Nueva York. Era también el representante internacional de numerosos e importantes intereses comerciales de muchos países sudamericanos y de la China comunista, e íntimo amigo de Inzio Tulippa, el jefe del principal cártel de la droga de Colombia.

A sus cuarenta y cinco años, Rubio era un soltero empedernido y un respetable mujeriego. Sólo tenía una amante a la vez, debida y generosamente recompensada cuando la sustituía por otra belleza más joven. Su apostura y sus dotes de ameno conversador se combinaban con su maravillosa habilidad en el baile. Tenía una bodega de excelentes vinos y un *chef* de tres estrellas.

Pero como sucede con todos los hombres de suerte, a Rubio le gustaba desafiar al destino. Disfrutaba enfrentándose con hombres peligrosos. Necesitaba el riesgo para poder saborear el exótico plato de su vida. Estaba implicado en el tráfico ilegal de tecnología a China, había establecido una línea de comunicación del más alto nivel por cuenta de los barones de la droga y era el encargado de pagar con dinero ilegal a los científicos norteamericanos que se trasladaban a países de América del Sur. Incluso mantenía tratos con Timmona Portella, un hombre tan excéntricamente peligroso como Inzio Tulippa.

Como todos los jugadores de alto riesgo, Rubio alardeaba de guardarse un as en la manga. Estaba a salvo de todos los peligros legales gracias a la inmunidad diplomática de que gozaba, pero en los sectores en los que podía correr otros peligros se mostraba muy cauto.

Sus ingresos eran muy cuantiosos y gastaba a manos llenas. El hecho de poder comprar todo lo que quisiera, incluido el amor de las mujeres, le hacía sentirse extremadamente poderoso. Disfrutaba manteniendo a sus ex amantes y las seguía apreciando como amigas. Era un patrón generoso y su inteligencia le inducía a recompensar debidamente los buenos servicios de sus subordinados.

Ahora, en su apartamento de Nueva York, que para su gran suerte formaba parte del consulado del Perú, Rubio se vistió para su cena con Nicole Aprile. Como de costumbre, se trataba de una cita de negocios pero también de placer. Había conocido a Nicole en una cena ofrecida por uno de los prestigiosos empresarios que eran clientes de su bufete. A primera vista, le habían llamado la atención los rasgos no demasiado regulares de su belleza, la dura determinación de su rostro, en el que destacaban sus inteligentes ojos y su bien dibujada boca. También le había llamado la atención su menudo cuerpo, pero sobre todo el hecho de que fuera la hija del gran jefe de la MAFIA Don Raymonde Aprile.

Rubio había conseguido atraerla pero no hacerle perder la cabeza, lo cual le encantaba. Admiraba la romántica inteligencia en una mujer. Tendría que ganarse su respeto con obras y no con palabras. Lo hizo de inmediato, pidiéndole que representara a uno de sus acaudalados clientes en una negociación especialmente difícil. Había averiguado que trabajaba gratuitamente en favor de la abolición de la pena de muerte y que incluso había defendido a varios famosos asesinos, consiguiendo que aplazaran sus ejecuciones. Para él era el prototipo de la mujer moderna, guapa, competente y además compasiva. En caso de que no sufriera ninguna disfunción de tipo sexual, sería una compañera de lo más agradable durante cosa de un año.

Todo ello había ocurrido antes de la muerte de Don Aprile.

Pero ahora su principal objetivo era averiguar si Nicole y sus dos hermanos pondrían sus bancos a disposición de Timmona e Inzio. De lo contrario, el asesinato de Astorre Viola no tendría ningún sentido.

Inzio Tulippa ya había esperado suficiente. Había transcurrido un año desde el asesinato de Don Aprile y aún no había llegado a ningún acuerdo con los herederos de los bancos del Don. Había gastado ingentes sumas de dinero, había entregado millones de dólares a Timmona Portella para que sobornara al FBI y a la policía de Nueva York. Había gastado millones en pagar los servicios de los hermanos Sturzo, y a pesar de todo ello no había conseguido llevar adelante sus planes.

La imagen de Inzio no se ajustaba a la del poderoso traficante de drogas. Pertenecía a una respetable y acaudalada familia e incluso había sido jugador de polo en representación de su país, Argentina. Ahora residía en Costa Rica y utilizaba un pasaporte diplomático costarricense que le garantizaba la inmunidad ante la policía de cualquier país extranjero. Era el encargado de las relaciones con los cárteles de la droga de Colombia, con los cultivadores de Turquía y con los laboratorios clandestinos de Italia. Coordinaba el transporte y los necesarios sobornos de los funcionarios, desde los de más alto rango hasta los de más bajo nivel. Organizaba el contrabando de grandes cargamentos a Estados Unidos. Había conseguido atraer a muchos físicos nucleares a países de América del Sur y financiaba sus investigaciones. Era un cauto y competente ejecutivo en todo lo que hacía y había amasado una enorme fortuna.

Pero era un revolucionario. Defendía con ardor la venta de droga. Las drogas eran la salvación del espíritu humano, el refugio de los condenados a la desesperación por culpa de la pobreza y las enfermedades mentales. Eran el bálsamo de los que sufrían mal de amores, de las almas perdidas en nuestro mundo tan falto de espiritualidad. A fin de cuentas, cuando uno ya no creía en Dios, en la sociedad y en su propio valor, ¿qué podía hacer? ¿Matarse? La droga mantenía viva a la gente en un reino de sueños y esperanza. Lo único que se necesitaba era un poco de moderación. ¿Acaso la droga mataba a más gente que el alcohol, el trabajo, la pobreza y la desesperación? No. Por razones morales, Inzio estaba seguro.

Inzio Tulippa tenía un apodo en todo el mundo. Lo llamaban el Vacunador. Las empresas que tenían grandes intereses económicos en América del Sur, por ejemplo yacimientos de petróleo y fábricas de automóviles, y las multinacionales de productos agrícolas que explotaban a los campesinos, necesariamente tenían que tener ejecutivos al más alto nivel destacados en América del Sur. Y muy especialmente las empresas de Estados Unidos. Su mayor problema era el secuestro de sus ejecutivos en suelo extranjero, pues se veían obligados a pagar cuantiosos rescates de muchos millones de dólares.

Inzio Tulippa estaba al frente de una compañía que aseguraba a dichos ejecutivos contra los secuestros, y cada año viajaba a Estados Unidos para negociar los contratos con dichas empresas. No lo hacía sólo por dinero sino porque también necesitaba los recursos industriales y científicos de aquellas empresas. En resumen, lo que en realidad hacía era prestar un servicio de vacunación que protegía de los secuestros. Y eso era sumamente importante para él.

Sin embargo, tenía una excentricidad más peligrosa. Creía que la persecución internacional de la industria ilegal de la droga era una guerra santa contra su persona, y estaba firmemente decidido a defender su imperio. De ahí que sus ambiciones fueran de todo punto ridículas. Quería poseer capacidad nuclear para poder utilizarla como palanca en caso de que ocurriera algún percance. No pensaba usarla más que como último recurso, pero sería una eficaz arma de negociación. Su deseo le hubiera parecido ridículo a cualquiera menos al agente especial del FBI Kurt Cilke.

En determinado momento de su carrera, Kurt Cilke había sido enviado a una escuela antiterrorista del FBI. El hecho de que lo hubieran elegido para seguir aquel cursillo de seis meses había sido una demostración del aprecio que le tenía el director.

En aquel cursillo de adiestramiento había tenido acceso (no sabía si completo) a los más reservados memorándums e hipótesis sobre la posible utilización de armas nucleares por parte de organizaciones terroristas de pequeños países. En los informes se especificaba qué países poseían dichas armas. Públicamente se sabía que eran Rusia, Francia e Inglaterra y posiblemente India y Pakistán. Se suponía que Israel tenía capacidad nuclear. En una de las hipótesis se explicaba cómo utilizaría Israel sus armas nucleares en caso de que un bloque árabe estuviera a punto de aplastar a Israel. La conclusión era que las utilizaría.

Kurt Cilke leyó las distintas hipótesis, fascinado. El problema tenía dos soluciones. La primera —en caso de que Israel sufriera semejante ataque—, que Estados Unidos interviniera en favor de Israel antes de que este país se viera obligado a utilizar sus armas nucleares. La solución número dos: que en el momento decisivo, y en caso de que no fuera posible salvar Israel, Estados Unidos aniquilara la fuerza nuclear israelí.

Inglaterra y Francia no constituían ningún problema; jamás podrían correr el riesgo de lanzarse a una guerra nuclear. India no tenía ambiciones y Pakistán se podía destruir de inmediato. China no se atrevería, pues carecía de capacidad industrial... a corto plazo.

El peligro más inmediato era el de los pequeños países como Irak, Irán y Libia, cuyos dirigentes eran temerarios, o al menos eso es lo que se decía en las hipótesis. Aquí la solución era casi unánime. Dichos países serían bombardeados con armas nucleares hasta su aniquilación. El mayor peligro a corto plazo era el de que las organizaciones terroristas financiadas y apoyadas en secreto por alguna potencia extranjera introdujeran subrepticiamente un arma nuclear en Estados Unidos y la hicieran estallar en una gran ciudad. Probablemente en Washington o en Nueva York. Era inevitable que ocurriera. La solución propuesta era la creación de unas fuerzas especiales que utilizarían el contraespionaje y la adopción de las máximas medidas de castigo contra aquellos terroristas y quienquiera que los apoyara. Ello exigiría la aprobación de unas leyes especiales que recortarían los derechos de los ciudadanos norteamericanos. Las hipótesis reconocían la imposibilidad de aprobar aquellas leyes antes de que alguien consiguiera finalmente hacer saltar por los aires una buena parte de una urbe norteamericana. Entonces las leyes se aprobarían sin ninguna dificultad. Pero hasta entonces, señalaba frívolamente una de las hipótesis, «le podía tocar a cualquiera».

Al uso criminal de dispositivos nucleares sólo se dedicaban unas cuantas hipótesis. Se trataba de algo casi prácticamente descartado debido a que la capacidad técnica, la obtención del material y el vasto alcance de las personas implicadas conducirían inevitablemente a los confidentes. Una solución a dicho problema era que el Tribunal Supremo aceptara una orden de ejecución de cualquier cerebro criminal sin proceso judicial. Todo aquello no eran más que fantasías, pensó Kurt Cilke. Simples conjeturas. El país tendría que esperar a que ocurriera algo.

Pero ahora, al cabo de varios años, Cilke se daba cuenta de que ya estaba ocurriendo. Inzio Tulippa quería tener su pequeña bomba nuclear. Atraía a científicos norteamericanos a América del Sur, les construía laboratorios y les proporcionaba dinero para las investigaciones. Y era él quien pretendía tener acceso a los bancos de Don Aprile con el fin de recaudar mil millones de dólares para la compra de equipo y material. Eso era lo que Cilke había averiguado en su investigación. ¿Qué tenía que hacer ahora?

Muy pronto lo discutiría con el director en su siguiente viaje al cuartel general del FBI en Washington. Pero tenía sus dudas. No creía que pudieran resolver el problema.

Y un hombre como Inzio jamás se daría por vencido.

Inzio Tulippa llegó a Estados Unidos para reunirse con Timmona Portella y tratar de adquirir los bancos de Don Aprile. Al mismo tiempo, el jefe de la *cosca* de los corleoneses de Sicilia, Michael Grazziella, se presentó en Nueva York para estudiar con Tulippa y Portella los detalles de la distribución de droga por todo el mundo. Las llegadas de ambos fueron muy distintas.

Inzio Tulippa llegó a Nueva York en su jet privado, en el que también viajaban cincuenta acompañantes y guardaespaldas. Sus hombres iban vestidos con trajes blancos, camisas azules y corbatas de color de rosa, y se tocaban con unos sombreros de jipijapa. Hubieran podido ser los miembros de una orquesta de rumba sudamericana. Tulippa y sus acompañantes llevaban pasaportes costarricenses y, como es natural, Tulippa gozaba de inmunidad diplomática.

Tulippa se trasladó con sus hombres a un pequeño hotel privado propiedad del cónsul general, en representación de la embajada del Perú, y no se movía furtivamente como si fuera un pobre camello. Al fin y al cabo, él era el Vacunador, y los representantes de las grandes empresas norteamericanas competían entre sí para hacerle agradable la estancia. Asistió a las primeras funciones de los espectáculos de Broadway, del ballet en el Lincoln Center, de la ópera en el Metropolitan y de los conciertos de música ofrecidos por célebres artistas sudamericanos. Participó además en programas de entrevistas en su calidad de presidente de la Confederación Sudamericana de Obreros del Campo y utilizó aquellas plataformas para defender el consumo de drogas ilegales. Una de sus entrevistas —con Charlie Rose de la PBS— tuvo gran resonancia.

Tulippa señaló que el hecho de que Estados Unidos luchara contra el consumo de cocaína, heroína y marihuana en todo el mundo constituía una vergonzosa forma de colonialismo. Los trabajadores de América del Sur dependían de las cosechas de droga para sobrevivir. ¿Quién podía culpar a un hombre acosado por la pobreza de que se comprara unas cuantas horas de alivio mediante el consumo de droga? ¿Qué decir del tabaco y el alcohol? Hacían mucho más daño que la droga.

Al oír sus palabras, sus cincuenta acompañantes presentes en el estudio, con los sombreros de jipijapa sobre las rodillas, aplaudieron con entusiasmo. Cuando Charlie Rose le preguntó qué daños causaban las drogas, Tulippa fue especialmente sincero. Su organización estaba dedicando grandes cantidades de dinero a la investigación para modificar las drogas a fin de que no causaran tanto daño; en resumen, serían drogas que se venderían con receta. Los programas los dirigirían respetables médicos y no las Asociaciones Americanas de Medicina, tan incomprensiblemente contrarias a los narcóticos y que vivían atemorizadas por la Agencia de Lucha Contra la Droga de Estados Unidos. No, las drogas serían la nueva y gran salvación de la humanidad. Cuando dijo esto, cincuenta sombreros de jipijapa fueron lanzados al aire.

Entretanto, Michael Grazziella, el jefe de la *cosca* de los corleoneses hizo una entrada totalmente distinta en Estados Unidos. Llegó con la mayor discreción en compañía de tan sólo dos guardaespaldas. Era un hombre delgado y larguirucho con cabeza de fauno y una cicatriz que le cruzaba la boca. Caminaba con bastón, pues una bala le había destrozado la pierna cuando era un *picciottu* de Palermo. Tenía fama de ser diabólicamente astuto y se decía que había planeado la muerte de dos de los más importantes magistrados de la lucha contra la MAFIA en Sicilia.

Grazziella se hospedó como invitado en la finca de Portella. No estaba preocupado por su seguridad pues todo el negocio de la droga de Portella dependía de él.

La reunión se había organizado para planificar una estrategia que les permitiera hacerse con el control de los bancos Aprile. Se trataba de un asunto de la máxima importancia con el fin de poder blanquear los miles de millones de dólares de dinero negro del narcotráfico y también de adquirir poder en el mundo financiero de Nueva York.

Para Inzio Tulippa el asunto era importante no sólo para blanquear su dinero de la droga sino también para financiar su arsenal nuclear. Y además permitiría que su papel de Vacunador resultara más seguro.

Todos se reunieron en el edificio del consulado general del Perú, que disponía de unas medidas de seguridad muy estrictas y ofrecía el manto de la inmunidad diplomática. El cónsul general Marriano Rubio era un anfitrión muy generoso. Puesto que recibía un porcentaje de todos los beneficios y sería el representante de sus intereses legales en Estados Unidos, se mostraba muy favorablemente dispuesto.

Aquellos hombres, reunidos en torno a una mesita ovalada, ofrecían un curioso espectáculo no sólo por su aspecto físico sino también por sus gestos y voces.

Michael Grazziella, con su lustroso traje negro, su camisa blanca y su corbata negra —aún llevaba luto por su madre, fallecida seis meses atrás—, parecía un enterrador. Hablaba en un quejumbroso susurro y, pese a su acusado acento, se le entendía muy bien. Parecía imposible que aquel hombre, aparentemente tan tímido y educado, fuera el responsable de la muerte de cien agentes del orden sicilianos.

Timmona Portella, el único de los cuatro cuya lengua materna era el inglés, hablaba a gritos, como si todos fueran sordos. También iba llamativamente vestido con un traje gris, una camisa verde lima y una brillante corbata de seda azul. El traje, impecablemente confeccionado a la medida, habría disimulado su prominente barriga si la chaqueta desabrochada no hubiera dejado al descubierto unos tirantes azules.

Inzio Tulippa vestía una holgada camisa blanca de seda y un pañuelo rojo alrededor del cuello, según el clásico estilo sudamericano. Sostenía reverentemente el amarillo sombrero de jipijapa en la mano. Hablaba el inglés con suave y candencioso acento y su voz tenía todo el encanto de un ruiseñor. Pero aquel día su rostro indio de afiladas facciones mostraba un siniestro ceño, como para dar a entender que no estaba nada satisfecho.

Marriano Rubio, el cónsul general del Perú, era el único que parecía contento. Su amabilidad los subyugó a todos. Modulaba muy bien el inglés e iba vestido con un pijama de seda verde, una bata de color verde más oscuro y unas suaves zapatillas forradas de lana blanca. Al fin y al cabo estaba en su casa y podía vestir de un modo más informal.

Tulippa abrió la discusión y se volvió directamente hacia Portella con impecable cortesía.

—Timmona, amigo mío —le dijo—, pagué un millón de dólares para quitar de en medio al Don, pero aún no somos propietarios de sus bancos. Y ya llevamos un año esperando.

El cónsul general habló con su habitual y meliflua amabilidad.

—Mi querido Inzio —dijo—, intenté comprar los bancos. Portella también lo intentó. Pero hemos tropezado con un obstáculo inesperado. Ese Astorre Viola, el sobrino del Don. Ha heredado el control y se niega a vender.

—Bueno —dijo Inzio—, ¿y entonces por qué sigue vivo?

Portella soltó una tremenda carcajada.

—Porque no es tan fácil matarlo —dijo—.

Mandé colocar un grupo de cuatro hombres para vigilar su casa, y los cuatro desaparecieron. Ahora no sé dónde demonios está, pero siempre va rodeado de una nube de guardaespaldas.

—No hay nadie que cueste tanto matar —dijo Tulippa.

La frase, dicha con su melodiosa voz, resultó tan dulce al oído como la letra de una canción popular.

—Conocimos a Astorre en Sicilia hace años —dijo Grazziella, tomando la palabra por primera vez—. Es un hombre con suerte, y además está muy bien preparado. Le pegamos un tiro en Sicilia y le dimos por muerto. Si atacamos de nuevo, tenemos que estar seguros. Es peligroso.

—¿Dice usted que tiene en nómina a un hombre del FBI? —preguntó Tulippa a Portella—. Pues utilícelo, por el amor de Dios.

—No es tan manejable como todo eso —dijo Portella—. El FBI tiene más clase que la policía de Nueva York. Jamás cometerían un asesinato directo.

—Bueno —dijo Inzio Tulippa—, pues entonces secuestremos a uno de los hijos del Don y utilicémoslo para negociar con Astorre. Marriano, tú conoces a su hija —añadió, guiñándole el ojo—. Tú le puedes tender una trampa.

A Rubio no le entusiasmó la propuesta. Dio una calada al purito que solía fumarse después del desayuno y, olvidándose de la cortesía, contestó en tono irritado:

—No. Aprecio a la chica. No quiero hacerla pasar por nada de todo eso. Y me opongo a que lo haga cualquiera de vosotros.

Al oír sus palabras, todos enarcaron las cejas. El poder efectivo del cónsul general era inferior al suyo. Al observar su reacción, Rubio les sonrió y recuperó su amable compostura.

—Sé que tengo esta debilidad. Me enamoro. Pero no seáis duros conmigo. Piso un terreno político muy fuerte, el mejor que puede haber. Sé que el secuestro es tu oficio, Inzio, pero aquí, en Estados Unidos, no da muy buen resultado. Y menos aún cuando se trata de una mujer. En cambio, si secuestras a uno de los hermanos y llegas a un rápido acuerdo con Astorre, puede que tengas una oportunidad.

—A Valerius no —dijo Portella—. Pertenece al servicio de espionaje militar y tiene amigos en la CIA. Mejor que no nos metamos con toda esta mierda.

—Pues entonces tendrá que ser Marcantonio —dijo el cónsul general—. Puedo cerrar un trato con Astorre.

—Eleva la oferta por los bancos y evita la violencia —dijo Grazziella en un suave susurro—. Creedme, yo he pasado por todo eso. He utilizado armas en lugar de dinero y siempre me ha salido más caro.

Todos lo miraron boquiabiertos de asombro. Grazziella se había ganado una temible fama de personaje violento.

—Michael —le dijo el cónsul—, estás hablando de miles de millones de dólares. Pero Astorre seguirá empeñado en no vender.

Grazziella se encogió de hombros.

—Si tenemos que emprender una acción, pues bueno, se emprende. Pero tened cuidado. Si lo podéis soltar abiertamente durante las negociaciones, después ya nos desharemos de él.

Inzio Tulippa lo miró con una ancha sonrisa en los labios.

—Así me gusta. Y por cierto, Marriano —añadió—, no te sigas enamorando. Es un vicio muy peligroso.

Al final, el cónsul general Marriano Rubio consiguió convencer a Nicole y a sus hermanos de que se sentaran a discutir la venta de los bancos con los miembros de su banda. Como es natural, también tendría que estar presente Astorre Viola, pero eso Nicole no podía garantizarlo.

Antes de la reunión, Astorre dio instrucciones a Nicole y a sus hermanos respecto a lo que deberían decir y a la manera exacta en que deberían actuar. Ellos comprendieron su estrategia: tendrían que conseguir que los miembros del grupo pensaran que su único adversario era él.

La reunión también se celebró en la sala de conferencias del cónsul general. No había servicio de *catering* sino un bufete, y el propio cónsul general se encargó de servir el vino. Debido a la diversidad de horarios de los participantes, la reunión tuvo lugar a las diez de la noche.

El cónsul general hizo las presentaciones y dirigió la reunión. Después le entregó una carpeta a Nicole.

—Aquí está detallada la oferta. Pero, para abreviar, ofrecemos el cincuenta por ciento sobre el precio de mercado. Aunque nosotros ejerceremos el control absoluto, los intereses Aprile recibirán el diez por ciento de nuestros beneficios durante los próximos veinte años. Todos ustedes se harán muy ricos y podrán disfrutar de su ocio sin las terribles tensiones que lleva aparejadas la gestión de un negocio de semejante envergadura.

Nicole hojeó rápidamente los papeles. Estaban esperando su respuesta.

—Todo esto es impresionante —dijo finalmente—, pero ¿por qué una oferta tan generosa?

El cónsul general le dirigió una cariñosa sonrisa.

—Por sinergia —contestó—. Hoy en día todos los negocios son sinergia; los ordenadores y la aviación, los libros y las editoriales, la música y la droga, el deporte y la televisión. Todo es sinergia. Con los bancos Aprile tendremos sinergia en las finanzas internacionales, controlaremos los edificios de las ciudades y la elección de los gobiernos. El alcance de nuestro grupo es global y necesitamos sus bancos, de ahí la generosidad de la oferta.

—Y ustedes, caballeros, ¿son todos socios a partes iguales? —preguntó Nicole, dirigiéndose a los demás miembros del grupo.

Inzio Tulippa, muy impresionado por su morena belleza y la seriedad de su lenguaje, procuró echar mano de todo su encanto al responder.

—Operamos legalmente a partes iguales en esta adquisición, pero permítame asegurarle que considero un honor estar asociado con el apellido Aprile. Nadie más que yo admiraba a su padre.

Valerius, con semblante impasible, se dirigió fríamente a Inzio Tulippa.

—No me interprete mal, quiero vender. Pero prefiero una venta completa sin ningún porcentaje. A nivel personal, quiero apartarme por completo de todo eso.

—¿Pero está dispuesto a vender? —preguntó Inzio.

—Por supuesto que sí —contestó Valerius—. Quiero lavarme las manos de todo eso.

Timmona Portella fue a decir algo, pero el cónsul general lo interrumpió.

—Marcantonio —dijo—, ¿qué le parece la oferta? ¿Le resulta atractiva?

—Estoy con Val —contestó Marcantonio en tono resignado—. Concertemos un trato sin porcentajes. Después nos podremos despedir todos y desearnos suerte.

—Muy bien, podemos concertar un acuerdo de ese tipo —dijo Rubio.

—Pero en tal caso, y como es natural, se tendrá que incrementar la prima —dijo fríamente Nicole—. ¿Podrán afrontar ese desembolso?

—No hay problema —contestó Tulippa con una radiante sonrisa en los labios.

Michael Grazziella tomó nuevamente la palabra con semblante preocupado y cortés tono de voz.

—¿Y qué dice nuestro querido amigo Astorre Viola? ¿Está de acuerdo?

Astorre soltó una incómoda carcajada.

—Usted sabe lo mucho que me he aficionado al negocio bancario. Y además, Don Aprile me hizo prometerle que jamás vendería. Lamento llevar la contraria a mi familia aquí presente, pero tengo que decir que no. Y yo soy quien controla la mayoría de las acciones con derecho a voto.

—Pero los hijos del Don tienen intereses —replicó el cónsul general—. Podrían demandarle ante los tribunales.

Astorre se echó a reír.

—Jamás haríamos tal cosa —terció secamente Nicole.

El coronel esbozó una amarga sonrisa y pareció que a Marcantonio la idea se le antojaba ridícula.

—Tengan paciencia —dijo Astorre en tono conciliador—. Puede que me canse del negocio bancario. Dentro de unos meses podríamos volver a reunirnos.

—Por supuesto que sí —dijo el cónsul general—. Pero es posible que no podamos mantener mucho tiempo este paquete financiero. Más adelante podríamos ofrecer un precio más bajo.

No hubo apretones de manos cuando se despidieron.

Cuando Astorre Viola y los hermanos Aprile se hubieron ido, Michael Grazziella les dijo a los cinco miembros del grupo:

—Nos está dando largas. Jamás venderá.

Inzio Tulippa lanzó un suspiro.

—Lástima, con lo simpático que es. Hubiéramos podido convertirnos en buenos amigos. Puede que lo invite a mi plantación de Costa Rica. Le podría hacer pasar el mejor rato de su vida.

Todos se rieron.

—No se irá de luna de miel contigo, Inzio —dijo Timmona Portella en tono desabrido—. Tendré que ser yo el que se encargue de él aquí arriba.

—Espero que con más acierto que antes —dijo Inzio.

—Lo subestimé —dijo Portella—. ¿Cómo podía imaginar que fuera así un tío que canta en las bodas? Cumplí bien el encargo en el caso del Don. No hubo ninguna queja por parte de nadie.

—Un trabajo espléndido, Timmona —dijo el cónsul general, con el hermoso rostro iluminado por la satisfacción—. Todos tenemos depositada nuestra máxima confianza en ti. Pero este nuevo trabajo se tiene que hacer cuanto antes.

Al salir de la reunión, los hermanos Aprile y Astorre se fueron a cenar al restaurante Partinico, que disponía de comedores privados y cuyo propietario era un viejo amigo del Don.

—Creo que todos lo habéis hecho muy bien —les dijo Astorre a sus primos—. Los habéis convencido de que estabais en contra de mí.

—Es que estamos —dijo Val.

—¿Por qué tenemos que jugar a este juego? —preguntó Nicole—. No me gusta en absoluto.

—Es posible que estos sujetos estén implicados en la muerte de vuestro padre —dijo Astorre—. No quiero que piensen que podrán llegar a alguna parte causando daño a alguno de vosotros.

—¿Y tú estás seguro de que podrás afrontar cualquier cosa que te echen? —le preguntó Marcantonio.

—No, no —protestó Astorre—. Pero puedo esconderme sin destrozar mi vida. Si me voy a Dakota del Norte o del Sur, jamás me encontrarán. —Su sonrisa era tan ancha y convincente que hubiera podido engañar a cualquiera menos a los hijos de Don Aprile—. Bueno —añadió—, si se ponen directamente en contacto con alguno de vosotros, hacédmelo saber.

—He recibido un montón de llamadas de ese investigador, Di Benedetto —dijo Valerius.

Astorre se mostró sorprendido.

—¿Y por qué demonios te llama?

—Cuando yo trabajaba en el servicio de espionaje —contestó Valerius sonriendo—, había ciertas llamadas telefónicas que nosotros denominábamos «llamadas de "¿Qué es lo que sabes?"». Alguien llamaba fingiendo que te quería facilitar información o ayudarte en algún asunto, pero lo que realmente quería era averiguar cómo marchaba tu investigación. El tal Di Benedetto me llama para mantenerme amablemente informado de la marcha de su investigación sobre el caso, pero en realidad intenta sacarme información sobre ti, Astorre. Le interesas muchísimo.

—Me siento muy halagado —dijo Astorre sonriendo—. Debe de haberme oído cantar en algún sitio.

—No es probable —replicó secamente Marcantonio—. Di Benedetto también me ha estado llamando a mí. Dice que se le ha ocurrido una idea sobre una serie policíaca. Siempre hay espacio para una serie de éstas en la televisión y lo he animado a seguir adelante. Pero el material que me ha enviado es una estupidez. No habla en serio. Lo que quiere es mantenerse informado sobre nosotros.

—Muy bien —dijo Astorre.

—Tú quieres convertirte en el blanco en lugar de nosotros —dijo Nicole—. ¿No te parece demasiado peligroso? Ese Grazziella me da escalofríos.

—No te preocupes, lo conozco —contestó Astorre—. Es un hombre muy razonable. Y tu cónsul general es un verdadero diplomático y podrá controlar a Tulippa. El único que me preocupa en este momento es Portella. Es tan estúpido que puede empezar a causar problemas.

Parecía como si estuviera tratando de una cuestión cotidiana de negocios.

—Pero ¿cuánto va a durar todo eso? —preguntó Nicole.

—Dame unos cuantos meses —le dijo Astorre—. Te prometo que para entonces todos habremos llegado a un acuerdo.

Valerius le dirigió una despectiva mirada.

—Astorre, siempre has sido un optimista. Si fueras un agente de espionaje y estuvieras bajo mis órdenes, te trasladaría a infantería para que te despabilaras un poco.

No fue una cena agradable. Nicole estuvo observando todo el rato a Astorre, como si tratara de averiguar un secreto. Era evidente que Valerius no se fiaba de Astorre, y Marcantonio se mostró muy reservado. Al final, Astorre levantó su copa de vino y dijo jovialmente:

—Estáis todos muy fúnebres, pero no me importa. Todo eso va a ser muy divertido. Por vuestro padre.

—El gran Don Aprile —dijo amargamente Nicole.

—Sí, por el gran Don —dijo Astorre sonriendo.

Astorre Viola siempre salía a montar a última hora de la tarde. Montar a caballo le relajaba y le abría el apetito para la cena. Siempre que cortejaba a una mujer, la hacía cabalgar con él. Si no sabía montar, le daba lecciones de equitación. Y si a alguna no le gustaban los caballos, dejaba de salir con ella. Disfrutaba con el gorjeo de los pájaros, el susurro de los pequeños animales del bosque al moverse y la ocasional aparición de un lobo. Pero lo que más le gustaba era vestirse para montar. La chaqueta rojo encendido, las botas marrones y la fusta que jamás utilizaba. El gorro de caza de ante negro. Se miró sonriendo al espejo y se imaginó en el papel de lord inglés de la finca.

Bajó a la cuadra, en la que tenía estabulados seis caballos y se alegró de ver que el entrenador Aldo Monza ya le había preparado uno de sus sementales. Lo montó y, a un pausado medio galope, se adentró por el sendero del bosque. Acelerando a un medio galope más rápido, cabalgó bajo un dosel de hojas que casi ocultaba la luz del sol poniente. Sólo unos finos haces dorados iluminaban el sendero. Vio el oloroso montículo de trigueño estiércol, espoleó su montura pasando por delante de él y llegó a una bifurcación del sendero que le ofrecía la posibilidad de seguir dos caminos distintos para regresar a casa, dando un rodeo. El oro del sendero había desaparecido.

Refrenó su cabalgadura. Justo en aquel momento aparecieron dos hombres ante sus ojos. Llevaban las holgadas prendas propias de los trabajadores del campo, pero iban enmascarados y en sus manos centelleaba un plateado brillo metálico. Astorre espoleó su caballo e inclinó la cabeza hacia el flanco del animal. El bosque se llenó de luz y del sonido de la detonación de las balas. Los hombres estaban muy cerca y Astorre sintió que las balas le alcanzaban el costado y la espalda. El caballo, asustado, se lanzó a un desenfrenado galope mientras Astorre concentraba todas sus fuerzas en mantenerse en la silla. Mientras bajaba galopando por el sendero vio aparecer a otros dos hombres. No iban enmascarados ni armados. Perdió el conocimiento y resbaló desde el caballo hacia sus brazos.

Una hora después Kurt Cilke recibió el informe del equipo de vigilancia que había rescatado a Astorre Viola. Lo que más le sorprendió fue que Astorre llevara bajo su llamativo atuendo un chaleco antibalas tan largo como su roja chaqueta de montar, y que no fuera un Kevlar normal sino uno hecho especialmente a medida. ¿Por qué demonios llevaba un chaleco antibalas un tipo como Astorre, un importador de macarrones que cantaba en las salas de fiestas y se emperifollaba para practicar la equitación? El impacto de las balas lo había aturdido, pero éstas no habían penetrado en su cuerpo. Astorre ya había sido dado de alta en el hospital.

Cilke empezó a redactar un memorándum, solicitando una exhaustiva investigación sobre la vida de Astorre a partir de su infancia. Tal vez aquel hombre fuera la clave de todo. Pero de una cosa estaba seguro: sabía quién había tratado de asesinar a Astorre Viola.

Astorre se reunió con sus primos en casa de Valerius. Les describió el ataque y la forma en que habían disparado contra él.

—Os pedí ayuda —dijo—, me la negasteis y yo lo comprendí. Pero ahora creo que deberíais reconsiderar vuestra decisión. Todos vosotros estáis en cierto modo amenazados. Creo que la cuestión se resolvería vendiendo los bancos. Sería la solución de la máxima ganancia. Todos conseguirían lo que quieren. O podríamos optar por una situación de ganancia-pérdida. Conservar los bancos, repeler los ataques y acabar con nuestros enemigos, sean quienes sean. Podría darse también una situación de pérdida total, y es la que tenemos que evitar a toda costa. Una situación en la que lucháramos contra nuestros enemigos y ganáramos, pero el Gobierno nos atrapara de todos modos.

—La elección no ofrece duda —dijo Valerius—. Vender los bancos sin más. La solución de ganancia total.

—Claro, no somos sicilianos —terció Marcantonio—, no nos interesa arrojarlo todo por la borda por el simple afán de venganza.

—Pero es que si vendemos los bancos —dijo serenamente Nicole— arrojamos por la borda nuestro futuro. Marc, algún día te gustará ser propietario de tu propia cadena. Val, si hicieras importantes donaciones políticas podrías convertirte en embajador o secretario de Defensa. Y tú, Astorre, podrías cantar con los Rolling Stones. —Miró a su primo sonriendo—. Bueno, todo eso es un poco improbable —dijo, cambiando de tono—. Olvidemos las bromas. ¿Acaso el asesinato de nuestro padre no significa nada para nosotros? ¿Queremos entregarles una recompensa por haberlo matado? Creo que tendríamos que ayudar a Astorre con todas nuestras fuerzas.

—Pero ¿tú sabes lo que estás diciendo? —le replicó Valerius.

—Claro —dijo Nicole tranquilamente.

—Vuestro padre me enseñó —dijo Astorre— que no puedes permitir que otros hombres te impongan su voluntad, pues de lo contrario no merece la pena vivir.

—La guerra es una decisión que siempre nos lleva a perderlo todo —dijo secamente Nicole.

Valerius se molestó.

—Por mucho que digan los liberales, la guerra es una situación en la que se gana y se pierde. Sales mejor librado cuando ganas una guerra. Perder es un horror impensable.

—Vuestro padre tenía un pasado. Ahora todos nosotros tenemos que habérnoslas con este pasado. Por eso os vuelvo a pedir ayuda. Recordad que cumplo las órdenes de vuestro padre y que mi tarea es proteger a la familia, lo cual significa conservar los bancos.

—Dentro de un mes te habré conseguido un poco de información —dijo Valerius.

—¿Y tú, Marc? —preguntó Astorre.

—Me pondré a trabajar inmediatamente en ese programa —contestó Marcantonio—. Será dentro de unos dos, tres meses...

—Nicole —dijo Astorre—, ¿ya has terminado el análisis del expediente del FBI sobre tu padre?

—No, todavía no —contestó Nicole. Parecía un poco disgustada—. ¿No os parece que tendríamos que pedir ayuda a Cilke?

Astorre la miró, sonriendo.

—Cilke es uno de mis sospechosos —dijo—. Cuando disponga de toda la información, decidiremos lo que conviene hacer.

Un mes después, Valerius obtuvo cierta información inesperada y desagradable. A través de sus contactos con la CIA, había averiguado la verdad sobre Inzio Tulippa. Éste tenía conexiones en Sicilia, Turquía, India, Pakistán, Colombia y otros países sudamericanos. Tenía incluso conexiones con los corleoneses de Sicilia y estaba por encima de ellos.

Según Valerius, Inzio estaba financiando ciertos laboratorios de investigación nuclear en América del Sur, y trataba desesperadamente de crear un cuantioso fondo en Estados Unidos para la compra de equipo y material. En sus delirios de grandeza, quería poseer una terrible arma defensiva contra las autoridades en caso de que se llegara a una situación desesperada. De lo cual se deducía que Timmona Portella era un hombre de paja de Inzio.

La información disgustó enormemente a Astorre. Era otro jugador en la partida, otro frente en el que tendrían que combatir.

—¿Sería factible el plan de Inzio? —preguntó Astorre.

—Él así lo cree, por supuesto —contestó Valerius—. Y cuenta con la protección de los funcionarios del Gobierno del país en el que ha montado los laboratorios.

—Gracias, Val —dijo Astorre, dando al coronel una cariñosa palmada en el hombro.

—De nada, hombre —contestó Valerius—. Pero más no te puedo ayudar.

Marcantonio tardó seis semanas en trazar el perfil de Kurt Cilke para la cadena. Marcantonio le entregó personalmente a Astorre una abultada carpeta de información.

Astorre la tuvo veinticuatro horas en su poder y después se la devolvió.

Sólo Nicole le preocupaba. Ésta le había prestado el expediente del FBI sobre Don Aprile, pero había una parte completamente borrada. Cuando le preguntó al respecto, ella se limitó a contestar:

—Así la recibí.

Astorre estudió cuidadosamente el documento y le pareció que el período borrado tenía que referirse a la época en que él contaba apenas dos años.

—Da igual —le dijo a Nicole—. Hace demasiado tiempo como para que sea importante.

Ahora Astorre ya no podía aplazarlo. Disponía de suficiente información para iniciar su guerra.

Nicole Aprile estaba deslumbrada por Marriano Rubio y la forma en que éste la cortejaba. Jamás se había recuperado del todo de la traición de Astorre en su adolescencia, del hecho de que éste hubiera optado por obedecer a su padre, Don Aprile. Aunque hubiera estado casada y hubiera mantenido unas breves y discretas relaciones con hombres poderosos, sabía que los hombres siempre conspiraban contra las mujeres.

Rubio parecía una excepción. Jamás se enojaba con ella cuando sus horarios de trabajo frustraban sus planes de estar juntos. Comprendía que su profesión era lo primero. Y jamás se entregaba a aquella ofensiva emoción de muchos hombres, para quienes los celos constituían una demostración de auténtico amor. A su juicio, los celos eran ridículos y suscitaban el desprecio del sexo contrario.

Sus generosos regalos y el hecho de que ella lo encontrara interesante y disfrutara oyéndole hablar de literatura y teatro contribuían a aumentar su atractivo.

Pero su mayor virtud era el entusiasmo y la habilidad que ponía de manifiesto en la cama y el hecho de que no le robara demasiado tiempo.

Una noche Rubio llevó a cenar a Nicole a Le Cirque con unos amigos: un novelista sudamericano mundialmente famoso que la cautivó con su ingenio y sus extravagantes historias de fantasmas; un renombrado cantante de ópera que, a cada plato, entonaba un aria de júbilo y comía como si estuviera a punto de ser ejecutado en la silla eléctrica; y un columnista de talante conservador que era el oráculo de los asuntos mundiales en el *New York Times*, tan odiado por liberales como por conservadores, por árabes como por sionistas, y que se enorgullecía enormemente de que así fuera.

Después Rubio llevó a Nicole a su lujoso apartamento del consulado peruano. Allí le hizo apasionadamente el amor, no sólo con su cuerpo sino también con sus dulces palabras. Después la levantó desnuda de la cama y bailó con ella mientras le recitaba poesías en español. Nicole se lo pasó de maravilla, sobre todo cuando ambos se sentaron y él llenó unas copas de champán y le dijo:

—Te quiero.

Su espléndida nariz y su despejada frente resplandecían de sinceridad. Qué desvergonzados eran los hombres. Nicole se alegró en su fuero interno de haberlo traicionado. Su padre se hubiera enorgullecido de ella. Se había comportado como una auténtica mafiosa.

Kurt Cilke, en su calidad de jefe de la oficina del FBI en Nueva York, tenía casos mucho más importantes que el asesinato de Don Raymonde Aprile. Uno era una amplia investigación sobre seis gigantescas empresas que actuaban al margen de la ley, enviando maquinaria prohibida a la China comunista, incluyendo tecnología informática. Otro caso importante era la actuación de las principales empresas tabaqueras que habían cometido perjurio ante un comité de investigación del Congreso. El tercer caso se refería a la emigración de científicos de nivel medio a países sudamericanos como Brasil, Perú y Colombia. El director quería información sobre aquellos casos.

—Ya tenemos atrapados a los tíos del tabaco —dijo Boxton durante el vuelo—. Ya hemos descubierto los envíos ilegales a China, disponemos de documentación interna y de confidentes que quieren salvar la piel. Los únicos que nos faltan son los científicos. Pero creo que después de todo eso te van a nombrar subdirector del FBI. No pueden negar tu historial.

—Eso depende del director —dijo Cilke.

Sabía por qué razón los científicos se encontraban en América del Sur, pero no quiso corregir a Boxton.

En el Edificio Hoover, Boxton no pudo participar en la reunión.

Habían transcurrido ocho meses desde el asesinato de Don Aprile. Cilke había preparado todas las notas. El caso Aprile estaba estancado, pero él disponía de mejores noticias sobre otros casos todavía más importantes. Y esta vez tenía auténticas posibilidades de que le ofrecieran una de las subdirecciones clave del FBI. Había dedicado mucho tiempo a las investigaciones y su trabajo había causado una favorable impresión.

El director era un hombre alto y elegante cuya familia descendía de los Padres Fundadores del *Mayflower*. Era extremadamente rico por méritos propios y había entrado en la política por sentido del deber. Al principio de su mandato, había establecido unas severas normas.

—Nada de trampas —había dicho jovialmente con su marcado deje yanqui de Nueva Inglaterra—. Hay que seguir las reglas. No quiero pretextos para eludir la Ley de los Derechos Civiles. Un agente del FBI es siempre educado y en todo momento se comporta con equidad. Y en su vida privada siempre actúa con corrección.

El más mínimo escándalo, palizas a la esposa, estado de embriaguez, relaciones demasiado estrechas con un policía local o el menor desafuero en el llamado tercer grado en los interrogatorios, y te quedabas en la calle aunque tu tío fuera senador.

Éstas habían sido las normas durante los últimos diez años. Y como la prensa hablara demasiado de ti, aunque fuera en términos elogiosos, te enviaban a vigilar iglús en Alaska.

El director invitó a Cilke a sentarse en un sillón tremendamente incómodo al otro lado de su impresionante escritorio de roble macizo.

—Agente Cilke —le dijo—, le he mandado llamar por varios motivos. Número uno: he introducido en su expediente una mención honorífica especial por su trabajo contra la Mafia de Nueva York. Gracias a usted, les hemos roto el espinazo. Le felicito. —Se inclinó hacia delante para estrechar la mano de Cilke—. No lo vamos a divulgar ahora porque el FBI siempre se atribuye el mérito de las hazañas individuales. Y también porque podría colocarle en una cierta situación de peligro.

—Sólo por parte de algunos insensatos —dijo Cilke—. Las organizaciones criminales saben que no pueden causar daño a un agente del FBI.

—Insinúa usted que el FBI lleva a cabo venganzas personales —dijo el director.

—No, por Dios —contestó Cilke—. Quiero decir que estaríamos más atentos.

El director lo dejó correr. Había ciertos límites. La virtud siempre tenía que caminar por una línea muy delgada.

—No me parece justo mantenerlo en la cuerda floja —dijo el director—. He decidido no nombrarle para el cargo de una de mis subdirecciones, aquí en Washington. No en este momento. Por las siguientes razones. Conoce usted muy bien la calle y queda todavía mucho trabajo que hacer en este campo. La MAFIA, a falta de una palabra mejor, sigue actuando. Número dos: oficialmente tiene usted un confidente cuya identidad se niega a revelar incluso a los más altos cargos de supervisión del FBI. De manera no oficial, usted nos la ha revelado. Eso es información reservada. Por consiguiente, oficiosamente está usted en regla. Tercero: Su relación con cierto jefe de la Brigada de Investigación de Nueva York es de carácter demasiado personal.

El director y Kurt Cilke tenían otros temas en su agenda.

—¿Qué tal va nuestra operación «Omertà»? —le preguntó el director a Cilke—. Tenemos que conseguir cobertura legal para todas nuestras operaciones.

—Por supuesto —dijo Cilke con la cara muy seria. El director sabía muy bien que se tendrían que tomar ciertos atajos—. Hemos tropezado con algunos obstáculos. Raymonde Aprile se negó a colaborar con nosotros. Pero ese obstáculo ya no existe, claro.

—Al señor Aprile lo mataron muy oportunamente —dijo el director con ironía—. No lo insultaré preguntándole si tuvo usted conocimiento previo. ¿Su amigo Portella quizá?

—No lo sabemos —contestó Cilke—. Los italianos nunca acuden a las autoridades. Nosotros sólo tenemos que estar atentos a la aparición de cadáveres. Bien, me puse en contacto con Astorre Viola según lo acordado. Firmó los papeles confidenciales pero se negó a colaborar. No hará negocios con Portella y no venderá los bancos.

—¿Qué hacemos ahora? —dijo el director—. Usted sabe lo importante que es este asunto. Si podemos acusar al banquero amparándonos en las leyes RICO, podremos conseguir que los bancos pasen al Estado. Y esos diez mil millones de dólares se podrían utilizar para la lucha contra el crimen. El Bureau se apuntaría un tanto extraordinario. Entonces podríamos dar por finalizada su relación con Portella. Ya no nos resulta útil. Kurt, nos encontramos en una situación muy delicada. Sólo mis subdirectores y yo conocemos su relación con Portella. Sabemos que usted está a sueldo suyo y que él le cree su aliado. Su vida podría correr peligro.

—No se atrevería a causar el menor daño a un agente federal —dijo Cilke—. Está loco pero no tanto.

—Bien, Portella tiene que desaparecer en esta operación —dijo el director—. ¿Cuáles son sus planes?

—El tal Astorre no es tan ingenuo como todo el mundo dice —señaló Cilke—. Estoy investigando su pasado. Entretanto, les voy a pedir a los hijos de Aprile que lo desautoricen. Pero tengo ciertas dudas. ¿Podemos aplicar las leyes RICO a hechos que acontecieron hace diez años, basándonos en lo que ellos hagan ahora?

—Eso corresponde a nuestro fiscal general —contestó el director—. Nosotros sólo tenemos que introducir un pie en la puerta; después mil abogados llegarán hasta el fondo. Estoy completamente seguro de que encontraremos algo que los tribunales puedan aceptar.

—Esta cuenta secreta que tengo en las islas Caimán, en la que Portella ingresa dinero —dijo Cilke—. Creo que debería usted sacar algo para que él piense que lo estoy gastando.

—Ya me encargaré de eso —dijo el director—. Debo decir que este Timmona Portella no es nada tacaño.

—Cree sinceramente que me he vendido a él —dijo Cilke, sonriendo.

—Tenga cuidado —dijo el director—. No les dé motivos para pensar que podría ser un auténtico aliado y cómplice del crimen.

—Comprendo —dijo Cilke, y pensó: «Es muy fácil decirlo».

—Y no corra riesgos innecesarios —añadió el director—. Recuerde que la gente de la droga de Sicilia y América del Sur está en conexión con Portella y es muy temeraria.

—¿Tengo que mantenerle informado día a día, verbalmente o por escrito? —preguntó Cilke.

—Ninguna de las dos cosas. Tengo confianza absoluta en su integridad. Y además no quiero verme obligado a mentir ante ningún comité del Congreso. Para convertirse en uno de mis subdirectores, tendrá usted que resolver todas estas cuestiones.

El director lo miró con expresión expectante.

Kurt Cilke no se atrevía ni a pensar en presencia del director, un hombre capaz de leerle los pensamientos. Pero aun así no pudo reprimir una chispa de rebeldía. ¿Quién demonios se creía que era el director? ¿La Unión Americana de las Libertades Civiles? Con sus memorándums, en los que subrayaba que la MAFIA no era italiana, los árabes no eran terroristas y los negros no eran los delicuentes por antonomasia. ¿Quién coño creía él que cometía los delitos callejeros?

Pero Cilke se limitó a decir en tono pausado:

—Señor, si quiere usted que presente la dimisión, ya he acumulado los suficientes años de servicio como para que me corresponda la jubilación anticipada.

—No —dijo el director—. Conteste a mi pregunta. ¿Puede aclarar todas sus relaciones?

—Ya le he facilitado al Bureau los nombres de todos los confidentes. Los atajos son una cuestión de interpretación. Mi amistad con la policía local es una simple operación de relaciones públicas en nombre del Bureau.

—Sus resultados son la demostración de su trabajo. Probemos un año más. Sigamos adelante. —El director hizo una pausa y lanzó un suspiro. Después preguntó, casi con impaciencia—: ¿Cree usted que tenemos suficiente material sobre las empresas tabaqueras para poder acusar a sus ejecutivos de perjurio?

—Seguramente sí —contestó Cilke, sin saber por qué razón el director le hacía aquella pregunta. Tenía todos los datos.

—Pero podrían aducir que ésas son sus creencias personales —dijo el director—. Algunas encuestas indican que la mitad de los ciudadanos norteamericanos están de acuerdo con ellos.

—Eso no tiene nada que ver con el caso. La gente de las encuestas no cometió perjurio en su declaración ante el Congreso. Tenemos cintas y documentos internos que demuestran que los ejecutivos mintieron a sabiendas, que se confabularon.

—Tiene usted razón —dijo el director con un suspiro—. Pero el fiscal general concertó un acuerdo. Nada de enjuiciamientos ni de encarcelamientos. Pagarán multas de centenares de miles de millones de dólares. Por consiguiente, cierre la investigación. Se nos ha escapado de las manos.

—Muy bien, señor —dijo Cilke—. Podré utilizar la mano de obra sobrante para otras cosas.

—Eso está muy bien —dijo el director—. Le voy a hacer todavía más feliz. Ese envío ilegal de tecnología a China es una cuestión muy importante.

—No hay ninguna alternativa —dijo Cilke—. Las empresas quebrantaron a sabiendas una ley federal sobre beneficios económicos y pusieron en peligro la seguridad de Estados Unidos. Los directores de dichas empresas maquinaron deliberadamente.

—Tenemos material contra ellos, pero usted sabe que eso que se llama asociación para delinquir es un cajón de sastre. Todo el mundo se asocia. Sin embargo, este caso también lo puede cerrar y así ahorrará mano de obra.

Cilke preguntó con incredulidad:

—Señor, ¿me está usted diciendo que en eso también se ha llegado a un acuerdo?

El director se reclinó en su asiento y frunció el entrecejo ante la tácita insolencia de Cilke, pero decidió ser indulgente.

—Cilke, usted es el mejor agente de campaña del Bureau, pero no tiene el menor sentido político. Escúcheme bien y no lo olvide: usted no puede enviar a seis supermillonarios a la cárcel. Eso no es posible en una democracia.

—¿Conque es eso? —preguntó Cilke.

—Las sanciones económicas serán muy elevadas —dijo el director—. Ahora pasemos a otras cosas, una de ellas muy reservada. Vamos a intercambiar a un prisionero federal por uno de nuestros confidentes, retenido como rehén en Colombia, y que nos es muy valioso en nuestra guerra contra el narcotráfico. Se trata de un caso con el que usted está muy familiarizado. Hace cuatro años, un narcotraficante tomó cinco rehenes, una mujer y cuatro niños. Los mató a todos y también a uno de nuestros agentes. El narcotraficante fue condenado a cadena perpetua sin posibilidad de conseguir la libertad condicional. Recuerdo que usted se mostró radicalmente partidario de la pena de muerte. Ahora lo vamos a soltar y sé que usted no estará muy contento. Recuerde que todo eso es secreto, pero probablemente los periódicos lo desenterrarán y se armará un enorme revuelo. Usted y su oficina no harán jamás el menor comentario. ¿Está claro?

—No podemos permitir que alguien mate a nuestros agentes y se vaya de rositas —dijo Cilke.

—Su actitud no es aceptable en un agente federal —dijo el director.

Cilke procuró disimular su indignación.

—En tal caso, todos nuestros agentes correrán peligro —dijo—. Eso es lo que ocurre en las calles. El agente murió cuando estaba intentando salvar a los rehenes. Fue una ejecución a sangre fría. La puesta en libertad del asesino es un insulto a la vida de aquel agente.

—En el Bureau no cabe la mentalidad de la venganza —dijo el director—. En caso contrario, no seríamos mejor que ellos. Bueno, y ahora dígame qué sabe de aquellos científicos que emigraron a América del Sur.

Cilke se dio cuenta en aquel momento de que ya no se podía fiar del director.

—Nada nuevo —mintió.

A partir de aquel momento había decidido no participar en los compromisos políticos de la agencia. Actuaría por su cuenta.

—Bien, ahora que dispone de mucha mano de obra, siga trabajando en ello —dijo el director—. Y cuando atrape a Timmona Portella, lo mandaré llamar aquí arriba y lo nombraré para una de mis tres subdirecciones.

—Se lo agradezco —dijo Cilke—. Pero he decidido que cuando atrape a Portella pediré el retiro.

El director lanzó un profundo suspiro.

—Reconsidere su decisión. Sé que todos estos pactos le deben de doler mucho, pero recuerde una cosa. El Bureau no sólo es el encargado de proteger a la sociedad contra los que infringen la ley sino que algunas veces tenemos que emprender ciertas acciones que, a la larga, serán beneficiosas para nuestra sociedad en su conjunto.

—Lo recuerdo de la escuela —dijo Cilke—. El fin justifica los medios.

El director se encogió de hombros.

—A veces. En cualquier caso, le ruego que reconsidere su decisión. Voy a incluir una carta de recomendación en su expediente. Tanto si se queda como si se va, recibirá una medalla del presidente de Estados Unidos.

—Se lo agradezco, señor —dijo Cilke.

El director le estrechó la mano y lo acompañó a la puerta. Pero aún tenía otra pregunta que hacerle.

—¿Qué ocurrió con el caso Aprile? Han pasado meses y todavía no se ha hecho nada.

—Eso corresponde al Departamento de Policía de Nueva York, no es asunto nuestro —contestó Cilke—. Como es natural, le eché un vistazo. Hasta ahora no se ha descubierto el móvil. No hay ninguna clave. No creo que haya muchas posibilidades de resolverlo.

Aquella noche Cilke cenó con Bill Boxton.

—Buenas noticias —le dijo—. Los casos del tabaco y el envío ilegal de tecnología a China se han cerrado. El fiscal general pedirá sanciones económicas en lugar de condenas penales. Eso nos deja libre mucha mano de obra.

—¡No jodas! —exclamó Boxton—. Yo siempre creí que el director era un hombre serio y honrado. ¿Presentará la dimisión?

—Hay hombres honrados y hay hombres honrados con pequeñas desportilladuras en los bordes —dijo Cilke.

—¿Alguna otra cosa? —preguntó Boxton.

—Cuando consiga atrapar a Portella, me nombrarán subdirector. Garantizado. Pero para entonces yo ya me habré retirado.

—Ya —dijo Boxton—. Pues a ver si me recomiendas a mí para el puesto.

—No tienes ninguna posibilidad —dijo Cilke, echándose a reír—. El director sabe que sueltas muchos tacos.

—Mierda —dijo Boxton con fingida decepción—. ¿O será mejor que me cague en la leche?

A la noche siguiente, Cilke regresó andando a casa desde la estación. Su mujer se había ido con su hija a pasar una semana con los abuelos maternos, que vivían en Florida, y a él le fastidiaba tomar un taxi. Le sorprendió no oír ladrar a los perros cuando subió por el camino de la entrada. Los llamó pero no aparecieron. Estarían dando una vuelta por los alrededores o por el bosque. Echaba de menos a su familia, sobre todo a la hora de las comidas. Había comido solo o con otros agentes en demasiadas ciudades de Estados Unidos, siempre alerta a cualquier clase de peligro.

Se preparó una comida sencilla, tal como su mujer le había enseñado: un poco de verdura, una ensalada y un pequeño bistec. Nada de café sino una copita de brandy. Después subió a ducharse y a llamar a su mujer antes de acostarse y pasar un rato leyendo en la cama. Le encantaban los libros, y siempre le molestaba que muchas novelas de detectives presentaran a los agentes del FBI como auténticos malvados. ¿Qué sabrían ellos?

Cuando abrió la puerta del dormitorio, aspiró inmediatamente el olor de la sangre y todo su cerebro se convirtió en un caótico y turbulento revoltijo mientras se sentía súbitamente asaltado por todos los temores ocultos de su vida. Los dos pastores alemanes yacían sobre la cama de matrimonio. Su pelaje marrón y blanco estaba manchado de rojo, tenían las patas atadas y los hocicos envueltos en gasa. Les habían arrancado los corazones, que ahora descansaban sobre sus vientres.

Con un tremendo esfuerzo consiguió reordenar su mente. Telefoneó instintivamente a su mujer para cerciorarse de que estaba bien. No le dijo nada. Después llamó al oficial de guardia del FBI, solicitando un equipo forense especial y una brigada de limpieza. Tendrían que retirar toda la ropa de la cama, el colchón y la alfombra del suelo. No notificó lo ocurrido a las autoridades locales.

Cuando los equipos del FBI se retiraron, seis horas más tarde, escribió un informe para el director. Se llenó una buena copa de brandy y trató de analizar la situación.

Por un instante consideró la posibilidad de mentirle a su mujer y decirle que los perros se habían escapado. Pero no podría explicarle la desaparición de la ropa de la cama y la alfombra. Y además sería injusto con ella. Su mujer tenía que tomar una decisión. Pero, por encima de todo, ella jamás le perdonaría que le mintiera.

Tendría que decirle la verdad cuando regresara.

Al día siguiente del descubrimiento de los perros muertos, Cilke voló primero a Washington para hablar con el director y después bajó a Florida, donde su mujer y su hija se estaban tomando unos días de vacaciones con los abuelos.

Después del almuerzo, salió con Georgette a dar un largo paseo por la playa. Mientras contemplaban el tenue resplandor de las azules aguas, le reveló que alguien había matado a los perros y le explicó que era una antigua advertencia de la MAFIA siciliana que se utilizaba para intimidar.

—Según los periódicos —dijo Georgette en tono pensativo—, tú libraste a este país de la Mafia.

—Más o menos —dijo Cilke—. Quedan algunas organizaciones de narcotráfico y estoy casi seguro de quién ha sido.

—Pobres perros —dijo Georgette—. ¿Cómo puede haber personas tan crueles? ¿Has hablado con el director?

Cilke se sintió un poco molesto de que ella estuviera preocupada sobre todo por los perros.

—El director me ha dado a elegir entre tres alternativas —dijo—. Primera, que dimita del Bureau y me busque otra cosa. La he rechazado. Segunda, que traslade a mi familia a otro lugar bajo la protección del FBI hasta que termine la investigación del caso. Y tercera, que tú permanezcas en la casa como si nada hubiera ocurrido. Dispondríamos de un equipo de seguridad que nos protegería las veinticuatro horas del día. Una agente viviría en la casa contigo, y dos guardaespaldas te protegerían fueras donde fueras. Y lo mismo harían con nuestra hija. Se establecerían controles de seguridad alrededor de la casa, provistos de los más modernos y sofisticados dispositivos de alarma. ¿Qué te parece? Dentro de seis meses, todo eso habrá terminado.

—¿Crees que ha sido una bravata? —preguntó Georgette.

—Sí —contestó Kurt Cilke—. No se atreven a hacer daño a un agente federal ni a su familia. Sería un suicidio.

Georgette contempló las serenas y azules aguas de la bahía y entrelazó las manos con más fuerza.

—Me quedo —dijo—. Te echaría demasiado de menos y sé que tú no abandonarás este caso. ¿Cómo puedes estar tan seguro de que terminarás en seis meses?

—Estoy seguro —dijo Cilke.

Georgette sacudió la cabeza.

—No me gusta que estés tan seguro. Por favor, no hagas ninguna locura. Y quiero que me prometas una cosa, que cuando termine este caso te retirarás del Bureau. Monta un bufete de abogados o dedícate a la enseñanza. Yo no puedo vivir de esta manera el resto de mi vida.

Hablaba tremendamente en serio.

La frase que más indeleblemente se había grabado en la cabeza de Cilke era la de que ella le echaría demasiado de menos. Y una vez más volvió a preguntarse cómo era posible que una mujer como ella amara a un hombre como él. Pero ya sabía que algún día ella le haría aquella petición.

—Te lo prometo —dijo, lanzando un suspiro.

Siguieron paseando por la playa y después se sentaron en una pequeña zona verde que los protegía del sol. La fresca brisa de la bahía alborotó el cabello de su mujer, dándole un aire juvenil y despreocupado. Cilke sabía que no podría romper la promesa que le había hecho. Admiró su astucia al haber sabido arrancarle la promesa en el momento más propicio, cuando ella corría peligro permaneciendo a su lado. A fin de cuentas, ¿a quién le interesa ser amado por una mujer estúpida? Pero el agente Cilke sabía también que su mujer se horrorizaría y se sentiría humillada si supiera lo que él estaba pensando de ella. Lo más probable era que su astucia hubiera sido honesta. ¿Quién era él para juzgarla? Ella jamás lo había juzgado a él, nunca había sospechado de su astucia no tan honesta.

6

Franky y Stace Sturzo eran propietarios de un gran establecimiento de artículos deportivos en Los Ángeles y de una casa en Santa Mónica, a sólo cinco minutos de la playa de Malibú. Ambos habían estado casados una vez, pero la cosa no había dado resultado, por lo que ahora vivían juntos.

Jamás les habían dicho a sus amigos que eran gemelos, aunque los dos compartían una despreocupada confianza en sí mismos y una extraordinaria agilidad atlética. Franky era el más seductor y temperamental de los dos, y Stace el más imperturbable, pero ambos destacaban por su amabilidad.

Eran socios de uno de los más exclusivos gimnasios que tanto abundaban en Los Ángeles, lleno de aparatos digitales de *body building*, de grandes pantallas murales de televisión para que los socios se entretuvieran mientras hacían ejercicio. El gimnasio disponía de cancha de baloncesto, piscina e incluso cuadrilátero de boxeo. Sus monitores eran hombres apuestos de cuerpo esculpido y mujeres agraciadas de músculos tonificados. Los hermanos utilizaban el gimnasio para hacer ejercicio y también para trabar amistad con las mujeres que acudían a hacer ejercicio. Era un estupendo coto de caza para hombres como ellos. Rodeados por aspirantes a actrices que trataban de acrecentar la belleza de su cuerpo y por aburridas esposas de magnates de la industria cinematográfica que, olvidadas por sus poderosos consortes, tenían tiempo que perder y creían en el beneficio de la buena forma física.

Pero lo que más les gustaba a Franky y Stace era participar en improvisados encuentros de baloncesto. El gimnasio era frecuentado por excelentes jugadores... a veces incluso por algún miembro del segundo equipo de los Lakers. Stace y Franky jugaban contra él y conseguían estar a su altura. Todo ello les hacía evocar la época en que ambos pertenecían al equipo de estrellas de su instituto. Pero no se hacían ilusiones y sabían que en un partido de verdad no hubieran tenido tanta suerte. Ellos ponían toda la carne en el asador mientras que el tipo de los Lakers se limitaba a pasar un buen rato.

En el restaurante de comida sana del gimnasio trababan amistad con las monitoras, las aburridas amas de casa y a veces con algún personaje famoso. Siempre lo pasaban muy bien, pero eso era sólo una pequeña parte de su vida. Franky era entrenador del equipo de baloncesto de un instituto y se tomaba su trabajo muy en serio. Siempre esperaba descubrir alguna superestrella en ciernes e irradiaba una severa cordialidad que le granjeaba el afecto de los chicos. Tenía una táctica de entrenamiento especial.

—Supongamos —decía— que estáis veinte puntos por debajo y se juega el último cuarto del partido. Salís a la cancha y os apuntáis los primeros diez tantos. Ahora ya tenéis a los contrincantes donde vosotros queréis, y estáis en condiciones de ganar. Es simplemente una cuestión de nervios y de confianza. Siempre se puede ganar. Estáis diez puntos por debajo, después cinco, y finalmente alcanzáis el empate. ¡Ya los tenéis!

Pero, como es natural, la receta jamás daba resultado. Los chicos aún no habían desarrollado la suficiente fuerza física ni alcanzado la dureza mental necesaria. Eran todavía muy niños. Pero Franky sabía que los más capacitados jamás olvidarían la lección y que ésta les sería útil más adelante. Stace era el más sensato de los dos, puede que incluso se pasara un poco. Se concentraba en dirigir la supertienda de artículos deportivos con la que ambos se ganaban la vida y era el que decidía en último extremo qué encargos les convenía aceptar. Tenían que ser de mínimo riesgo y máxima remuneración. Stace creía firmemente en los porcentajes y tenía un temperamento menos alegre. Raramente estaban en desacuerdo. Tenían los mismos gustos y unas aptitudes físicas prácticamente idénticas. A veces se entrenaban mutuamente en el cuadrilátero de boxeo o jugaban el uno contra el otro en la cancha de baloncesto. Aunque Franky era más rápido, Stace le superaba en estrategia. Todo ello había consolidado su relación. Confiaban plenamente el uno en el otro, lo cual les proporcionaba una despreocupada seguridad contra el resto del mundo.

Tenían cuarenta años y se encontraban a gusto tal como estaban, aunque a veces hablaban de la posibilidad de casarse y fundar una familia. Stace tenía una amante en San Francisco y Franky una novia en Las Vegas que trabajaba en el mundo del espectáculo. Ambas mujeres parecían poco inclinadas al matrimonio y los hermanos pensaban que estaban a la espera de que aparecieran otros pretendientes más de su agrado.

Gracias a su simpatía y cordialidad se ganaban fácilmente la amistad de la gente y llevaban una activa vida social. Pese a ello, tras el asesinato del Don, habían vivido un año con cierta inquietud. A un hombre como el Don no se le podía asesinar sin correr cierto peligro.

Poco antes de que finalizara aquel año, Stace consideró necesario llamar a Heskow para cobrar el restante medio millón de la cantidad pactada. La llamada telefónica fue muy breve y en apariencia ambigua.

—Hola —dijo Stace—. Iremos dentro de un mes aproximadamente. ¿Todo bien?

Heskow pareció alegrarse de oírle.

—Sí, todo perfecto —contestó—. Todo está preparado. ¿No podrías concretar un poco más la fecha? No quiero que vengáis cuando yo no esté en la ciudad.

Stace se echó a reír.

—Ya te localizaremos —le dijo en tono despreocupado—. ¿De acuerdo? Calcula un mes.

Y colgó.

Stace y Franky habían estudiado el cobro de la segunda entrega. En un trato como aquél, siempre entrañaba cierto riesgo. A veces a la gente le molestaba pagar por algo que ya estaba hecho. Ocurría en todos los negocios. Y en ocasiones la gente tenía delirios de grandeza. Algunos hombres se creían tan buenos como los profesionales. Con Heskow el peligro era mínimo, pues siempre había sido un intermediario de fiar. Pero el caso del Don era especial, lo mismo que el dinero. Por eso no querían que Heskow tuviera un conocimiento exacto de sus planes.

Los hermanos habían empezado a jugar al tenis el año anterior, pero era el único deporte que se les resistía. Sus aptitudes deportivas eran tan extraordinarias que no podían aceptar aquella derrota, pese a que alguien les había explicado que el tenis era un deporte en el que los golpes se tenían que aprender a muy temprana edad y por medio de lecciones. De ahí que hubieran organizado una estancia de varias semanas en un rancho de tenis de Scottsdale, Arizona, para seguir un curso preparatorio. Desde allí pensaban trasladarse a Nueva York para su reunión con Heskow. Como es natural, durante esas semanas de estancia en el rancho de tenis podrían pasar algunas veladas en Las Vegas, a menos de una hora de avión desde Scottsdale.

El rancho de tenis era de superlujo. Franky y Stace se instalaron en un bungaló de adobe de dos dormitorios con aire acondicionado, un comedor decorado con motivos indios, un salón con terraza y una cocina americana. Desde allí se podía contemplar un soberbio panorama de las montañas. El bungaló disponía de mueble bar y de un enorme frigorífico. En una esquina del salón había un gran televisor.

Pero las dos semanas empezaron con mal pie. Uno de los instructores le hizo la vida imposible a Franky, el cual había conseguido ser el mejor de su grupo de alumnos sin el menor esfuerzo y estaba especialmente orgulloso de su servicio, totalmente salvaje y heterodoxo. Pero el instructor, un tal Leslie, se mostraba muy poco satisfecho del servicio de Franky.

Tras lanzar la pelota a su adversario sin que éste pudiera alcanzarla, Franky le dijo orgullosamente a Leslie:

—Lo he hecho de maravilla, ¿verdad?

—No —contestó fríamente Leslie—. Eso es una falta de pie. El dedo gordo se te ha ido más allá de la línea de servicio. Vuelve a intentarlo con un saque como Dios manda. El que tienes será casi siempre falta.

Franky hizo otro saque más rápido y preciso.

—Ahora sí, ¿verdad?

—Eso también ha sido una falta de pie —dijo Leslie muy despacio—. Y este saque es una estupidez. Limítate a golpear la pelota. Eres bastante bueno para ser un principiante. Juega el punto.

Franky disimuló su enfado.

—Enfréntame con alguien que no sea un principiante —dijo—. A ver cómo lo hago. —Y tras una pausa, añadió—: ¿Qué tal si fueras tú?

Leslie le miró con desprecio.

—Yo no juego con principiantes —contestó, haciéndole señas a una chica de unos veintitantos años—. Rosie —le dijo a ésta—, juega un partido de un set con el señor Sturzo.

La chica acababa de llegar a la cancha. Sus preciosas y bronceadas piernas asomaban por debajo de unos blancos pantalones cortos, complementados con una camiseta de color de rosa en la que campeaba el logotipo del rancho de tenis. Tenía un rostro pícaro y agraciado y llevaba el cabello recogido en una cola de caballo.

—Tienes que concederme ventaja —le dijo cautivadoramente Franky—. Me da la impresión de que juegas demasiado bien. ¿Eres instructora?

—No —le contestó Rosie—. Estoy aquí para que me den unas cuantas lecciones de saque. Leslie entrena a muchos campeones sólo en eso.

—Dale ventaja —le dijo Leslie—. Su nivel es muy inferior al tuyo.

—¿Qué tal si hacemos dos juegos en lugar de cuatro? —se apresuró a decir Franky.

Estaba dispuesto a conformarse con menos.

Rosie lo miró con una contagiosa sonrisa en los labios.

—No —dijo—, eso no te servirá de nada. Lo que tienes que pedir son dos puntos por cada juego. Entonces tendrás una posibilidad. Y, si llegamos a un empate, yo tendré que ganar por cuatro en lugar de por dos.

Franky le estrechó la mano.

—Vamos allá —dijo. La chica estaba muy cerca y él podía aspirar la dulzura de su cuerpo.

—¿Quieres que yo inicie el partido? —le preguntó Rosie en voz baja.

Franky estaba emocionado.

—No —contestó—. Con esta ventaja no me podrás derrotar.

Jugaron bajo la mirada de Leslie, el cual no señaló las faltas de pie. Franky ganó los dos primeros juegos, pero después Rosie se impuso.

Sus voleas fueron perfectas y no tuvo la menor dificultad con el servicio de Franky. Siempre se encontraba en el lugar hacia donde Franky lanzaba la pelota y, aunque él empató varias veces, al final Rosie se impuso por 6-2.

—Oye, eres muy bueno para ser un principiante —le dijo Rosie—. Pero seguro que no empezaste a jugar hasta pasados los veinte años, ¿verdad?

—Sí —contestó Franky.

Estaba empezando a odiar la palabra «principiante».

—Los golpes y el saque se tienen que aprender cuando eres pequeño —dijo Rosie.

—Bueno —dijo Franky—, pero yo te derrotaré antes de que nos vayamos de aquí.

Rosie lo miró sonriendo. Para un rostro tan pequeño, tenía una boca ancha y generosa.

—Es posible —dijo—, en el caso de que tú tengas el mejor día de tu vida y yo el peor.

Franky se echó a reír.

Stace se acercó a ellos y se presentó.

—¿Por qué no cenas con nosotros esta noche? —le preguntó a la chica—. Franky no te invitará porque lo has derrotado, pero vendrá.

—Eso no es cierto —dijo Rosie—. Estaba a punto de invitarme. ¿Os parece bien a las ocho?

—Estupendo —contestó Stace, dándole a Franky un cariñoso golpecito con su raqueta.

—Allí estaré —dijo Franky.

Cenaron en el restaurante del rancho de tenis, una espaciosa sala abovedada con paredes de cristal que permitían contemplar el desierto y las montañas. Rosie resultó ser todo un descubrimiento, tal como más tarde le dijo Franky a Stace. Coqueteó con los dos y habló de todo tipo de deportes. Sabía un montón de cosas, los grandes campeonatos del pasado y del presente, los grandes jugadores, los grandes momentos individuales. Y sabía escuchar y tirarles de la lengua. Franky le habló incluso de su tarea como entrenador y le explicó que su tienda proporcionaba a los chicos el mejor material. Rosie exclamó con entusiasmo:

—Me parece fabuloso, auténticamente fabuloso.

Después ambos hermanos le contaron que, en su adolescencia, habían sido jugadores de baloncesto del equipo de campeones de su instituto.

Por si fuera poco, Rosie comía con buen apetito, cosa que ambos apreciaban mucho en una mujer. Lo hacía despacio y con mucha delicadeza, e inclinaba la cabeza a un lado casi en gesto de fingida timidez cuando hablaba de sí misma. Al parecer estaba haciendo un doctorado en psicología en la Universidad de Nueva York. Pertenecía a una familia moderadamente acomodada y ya había viajado por Europa. Lo dijo en un tono como de disculpa que a ellos les encantó, y no paraba de tocarles las manos como si le gustara mantener un contacto físico con ellos mientras hablaba.

—Todavía no sé lo que haré cuando termine —dijo—. A pesar de los conocimientos teóricos que tengo, no logro entender a la gente en la vida real. Vosotros me contáis vuestra historia, sois dos bribones encantadores, pero no tengo ni idea de quiénes sois.

—No te preocupes por eso —dijo Stace—. Lo que ves es lo que hay.

—A mí no me preguntes —dijo Franky—. En estos momentos toda mi vida está centrada en la manera en que podré derrotarte en un partido de tenis.

Después de la larga cena, los dos hermanos acompañaron a Rosie a su bungaló, bajando por el sendero de arcilla roja. Rosie les dio un beso a cada uno en la mejilla y ambos se quedaron solos, en medio del aire del desierto. La última imagen que les quedó fue la del suave resplandor del alegre rostro de Rosie bajo la luz de la luna.

—Creo que es extraordinaria —dijo Stace.

—Algo más que eso —dijo Franky.

En el transcurso de las dos semanas siguientes, Rosie se convirtió en su compañera. A última hora de la tarde, después de las clases de tenis, los tres se iban juntos a jugar al golf. En ese deporte Rosie era buena, pero no tanto como los hermanos, que sabían lanzar la pelota más lejos y tenían nervios de acero en el green. Un día los acompañó un tipo de mediana edad del rancho de tenis para poder jugar un doble e insistió en formar pareja con Rosie y en jugar diez dólares por hoyo, pero a pesar de ser un buen jugador perdió. Después intentó unirse a ellos en la cena de aquella noche en el restaurante del rancho pero Rosie lo rechazó, para gran regocijo de los gemelos.

—Estoy intentando que uno de estos dos me haga una declaración —le dijo.

Fue Stace el que se llevó a Rosie a la cama hacia el final de la primera semana. Franky se había ido a Las Vegas para pasar la noche jugando y facilitarle la tarea a su hermano. Cuando Franky regresó a medianoche de Las Vegas, Stace no estaba en el dormitorio.

—¿Qué tal ha sido? —le preguntó Franky a la mañana siguiente.

—Excepcional.

—¿Te importa que yo también lo intente? —preguntó Franky.

Era una pregunta insólita. Jamás habían compartido una mujer; en eso los gustos de ambos diferían. Stace lo pensó. Rosie encajaba a la perfección con los dos. Pero los tres no podrían seguir juntos en caso de que él se acostara con Rosie y Franky no. A no ser que Franky aportara otra chica al conjunto, lo cual lo estropearía todo.

—Por mí, no hay problema —contestó Stace.

Así pues, a la noche siguiente Stace se fue a Las Vegas y Franky probó suerte con Rosie. Rosie no opuso la menor resistencia y fue estupenda en la cama, aunque sin ningún tipo de fantasía. Ambos retozaron y lo pasaron bien sin más. Y Rosie no pareció sentirse incómoda en ningún momento.

Pero al día siguiente, cuando los tres se reunieron a la hora de almorzar, Franky y Stace no supieron muy bien cómo comportarse. Se mostraron un tanto comedidos y ceremoniosos. Casi respetuosos. La perfecta armonía había desaparecido. Rosie se comió en un santiamén los huevos con jamón y la tostada y después se reclinó en su asiento y preguntó en tono burlón:

—¿Ahora voy a tener problemas con vosotros dos? Yo creía que éramos amigos.

—Lo que ocurre es que ambos estamos locos por ti —dijo Stace con toda sinceridad—, pero no sabemos exactamente cómo manejar la situación.

—Yo la manejaré —dijo Rosie, riéndose—. Los dos me encantáis. Nos lo estamos pasando muy bien. No vamos a casarnos, y lo más seguro es que cuando nos vayamos de aquí no volvamos a vernos nunca más. Yo regresaré a Nueva York y vosotros a Los Ángeles. Así que no lo estropeemos ahora, a no ser que uno de vosotros sea celoso. En tal caso, eliminaremos la faceta sexual.

De repente los gemelos se sintieron completamente a gusto con ella.

—No hay peligro —dijo Stace.

—No somos celosos —dijo Franky—, y además yo te voy a derrotar en un partido de tenis antes de que nos vayamos de aquí.

—Te fallan los golpes —dijo Rosie con firmeza, pero se inclinó hacia delante y les tomó la mano a los dos.

—Hoy mismo lo vamos a resolver —dijo Franky.

Rosie ladeó tímidamente la cabeza.

—Te daré tres puntos por juego —dijo—. Y

si pierdes, no me seguirás dando más la lata con tus bobadas machistas.

—Apuesto cien dólares por Rosie —dijo Stace.

Franky les dirigió una feroz sonrisa. No era posible que perdiera ante Rosie con una ventaja de tres puntos.

—Quintuplica la apuesta —le dijo a Stace.

Rosie esbozó una pícara sonrisa.

—Y si gano, esta noche me voy con Stace.

Ambos hermanos soltaron una sonora carcajada. Les encantaba que Rosie no fuera enteramente perfecta y tuviera un toque de malicia.

En la cancha de tenis no hubo nada capaz de salvar a Franky; ni su turbulento servicio, ni sus acrobáticas carreras. Rosie sabía dar a la pelota un efecto que Franky jamás había visto y que lo dejó totalmente desconcertado. Ganó por 6-0. Cuando terminó el set, Rosie le dio a Franky un beso en la mejilla y le dijo en un susurro:

—Te lo compensaré mañana por la noche.

Cumpliendo su promesa, se acostó con Stace al finalizar la cena con los dos hermanos. Durante el resto de la semana, ambos se turnaron en su cama.

El día de su partida, los gemelos acompañaron a Rosie al aeropuerto.

—No lo olvidéis, si alguna vez vais a Nueva York, llamadme —les dijo Rosie. Ellos ya la habían invitado a alojarse en su casa siempre que viajara a Los Ángeles. Después les dio una sorpresa. Les entregó dos cajitas envueltas con papel de regalo.

—Unos regalitos —dijo, sonriendo alegremente.

Los gemelos las abrieron y encontraron sendos anillos navajos con una piedra azul.

—Para que os acordéis de mí —les dijo ella.

Más tarde, cuando fueron de compras a la ciudad, los hermanos vieron que los anillos costaban trescientos dólares.

—Nos hubiera podido regalar una corbata a cada uno, o uno de esos graciosos cinturones de vaquero por cincuenta dólares —dijo Franky.

Ambos se mostraron gratamente sorprendidos.

Aún les quedaba una semana de estancia en el rancho, pero apenas la dedicaron al tenis. Prefirieron jugar al golf e irse a Las Vegas por la noche, pero se impusieron la norma de no quedarse a pasar ninguna noche allí. Era la mejor manera de arruinarse... como sufrieras un revés en las primeras horas de la madrugada cuando ya te empezaban a fallar las fuerzas, podías perder la cabeza.

Aquella noche, a la hora de cenar, hablaron de Rosie. Ninguno de los dos quiso criticarla, aunque en su fuero interno la despreciaran por haberse acostado con los dos.

—Se lo pasaba muy bien —dijo Franky—. Nunca se ponía pesada ni melancólica después.

—Sí —dijo Stace—. Ha sido extraordinaria. Creo que hemos encontrado a la tía ideal.

—Lo malo es que siempre cambian —dijo Franky.

—¿La llamamos cuando estemos en Nueva York? —preguntó Stace.

—Yo pienso hacerlo —contestó Franky.

Una semana después se registraron en el Sherry de Nueva York. A la mañana siguiente alquilaron un automóvil y se dirigieron a casa de John Heskow, en Long Island. Cuando enfilaron el camino de la entrada, vieron a Heskow quitando una fina capa de nieve de la cancha de baloncesto. Heskow los saludó con la mano. Después les hizo señas de que entraran en el garaje de la casa. Su automóvil estaba aparcado fuera. Antes de que Stace se metiera en el garaje, Franky saltó del coche. Aparentemente lo hizo para estrechar la mano de Heskow, pero lo que en realidad pretendía era tenerlo a corto alcance en caso de que ocurriera algo.

Heskow abrió la puerta de la casa y los invitó a entrar.

—Está todo preparado —les dijo.

Los acompañó al enorme baúl del dormitorio del piso de arriba y lo abrió. Dentro había montones de dinero en fajos de quince centímetros de grosor, sujetos con gomas, junto con una bolsa de cuero doblada casi tan grande como una maleta. Stace arrojó los fajos de billetes a la cama. A continuación los dos hermanos repasaron los billetes de cada uno de los fajos para asegurarse de que todos eran de cien dólares y no había ninguno falso. Sólo contaron los billetes de un fajo y los multiplicaron por cien. Después, introdujeron el dinero en la bolsa de cuero. Al terminar, miraron a Heskow. Éste les dirigió una sonrisa.

—Tomad un café antes de iros —les dijo—. Id al lavabo o lo que queráis.

—Gracias —dijo Stace—. ¿Hay algo que tengamos que saber? ¿Ha habido algún jaleo?

—Ninguno en absoluto —contestó Heskow—. Todo ha ido de maravilla. Pero no exhibáis demasiado la pasta.

—Es para la vejez —dijo Franky.

Los dos hermanos se echaron a reír.

—¿Y los hijos? —preguntó Franky—. ¿No hicieron ruido?

—Los educaron en la honradez —contestó Heskow—. No son sicilianos. Son unos prósperos profesionales. Creen en la ley. Y tienen suerte de no ser sospechosos.

Los gemelos se echaron a reír, y Heskow sonrió. Era un buen chiste.

—Pues me quedo de piedra —dijo Stace—. Un hombre tan importante y que no se haya producido revuelo.

—Ha transcurrido casi un año y nadie ha dicho ni pío —dijo Heskow.

Los hermanos se terminaron el café y le estrecharon la mano.

225

—Que sigáis bien —dijo Heskow—. A lo mejor os vuelvo a llamar.

—No te prives —dijo Franky.

Una vez de vuelta en la ciudad, los hermanos ingresaron el dinero en una caja de seguridad conjunta. En realidad, en dos. Ni siquiera tomaron una pequeña cantidad para gastos. Después regresaron al hotel y llamaron a Rosie.

Ella se alegró de tener noticias suyas tan pronto y los invitó a acudir de inmediato a su apartamento. Quería acompañarlos en un recorrido por Nueva York, convidaba ella. Así pues, aquella noche los dos hermanos se presentaron en su apartamento y ella les ofreció unas copas antes de salir a cenar y al teatro.

Rosie los llevó a Le Cirque, el mejor restaurante de Nueva York, según dijo. La comida fue estupenda; a pesar de no figurar en el menú, Franky pidió unos espaguetis que le parecieron los mejores que había saboreado en su vida. Los gemelos no acertaban a comprender que un restaurante de lujo como aquél pudiera servir el tipo de comida que a ellos tanto les gustaba. Observaron también que el *maître* dispensaba a Rosie un trato especial y les pareció un poco extraño. Se lo pasaron tan bien como de costumbre, y Rosie los animó a que le siguieran contando su historia. Estaba más guapa que nunca. Era la primera vez que la veían con ropa de vestir.

Mientras se tomaban el café, los hermanos le ofrecieron su regalo. Lo habían comprado en Tiffany's aquella tarde y se lo habían colocado en un estuche de terciopelo rojo oscuro. Les había costado cinco billetes de mil dólares y era una sencilla cadena de oro con un medallón de platino incrustado de brillantes.

—De parte de Stace y mía —dijo Franky—. Lo hemos comprado entre los dos.

Rosie se quedó boquiabierta. Casi se le empañaron los ojos. Se pasó la cadena por la cabeza para que el medallón descansara entre sus pechos. Después se inclinó hacia delante y los besó a los dos. Fue un dulce y simple beso en los labios con sabor a miel.

Ellos le habían dicho una vez que jamás habían visto un musical de Broadway, así que aquella noche ella los llevó a ver *Les Misérables*. Les aseguró que les encantaría. Y así fue, aunque con ciertas reservas.

—No puedo creer que el protagonista no matara al policía Javert pudiendo hacerlo —dijo más tarde Franky en el apartamento de Rosie.

—Con eso se quiere demostrar que Jean Valjean se había vuelto realmente bueno —dijo Rosie—. La obra trata de la redención. Un hombre que peca y roba, pero que después se reconcilia con la sociedad.

—No tiene ningún sentido —dijo Franky.

—Es un musical —dijo Stace—. Los musicales no tienen sentido, ni siquiera en las películas. No es su obligación.

Rosie no estaba de acuerdo.

—No, es fiel a una gran novela de Victor Hugo. Trata de la redención de una persona.

Su explicación irritó más si cabe a Stace.

—Espera un momento —dijo éste—. El tipo empezó como ladrón. El que ha robado una vez, roba siempre. ¿Verdad, Franky?

Rosie se enfureció.

—¿Y qué sabéis vosotros de un hombre como Valjean? —Sus palabras bastaron para acabar con la discusión. Rosie esbozó su jovial sonrisa de siempre—. ¿Quién de los dos se queda esta noche? —preguntó. Esperó un poco, antes de añadir—: Ya sabéis que no me gustan los tercetos. Tenéis que turnaros.

—¿Quién quieres tú que se quede? —preguntó Franky.

—No empieces con eso —le advirtió Rosie—. De lo contrario, mantendremos una preciosa relación como en las películas. Nada de follar. Y eso me fastidiaría mucho —dijo, sonriendo para quitar hierro a su advertencia—. Os quiero a los dos.

—Yo me voy a casa esta noche —dijo Franky. Quería hacerle comprender que no ejercía poder sobre él.

Rosie le dio un beso de buenas noches y lo acompañó a la puerta.

—Mañana por la noche seré extraordinaria —le dijo en voz baja.

Disponían de seis días para estar juntos. Rosie tenía que ir a clase durante el día, pero estaba disponible por las noches.

Una noche los gemelos la llevaron a ver un partido de baloncesto en el Garden, aprovechando que los Lakers de Los Ángeles se encontraban en la ciudad, y se alegraron de que ella supiera apreciar las bellezas del juego. Después se dirigieron a un elegante establecimiento de comida preparada y Rosie les dijo que al día siguiente, víspera de Navidad, tendría que ausentarse una semana de la ciudad. Los hermanos pensaron que iba a pasar las Navidades con su familia. Pero entonces observaron que Rosie, por primera vez desde que ellos la conocían, parecía un poco deprimida.

—No, voy a pasar las Navidades sola en una casa que tiene mi familia en el norte del estado. Quiero apartarme de todas estas bobadas navideñas para estudiar y ordenar un poco mi vida.

—Pues anúlalo todo y pasa las Navidades con nosotros —dijo Franky—. Cambiaremos nuestro vuelo de regreso a Los Ángeles.

—No puedo —dijo Rosie—. Tengo que preparar los exámenes, y aquél es el mejor sitio para estudiar.

—¿Completamente sola? —preguntó Stace. Rosie inclinó la cabeza.

—Soy una tonta —dijo.

—¿Y por qué no subimos nosotros a pasar unos días contigo? —preguntó Frankie—. Nos iríamos al día siguiente de Navidad.

—Sí —dijo Stace—. No nos vendría mal un poco de paz y tranquilidad.

El rostro de Rosie se iluminó de alegría.

—¿De verdad lo haríais? —preguntó, rebosante de júbilo—. Qué bien. Podríamos ir a esquiar el día de Navidad. Hay una estación a sólo treinta minutos de la casa. Y yo prepararía la comida de Navidad. —Hizo una pausa y después añadió sin demasiado convencimiento—: Pero prometedme que os iréis al día siguiente de Navidad, tengo que estudiar en serio.

—Tenemos que regresar a Los Ángeles para cuidar de nuestro negocio.

—No sabéis lo que os quiero —dijo Rosie.

—Franky y yo hemos estado hablando —dijo Stace aprovechando la ocasión—. Ya sabes que nosotros nunca hemos estado en Europa, así que hemos pensado que cuando tú termines las clases este verano, podríamos irnos los tres juntos para allá. Por todo lo alto. Sólo un par de semanas. Nos lo pasaríamos estupendamente bien si tú nos acompañaras.

—Sí —dijo Franky—, no podemos ir solos.

Los tres se echaron a reír.

—Me parece una idea espléndida —dijo

Rosie—. Yo os enseñaré Londres, París y Roma. Y Venecia os encantará. A lo mejor os quedáis allí para siempre. Pero falta mucho para el verano y yo os conozco, chicos, para entonces ya estaréis persiguiendo a otras mujeres.

—Te queremos a ti —dijo Franky, casi enojado.

—Estaré preparada cuando reciba la llamada —dijo Rosie.

La mañana de la antevíspera de Navidad, Rosie acudió a recogerlos al hotel en un enorme Cadillac. En el maletero del vehículo guardaba sus grandes maletas, pero aún quedaba espacio para las más modestas de los gemelos.

Stace se acomodó en el asiento de atrás y dejó que Frankie se sentara delante, en el del copiloto.

La radio estaba encendida y los tres se pasaron una hora sin decir nada. Eso era lo que tenía de bueno Rosie.

Los hermanos habían mantenido una conversación durante el desayuno mientras aguardaban a que Rosie acudiera a recogerlos. Stace observó que Franky estaba un poco nervioso, lo cual era algo muy insólito en ellos.

—Escúpelo —le dijo.

—No me interpretes mal —dijo Franky—. No estoy celoso ni nada de todo eso. Pero ¿podrías dejar de acostarte con Rosie mientras estemos allá arriba?

—Pues claro —contestó Stace—. Le podría decir que me han contagiado la gonorrea en Las Vegas.

—No hace falta que llegues tan lejos —dijo Franky sonriendo—. Me gustaría tenerla para mí solo. De lo contrario, yo no me acuesto con ella y te la dejo para ti.

—Estás chalado —dijo Stace—. Lo vas a estropear todo. Mira, lo que ella quiere es que no la obliguemos ni coaccionemos. Y creo que es lo que más nos conviene.

—Me gustaría tenerla para mí solo —repitió Franky—. Sólo durante unos días.

—Me parece bien —dijo Stace—. Yo soy el hermano mayor y tengo que cuidarte.

Era su broma preferida, y efectivamente Stace daba la impresión de llevarle a Franky unos cuantos años en lugar de sólo diez minutos.

—Pero tú sabes que ella tardará segundos en darse cuenta de lo que ocurre —dijo Stace—. Rosie es muy lista. Comprenderá que estás enamorado de ella.

Franky miró a su hermano con asombro.

—¿Que yo estoy enamorado de Rosie? ¿Tú crees? —dijo—. ¡Qué barbaridad!

Y ambos se echaron a reír.

Pero ahora el vehículo ya había dejado atrás la ciudad y estaba atravesando la campiña del condado de Westchester.

—He visto muy poca nieve en mi vida —dijo por fin Franky, rompiendo el silencio—. ¿Cómo puede vivir la gente en un lugar así?

—Porque es barato —contestó Rosie.

—¿Cuánto falta todavía? —preguntó Stace.

—Cosa de hora y media —contestó Rosie—. ¿Queréis que paremos un poco?

—No —contestó Franky—. Sigamos.

—A no ser que tú quieras parar —le dijo Stace a Rosie.

Rosie sacudió la cabeza. Parecía muy decidida y agarraba el volante con gran determinación mientras contemplaba fijamente la lenta caída de los copos de nieve.

—Sólo faltan quince minutos —dijo Rosie cuando atravesaron una pequeña localidad.

El vehículo subió por una empinada cuesta, y en lo alto de una pequeña loma apareció una casa de color gris como un elefante, rodeada por unos campos cubiertos de nieve, una nieve absolutamente blanca, pura, sin huellas de pisadas ni rodadas de automóviles.

Rosie se detuvo delante de la entrada y cargó a los hermanos con las maletas y varias cajas envueltas en papel de regalo con alegres motivos navideños.

—Entrad —les dijo—. La puerta está abierta. Aquí nunca cerramos con llave.

Franky y Stace subieron los peldaños de la entrada, pisando la crujiente nieve que los cubría, abrieron la puerta y se encontraron con un

233

enorme salón con cabezas de animales en las paredes y una chimenea encendida, tan grande como una cueva.

Desde fuera les llegó de repente el rugido del motor del Cadillac y, justo en aquel momento, seis hombres que habían permanecido ocultos irrumpieron en la estancia a través de los dos accesos de la casa. Iban armados y el que los mandaba, un tipo corpulento con un enorme bigote, les dijo con un ligero acento extranjero:

—No se muevan y no suelten los paquetes.

Después les pegaron las armas al cuerpo.

Stace lo comprendió de inmediato, pero Frankie se preocupó por Rosie. Tardó aproximadamente treinta segundos en atar cabos entre el rugido del motor y la ausencia de Rosie. Entonces, con el más amargo sentimiento que jamás hubiera experimentado en su vida, Franky comprendió la verdad. Rosie era un anzuelo.

7

Aquella Nochebuena, Astorre asistió a una fiesta ofrecida por Nicole en su apartamento. Su prima había invitado a todos sus colegas y a todos los miembros de los grupos a los que prestaba sus servicios gratuitamente, y especialmente a los de su preferido, la Campaña Contra la Pena de Muerte.

A Astorre le gustaban las fiestas. Le encantaba hablar con personas a las que jamás volvería a ver y que tan distintas eran de él. A veces conocía a mujeres interesantes, con quienes mantenía fugaces relaciones. Siempre abrigaba la esperanza de enamorarse, pero no lo conseguía. Aquella noche Nicole le había recordado su idilio adolescente, no por medio de coqueteos o evasivas sino con buen humor.

—Me partiste el corazón cuando obedeciste a mi padre y te fuiste a Europa —le dijo.

—Ya lo sé —repuso Astorre—. Pero eso no te impidió salir con otros chicos e incluso casarte con uno de ellos.

Por una extraña razón, aquella noche Nicole estaba muy cariñosa con él. Tomó su mano con furtivo gesto de colegiala, lo besó en los labios y lo abrazó como si intuyera que estaba a punto de escapársele una vez más.

Astorre sintió que se despertaba su antigua ternura, aunque sabía que ceder a sus sentimientos en las presentes circunstancias de su vida, con las decisiones que tendría que tomar, sería una terrible equivocación. Al final, ella lo acompañó a un grupo y lo presentó.

Aquella noche había música en directo y Nicole le pidió a su primo que cantara con su ahora áspera pero cálida y melodiosa voz, cosa que a él siempre le encantaba hacer. Ambos cantaron a dúo una antigua canción de amor italiana.

Cuando Astorre cantó para Nicole, ella se aferró a él y lo miró a los ojos como si buscara algo en su alma. Después, con un último y triste beso, lo soltó.

Más tarde, Nicole le tenía reservada una sorpresa. Lo acompañó al lugar donde se encontraba una invitada, una hermosa mujer de grandes e inteligentes ojos grises.

—Astorre —le dijo—, te presento a Georgette Cilke, que preside la Campaña Contra la Pena de Muerte. Muy a menudo trabajamos juntas.

Georgette le estrechó la mano y le felicitó por su canción.

—Cantas como Dean Martin de joven.

Astorre se sintió muy halagado.

—Muchas gracias —contestó—. Es mi artista favorito. Me sé todo su repertorio de memoria.

—A mi marido también le encanta —comentó Georgette—. A mí me gusta su música, pero me desagrada profundamente su manera de tratar a las mujeres.

Astorre suspiró al darse cuenta de que la conversación había ido a parar a un callejón sin salida.

—Sin duda, pero hay que saber distinguir al hombre del artista. —A Georgette le divirtió la galantería que mostraba Astorre en su defensa.

—¿De verdad hay que hacerlo? —dijo con una sonrisa irónica—. En mi opinión, este tipo de conducta es inexcusable.

Astorre comprendió que Georgette no daría su brazo a torcer en este punto, de manera que se limitó a cantar unos pocos versos de una de las baladas italianas más populares de Dino. La miró profundamente a los ojos, meciéndose al ritmo de la música, y distinguió el nacimiento de una sonrisa.

—De acuerdo, me rindo —dijo ella—. Admito que las canciones son buenas. Sin embargo, no pienso darle mi beneplácito tan fácilmente.

Georgette le tocó levemente el hombro antes de alejarse de él. Astorre se pasó el resto de la velada observándola. Era una mujer que no trataba de realzar su belleza, pero los movimientos de su cuerpo poseían una gracia natural, una especie de dulzura que anulaba la sensación de amenaza que suele llevar aparejada la belleza. Irradiaba serenidad. Y Astorre, como todos los presentes en la estancia, se enamoró de ella. Pero ella parecía sinceramente ajena a la situación y no coqueteaba lo más mínimo. No era consciente de sus propios encantos.

Para entonces, Astorre ya había leído las notas que Marcantonio le había pasado sobre Cilke, un porfiado hurón que seguía implacablemente el rastro de los defectos humanos con fría eficacia. Y también había leído que su mujer lo amaba profundamente. Le parecía un misterio.

Hacia la mitad de la fiesta, Nicole se le acercó y le susurró al oído que Aldo Monza le esperaba en recepción.

—Perdona, Nicole —dijo Astorre—. Tengo que irme.

—No te preocupes —dijo Nicole—. Me hubiera gustado que conocieras un poco mejor a Georgette. Es la mujer más inteligente y extraordinaria que he conocido en mi vida.

—Bueno, por lo menos guapa sí es —dijo Astorre, pensando para sus adentros en lo necio que seguía siendo con las mujeres, pues de otro modo no se le hubiera ocurrido fantasear sobre ella tras haberla visto en una fiesta.

Al entrar en recepción, Astorre encontró a Aldo Monza sentado incómodamente en una de las frágiles pero preciosas sillas antiguas de Nicole. Aldo se levantó y le dijo en voz baja:

—Tenemos a los gemelos. Te esperan para lo que gustes mandar.

Astorre se descorazonó. Ahora empezaría todo. Ahora tendría que someterse nuevamente a prueba.

—¿Cuánto se tarda en subir allí? —le preguntó a Aldo.

—Por lo menos tres horas —contestó Aldo—. Tenemos tempestad de nieve.

Astorre consultó su reloj. Eran las 10.30 de la noche.

—Vamos allá —le dijo a Aldo.

Cuando abandonaron el edificio, los copos de nieve flotaban en el aire y los automóviles aparcados estaban medio sepultados por los ventisqueros. Aldo tenía un enorme Buick oscuro esperando. Aldo iba al volante y Astorre ocupaba el asiento del copiloto. Hacía mucho frío y Aldo encendió la calefacción. Poco a poco, el vehículo se fue convirtiendo en una estufa que olía a tabaco y a vino.

—Duerme un poco —le dijo Aldo a Astorre—. Tenemos un largo camino por delante y una noche movida.

Astorre dejó que su cuerpo se relajara y que su mente se dejara arrastrar por los sueños. Recordó el ardiente calor de Sicilia y los diez años que el Don había dedicado a prepararlo para aquel último deber. Sabía que su destino era inevitable.

Astorre Viola tenía dieciséis años cuando Don Aprile lo envió a estudiar a Londres. El muchacho no se sorprendió. El Don había enviado a todos sus hijos a escuelas privadas desde muy pequeños y había querido que cursaran estudios universitarios, no sólo porque creía en las bondades de una educación superior sino también para mantenerlos apartados de sus asuntos y de su manera de vivir. En Londres, Astorre se alojó en casa de una próspera pareja que había emigrado muchos años atrás desde Sicilia y que parecía llevar un elevado tren de vida en Inglaterra. Eran de mediana edad, no tenían hijos y se habían cambiado el apellido de Priola por el de Pryor.

Parecían totalmente ingleses, pues el clima inglés les había aclarado la piel, y tanto su manera de vestir como sus gestos eran muy poco sicilianos. El señor Pryor solía ir a trabajar con bombín y paraguas plegable y la señora Pryor lucía los floreados vestidos y los típicos sombreritos de las anticuadas matronas inglesas. En la intimidad de su hogar, ambos regresaban a sus orígenes: el señor Pryor se ponía unos holgados pantalones remendados y una camisa negra sin cuello y la señora Pryor se envolvía en un vestido negro también muy holgado y se dedicaba a cocinar al antiguo estilo italiano. Él la llamaba Marizza y ella lo llamaba a él Zu.

El señor Pryor trabajaba como director general de un banco privado, filial de un importante banco de Palermo. Trataba a Astorre como si fuera su sobrino preferido, pero guardaba las distancias. La señora Pryor lo mimaba con la comida como si fuera su nieto.

El señor Pryor le facilitó a Astorre un coche y una generosa asignación para gastos. Ya lo habían matriculado en una pequeña y poco conocida universidad de las afueras de Londres, especializada en estudios de administración de empresas y banca, así como en arte dramático. Astorre estudió lo que se exigía de él, a pesar de que lo que más le gustaba eran las clases de interpretación y canto. El muchacho completaba su horario con clases optativas de música e historia. Fue en Londres donde se enamoró de la imagen de la caza del zorro, no de la muerte y la persecución del animal sino del espectáculo: las chaquetas rojas, los perros de color canela y los caballos negros.

En una clase de interpretación, Astorre conoció a una chica de su edad, una tal Rosie Conner, una agraciada muchacha dotada de ese aire especial de inocencia que tan devastador suele ser para los jóvenes y que tan provocativo resulta para los hombres maduros. Tenía un considerable talento y había interpretado papeles de protagonista en las obras que escenificaba la clase. A Astorre en cambio solían encomendarle papeles secundarios, no porque no fuera guapo sino porque algo en su personalidad le impedía entregarse por entero al público. En cambio Rosie no tenía ningún problema. Se comportaba como invitando al público a seducirla.

Los dos jóvenes se hicieron amigos porque Rosie admiraba las canciones de Astorre y ambos asistían a la misma clase de dicción. Pero estaba claro que el profesor no compartía la admiración de Rosie, pues le aconsejó a Astorre que abandonara sus estudios de música. No sólo carecía de una voz agradable sino que además carecía de comprensión musical.

A las dos semanas tan sólo, Astorre y Rosie se convirtieron en amantes. La iniciativa fue más de la chica que de Astorre, aunque, para entonces él ya estaba locamente enamorado de ella, todo lo locamente enamorado que puede estar un jovenzuelo de dieciséis años. Tan enamorado estaba que se olvidó casi por completo de Nicole. Rosie parecía más divertida que apasionada, pero estaba tan llena de vida que le encantaba estar con él, era ardiente en la cama y se mostraba generosa en todos los sentidos. Cuando ya llevaban una semana acostándose juntos, ella le hizo un valioso regalo. Una chaqueta roja de caza, con un gorro de ante negro y una estupenda fusta de cuero. Se lo ofreció más como una broma que como un regalo.

Tal como suelen hacer todos los jóvenes enamorados, ambos se contaron el uno al otro la historia de su vida. Rosie le dijo que sus padres eran propietarios de un inmenso rancho en Dakota del Sur y que ella había pasado su infancia en una aburrida ciudad de Plains. Al final huyó de allí, pues estaba empeñada en estudiar arte dramático en Inglaterra. Sin embargo, no había desperdiciado enteramente su infancia. Había aprendido a montar, cazar y esquiar, y en el instituto había sido la estrella no sólo del grupo teatral sino también de la cancha de tenis.

Astorre le reveló todas sus aspiraciones. Su deseo de ser cantante y su amor por el estilo de vida de los ingleses, con sus antiguas estructuras medievales, la pompa de la realeza, los partidos de polo y la caza del zorro. Pero jamás le habló de su tío Don Raymonde Aprile ni de sus visitas a Sicilia durante su infancia. Ella le pidió que se pusiera el atuendo de caza y después lo desnudó.

—Qué guapo eres —le dijo—. A lo mejor, fuiste un lord inglés en otra vida.

Era la única faceta suya que ponía nervioso a Astorre. Rosie creía sinceramente en la reencarnación. Pero cuando ella le hacía el amor se olvidaba de todo. Le parecía que jamás en su vida había sido tan feliz, excepto en Sicilia.

Sin embargo, al finalizar aquel año, el señor Pryor lo llamó a su estudio para darle una mala noticia. El señor Pryor llevaba unos holgados pantalones y una chaqueta campesina de punto y se cubría la cabeza con una gorra a cuadros, con visera.

—Hemos disfrutado de tu estancia entre nosotros. A mi mujer le encantan tus canciones. Pero ahora, y por desgracia, nos tenemos que despedir. Don Raymonde ha dado orden de que te vayas a vivir a Sicilia con su buen amigo Bianco. Hay ciertas cuestiones que tienes que aprender allí. Quiere que crezcas como siciliano. Y tú ya sabes lo que eso significa.

Astorre se horrorizó al oír la noticia. A pesar de lo mucho que ansiaba regresar a Sicilia, no soportaba la idea de no volver a ver a Rosie, pero en ningún momento se planteó desobedecer.

—Si visito Londres una vez al mes —le preguntó al señor Pryor—, ¿podré hospedarme en su casa?

—Me ofendería si no lo hicieras. Pero ¿por qué motivo?

Astorre le habló de Rosie y del amor que sentía por ella.

—Ah —dijo el señor Pryor, lanzando un suspiro de complacencia—. Qué suerte tienes de separarte de la mujer a la que amas. Es el mayor de los éxtasis. Y esa pobre chica, cuánto va a sufrir. Pero vete, no te preocupes. Déjame su nombre y dirección y yo cuidaré de ella.

Astorre y Rosie se despidieron con lágrimas en los ojos. Él le juró volar a Londres cada mes para estar con ella. Y ella le juró que jamás miraría a otro hombre. Fue una separación deliciosa. Astorre se preocuparía por ella. Su aspecto, su jovialidad y su sonrisa invitaban a la seducción. Las cualidades por las que él la amaba eran siempre un peligro. Lo había visto muchas veces: todos los enamorados suelen pensar que todos los hombres del mundo tienen necesariamente que desear a la mujer a la que ellos aman y sentirse necesariamente atraídos por su belleza, su ingenio y su simpatía.

Al día siguiente, Astorre ya estaba en un avión con destino a Palermo. Allí lo recibió Bianco, pero un Bianco del todo distinto. Aquel hombre tan corpulento vestía ahora un traje de seda hecho a medida y un sombrero blanco de ala ancha, en consonancia con su nueva situación, pues su *cosca* dominaba buena parte de los negocios inmobiliarios que se estaban haciendo en la Palermo devastada por la guerra. Era una vida de rico, pero mucho más complicada que la de antaño. Ahora tenía que sobornar a todos los funcionarios municipales y ministeriales de Roma y defender su territorio de las *coscas* rivales, como la de los poderosos corleoneses.

Ottavio Bianco abrazó a Astorre, recordó los lejanos días del secuestro y le explicó las instrucciones que había recibido de Don Raymonde. Astorre tendría que ser adiestrado de tal forma que pudiera convertirse en guardaespaldas y pupilo suyo en todo tipo de tratos y negocios. El aprendizaje duraría por lo menos cinco años, pero una vez transcurrido aquel período Astorre sería un verdadero siciliano, digno de la confianza de su tío. Ya tenía una ventaja: hablaba el dialecto siciliano como un nativo, gracias a sus visitas de niño a la isla.

Bianco vivía en una inmensa villa en las afueras de Palermo, con un montón de criados y pelotones de guardaespaldas las veinticuatro horas del día. Gracias a su riqueza y poder, Bianco alternaba ahora con la alta sociedad de Palermo. Durante el día, Astorre hacía prácticas de tiro, de manejo de explosivos y de manejo de la cuerda. Por la noche, Bianco se lo llevaba para presentarlo a sus amigos en sus casas y en los cafés. A veces ambos asistían a bailes de sociedad, donde Bianco era el preferido de las acaudaladas y conservadoras viudas, y Astorre cantaba dulces canciones de amor a sus hijas.

Lo que más sorprendía a Astorre era la descarada corrupción de los más altos funcionarios del gobierno de Roma.

Un domingo, el ministro de la Reconstrucción Nacional efectuó una visita a la isla, y sin el menor asomo de vergüenza tomó una maleta llena de dinero en efectivo y dio efusivamente las gracias a Bianco. Explicó casi en tono de disculpa que la mitad tendría que ser nada menos que para el primer ministro de Italia. Más tarde, al volver a casa con Bianco, Astorre preguntó si era cierto. Bianco se encogió de hombros.

—Menos de la mitad, pero algo supongo que sí. Es un honor entregarle un poco de dinero a Su Excelencia.

En el transcurso del año siguiente, Astorre viajó a Londres para ver a Rosie aunque sólo un día y una noche. Eran noches de inmensa felicidad para él.

Aquel año también recibió su bautismo de fuego. Se había establecido una tregua entre Bianco y la *cosca* de los corleoneses. Uno de los jefes de los corleoneses era un tal Tosci Limona, un hombrecillo que no paraba de toser, con un sorprendente perfil de halcón y unos ojos profundamente hundidos en las cuencas. Hasta Bianco le tenía miedo.

La reunión entre los dos jefes se tenía que celebrar en territorio neutral y en presencia de uno de los más altos magistrados de Sicilia.

Se trataba de un juez apodado el León de Palermo, que se enorgullecía de su absoluta corrupción. Reducía las penas de los miembros de la Mafia condenados por asesinato e impedía que los enjuiciamientos siguieran adelante. No ocultaba su amistad con la *cosca* de los corleoneses y con la de Bianco. Era propietario de una inmensa finca a quince kilómetros de Palermo. Y fue en esa finca, en presencia del León de Palermo, donde se celebró la reunión para que no se produjera ningún acto de violencia. Ambos jefes fueron autorizados a llevar cuatro guardaespaldas. Ambos pagarían a medias el precio que deberían entregarle al León por haber organizado la reunión, por presidirla y naturalmente por el alquiler de su casa. El León de Palermo lucía una blanca melena que casi le ocultaba el rostro. Era la viva imagen de un respetable jurisconsulto. Astorre, que estaba al mando del grupo de guardaespaldas de Bianco, se quedó de una pieza al ver el afecto que ambos hombres se profesaban. Limona y

Bianco se fundieron en un abrazo, se besaron en la mejilla y se estrecharon la mano. Se rieron alegremente y comentaron en voz baja los complicados manjares que el León había dispuesto para ellos. De ahí que se quedara sorprendidísimo cuando al terminar la fiesta, Bianco le dijo:

—Este hijo de puta de Limona nos va a matar a todos.

Bianco demostró que no se equivocaba.

Una semana más tarde, un inspector de policía que estaba a sueldo de Bianco fue asesinado cuando salía de la casa de su amante. Dos semanas después, un destacado personaje de Palermo que era socio de los negocios de la construcción de Bianco fue asesinado por un grupo de hombres enmascarados que irrumpieron en su casa y lo acribillaron a balazos.

La respuesta de Bianco fue aumentar el número de sus guardaespaldas y someter a especial vigilancia los vehículos que utilizaba. Los corleoneses eran famosos por su habilidad en el manejo de explosivos. Bianco procuró no apartarse demasiado de su villa.

Pero un día tuvo que ir a Palermo para sobornar a dos altos funcionarios municipales y decidió comer en su restaurante preferido. Eligió un Mercedes y un chófer-guardaespaldas de primera. Astorre se acomodó a su lado en el asiento de atrás. Un vehículo lo precedía y otro iba tras él, ambos con dos hombres armados a bordo, aparte de los conductores.

Estaban circulando por una ancha avenida cuando, de repente, salió a toda velocidad de una calle lateral una moto con dos ocupantes. El que iba detrás llevaba un rifle Kalashnikov y abrió fuego contra el automóvil. Pero Astorre ya había empujado a Bianco al suelo y repelió el ataque, efectuando varios disparos mientras los motoristas se alejaban. La moto se desvió hacia una calle lateral y se perdió de vista.

Tres semanas más tarde, al amparo de la noche, cinco hombres fueron capturados y conducidos a la villa de Bianco, en cuyo sótano fueron atados y encerrados.

—Son corleoneses —le dijo Bianco a Astorre—. Baja al sótano conmigo.

Los hombres estaban atados al estilo campesino de Bianco, con las extremidades entrelazadas. Unos guardias armados los vigilaban. Bianco tomó el rifle de uno de los guardias, y sin decir ni una sola palabra mató a los cinco de sendos disparos en la nuca.

—Arrojadlos a las calles de Palermo —ordenó. Después se volvió hacia Astorre y dijo—: Cuando hayas decidido matar a un hombre, jamás hables con él. Resulta incómodo para él y para ti.

—¿Eran los motoristas? —preguntó Astorre.

—No —contestó Bianco—. Pero sirven como si lo fueran.

Y sirvieron. Se restableció la paz entre la *cosca* de Palermo y la de los corleoneses.

Como consecuencia de ello, Astorre llevaba casi dos meses sin poder visitar a Rosie en Londres. Un día ella lo llamó a primera hora de la mañana. Tenía su número, pero sólo para usarlo en caso de emergencia.

—Astorre —le preguntó en tono pausado—, ¿puedes volar aquí enseguida? Me encuentro en un apuro muy grande.

—¿Qué ocurre? —preguntó Astorre.

—Por teléfono no te lo puedo decir —dijo Rosie—. Pero si me quieres de verdad, vendrás.

Cuando Astorre le pidió permiso a Bianco para ir, éste le dijo:

—Lleva dinero.

Y le entregó un enorme fajo de libras esterlinas.

Al llegar al apartamento de Rosie, ésta le abrió rápidamente la puerta y la volvió a cerrar con cuidado. Tenía el rostro mortalmente pálido e iba envuelta en una bata acolchada que él jamás le había visto. Rosie le dio un rápido beso de gratitud.

—Te vas a enfadar conmigo —le dijo tristemente.

—Cariño —se apresuró a responderle Astorre, pensando que estaba embarazada—, yo nunca me puedo enfadar contigo.

Ella lo abrazó con fuerza.

—Llevas un año fuera, ¿sabes? He intentado serte fiel. Pero ha sido mucho tiempo.

Astorre lo comprendió de pronto con gélida claridad. Otra vez la traición. Pero había algo más. ¿Por qué le había pedido ella que fuera a verla con tanta urgencia?

—Muy bien pues —dijo—. ¿Y por qué estoy aquí?

—Tienes que ayudarme —le dijo Rosie, acompañándolo al dormitorio.

Había algo en la cama. Astorre apartó la sábana.

Vio a un hombre de mediana edad, tumbado boca arriba en la cama. A pesar de su absoluta desnudez, ofrecía un aspecto de serena dignidad, en parte debido a su pequeña perilla plateada o quizás a las delicadas facciones de su rostro. Su cuerpo era flaco y su tórax estaba cubierto por un espeso vello; pero lo más extraño de todo eran las gafas de montura dorada que le cubrían los ojos abiertos.

Aunque tenía la cabeza demasiado grande en comparación con el cuerpo, era bien parecido. Pero era el hombre más muerto que Astorre hubiera visto en su vida, a pesar de que no se le veía ninguna herida. Llevaba las gafas torcidas, y Astorre alargó la mano para enderezarlas.

—Estábamos haciendo el amor y sufrió un espasmo tremendo —explicó Rosie—. Tiene que haber sido un ataque al corazón.

Parecía muy serena.

—¿Cuándo ocurrió? —preguntó Astorre, ligeramente trastornado.

—Anoche —contestó Rosie.

—¿Y por qué no llamaste a Urgencias? —preguntó Astorre—. Tú no has tenido la culpa.

—Está casado y puede que sí la tenga. Utilizamos nitrito de amilo. Tenía dificultades para alcanzar el orgasmo.

Rosie lo dijo sin la menor turbación. Astorre se quedó verdaderamente asombrado y se extrañó de su sangre fría. Echó otro vistazo al cadáver y sintió la necesidad de vestirlo y quitarle las gafas. Era demasiado mayor para estar desnudo, unos cincuenta años por lo menos... no le parecía decoroso.

—¿Qué viste en él? —le preguntó a Rosie sin malicia, pero con la incredulidad propia de los jóvenes.

—Era mi profesor de historia —contestó Rosie—. Un verdadero encanto, muy cariñoso. Fue una cosa inesperada. Era sólo la segunda vez. Me sentía muy sola. —Rosie hizo una pausa y después miró a Astorre directamente a los ojos—. Tienes que ayudarme.

—¿Sabe alguien que te veías con él? —preguntó Astorre.

—No —contestó Rosie.

—Sigo pensando que deberías llamar a la policía —dijo Astorre.

—No —dijo Rosie—. Si tienes miedo, me encargaré yo sola del asunto.

—Vístete —le dijo Astorre, mirándola severamente.

Después volvió a cubrir el cadáver.

Una hora después se encontraban en casa del señor Pryor; él mismo les había abierto la puerta. Los acompañó a su estudio sin pronunciar una sola palabra y escuchó su relato. Se mostró muy comprensivo con Rosie y le dio una palmada en la mano para consolarla. Ella rompió a llorar. El señor Pryor se quitó la gorra y cloqueó como una gallina con sus polluelos.

—Dame las llaves de tu apartamento —le dijo a Rosie—. Quédate a pasar la noche aquí. Mañana podrás regresar a tu casa y todo estará arreglado, tu amigo habrá desaparecido. Permanecerás allí una semana y después regresarás a Estados Unidos.

El señor Pryor los acompañó a un dormitorio como si pensara que no había ocurrido nada y que las relaciones amorosas entre ambos no habrían sufrido la menor alteración. Después se despidió de ellos para ir a resolver el asunto. Astorre siempre recordó aquella noche. Permaneció despierto en la cama con Rosie, consolándola y enjugándole las lágrimas.

—Era sólo la segunda vez —dijo ella en un susurro—. No significaba nada, y éramos muy amigos. Te echaba de menos. Yo le admiraba por su inteligencia, y una noche ocurrió. No pudo alcanzar el orgasmo y, aunque me duela decirlo por él, ni siquiera consiguió mantener la erección. Entonces quiso utilizar nitrito.

Parecía tan vulnerable, tan angustiada y destrozada por aquella tragedia que lo único que podía hacer Astorre era intentar consolarla. Pero algo quedó grabado en su mente. Rosie había permanecido en casa con un cadáver durante más de veinticuatro horas, aguardando su llegada. Era un misterio y, si había uno, podía haber otros. Sin embargo le enjugó las lágrimas y le besó las mejillas para consolarla.

—¿Querrás volver a verme alguna vez? —le preguntó Rosie, hundiendo el rostro en su hombro y haciéndole sentir la suavidad de su cuerpo.

—Por supuesto que sí —contestó Astorre, aunque en su fuero interno no estaba tan seguro.

A la mañana siguiente apareció el señor Pryor y le dijo a Rosie que ya podía regresar a su apartamento. Rosie le dio un abrazo de gratitud, que él aceptó complacido. La estaba esperando un automóvil.

Cuando Rosie se fue, el señor Pryor, con su bombín y su paraguas, acompañó a Astorre al aeropuerto.

—No te preocupes por ella —le dijo—. Nosotros nos encargaremos de todo.

—Dígame algo —le rogó Astorre.

—Por supuesto que sí —dijo el señor Pryor—. Es una chica maravillosa, una auténtica mafiosa. Tienes que perdonarle la falta.

8

Durante aquellos años de permanencia en Sicilia, Astorre aprendió a ser un «hombre cualificado». Al frente de un grupo de seis hombres de la *cosca* de Bianco, se dirigió a Corleone para ejecutar a su mejor especialista en explosivos, un hombre que había hecho saltar por los aires a un general del Ejército italiano y a dos de los más destacados magistrados de la lucha contra la MAFIA en Sicilia. Fue una audaz incursión que consolidó su reputación en los niveles superiores de la *cosca* de Palermo dirigida por Bianco.

Astorre llevaba además una intensa vida social y visitaba los cafés y las salas de fiestas de Palermo. Sobre todo para conocer a mujeres guapas.

Palermo estaba lleno de *picciotti* de la Mafia —los soldados de a pie de las distintas *coscas*—, todos ellos deseosos de destacar su hombría y de hacer buen papel, con sus trajes cortados a la medida, sus cuidadas uñas y su cabello alisado y peinado hacia atrás como el de las estatuas. Todos se proponían el mismo objetivo: ser temidos y amados. Los más jóvenes, prácticamente adolescentes, lucían unos cuidados bigotes y unos labios rojos como el coral. Jamás cedían un sólo centímetro de terreno ante otro varón, por lo que Astorre procuraba evitar el trato con ellos. Mataban temerariamente, incluso a algunos de los personajes de más alto rango de su mundo, lo cual se traducía en su inmediata ejecución. Pues el asesinato de otro mafioso, como la seducción de una mujer, sólo se podía pagar con la muerte. Astorre siempre se mostraba amable con los *picciotti* para halagar su orgullo. Y gozaba de gran popularidad entre ellos. Su fama se debía en parte a que se había medio enamorado de una chica de un club llamada Buji, aunque en las cosas del corazón procuraba evitar su malquerencia.

Astorre pasó seis años como mano derecha de Bianco contra la *cosca* de los corleoneses. Recibía periódicamente instrucciones del Don, que ya no viajaba cada año a Sicilia.

La gran pelea por el hueso entre la *cosca* de los corleoneses y la de Bianco era una cuestión de estrategia a largo plazo. La *cosca* de los corleoneses había decidido instaurar un reinado del terror contra las autoridades. Habían asesinado a varios magistrados que estaban llevando a cabo investigaciones y habían hecho volar por el aire a más de un general enviado para acabar con la MAFIA de Sicilia. Bianco pensaba que todo aquello sería perjudicial a largo plazo, a pesar de los beneficios inmediatos que pudieran obtenerse. Los reparos de Bianco habían sido la causa del asesinato de sus amigos. Bianco se vengó, y la matanza fue tan tremenda que ambos bandos buscaron una tregua.

Durante su estancia en Sicilia, Astorre se hizo íntimo amigo de un joven que le llevaba cinco años y que tocaba en una orquesta de una sala de fiestas de Palermo, famosa por la belleza de sus gogós, algunas de las cuales prestaban servicio como prostitutas de lujo. El joven se llamaba Nello Sparra.

A Nello no le faltaba el dinero, pues al parecer tenía varias fuentes de ingresos. Vestía con elegancia al estilo de los mafiosos de Palermo. Siempre estaba de buen humor y dispuesto a cualquier aventura, y las chicas del club lo querían porque les hacía regalitos el día de su cumpleaños o en las fiestas. Y también porque sospechaban que era uno de los propietarios secretos del club, un sitio muy seguro para trabajar pues se encontraba bajo la estricta protección de la *cosca* de Palermo que controlaba el sector del espectáculo de toda la provincia. Las chicas estaban encantadas de acompañar a Nello y Astorre a fiestas privadas o a excursiones por el campo. La muchacha de la que Astorre se medio enamoró se llamaba Buji. Era una morena alta y preciosa que bailaba en el escenario de la sala de fiestas de Nello. Tenía un cuerpo voluptuoso y era famosa por su mal genio y su independencia a la hora de elegir a sus amantes. Jamás alentaba las esperanzas de un *picciottu*: los hombres que la cortejaran tenían que poseer dinero y poder. Tenía fama de ser muy venal, a la manera mafiosa. Exigía costosos regalos, pero su belleza y ardor hacía que los ricos de Palermo se mostraran encantados de complacerla.

A lo largo de los años, Buji y Astorre entablaron unas relaciones que llegaron peligrosamente al borde del verdadero amor. Astorre era el preferido de Buji, aunque ésta no dudaba en abandonarlo a cambio de un fin de semana especialmente lucrativo con algún acaudalado hombre de negocios de Palermo. La primera vez que lo hizo, Astorre trató de reprochárselo, pero ella lo venció con su sentido común. Y le puso las peras a cuarto.

—Tengo veintiún años —le dijo—. Mi belleza es mi capital. Cuando tenga treinta, podré ser un ama de casa con un montón de hijos o una rica e independiente propietaria de una tiendecita. Es verdad que nos lo pasamos bien juntos, pero tú volverás a América, adonde yo no quiero ir. Y adonde tú no quieres llevarme. Procuremos pasarlo bien como seres humanos libres. A pesar de todo, tú tendrás lo mejor de mí antes de que yo me canse de ti. O sea que déjate de bobadas. Yo tengo que ganarme la vida. —Después añadió con astucia—: Y además estás metido en un negocio demasiado peligroso como para que yo pueda contar contigo.

Nello tenía una espléndida villa al borde del mar, en las afueras de Palermo. Contaba con diez dormitorios y se podían celebrar en ella grandes fiestas. En el jardín había una piscina cuya forma reproducía la de la isla de Sicilia, y dos pistas de tenis de tierra batida que raras veces se utilizaban.

Los fines de semana, la numerosa familia de Nello acudía a visitarlo desde el campo, y la villa se llenaba de gente. A los niños que no sabían nadar los encerraban en las canchas de tenis con sus juguetes y sus viejas raquetas para que se entretuvieran jugando con las pequeñas pelotas amarillas, a las que propinaban puntapiés como si fueran balones de fútbol hasta que todas quedaban diseminadas sobre la tierra batida como pájaros amarillos.

Astorre estaba incluido en aquella vida familiar como una especie de apreciado sobrino. Nello se convirtió en un hermano para él. Por la noche lo invitaba a subir al escenario del club, y ambos cantaban a dúo canciones de amor italianas ante el entusiasmo del público y el regocijo de las chicas del club.

El León de Palermo, aquel juez eminentemente corruptible, volvió a ofrecer su casa y su presencia para una reunión entre Bianco y Limona. Una vez más, ambos fueron autorizados a llevar cuatro guardaespaldas. Para garantizar la paz, Bianco estaba incluso dispuesto a ceder una pequeña parte de su imperio de la construcción en Palermo.

Astorre no quería correr ningún riesgo. Él y los tres guardaespaldas que lo acompañaban acudieron fuertemente armados a la reunión. Ninguno de los guardaespaldas de ambos bandos se sentó a la mesa, sólo lo hicieron el magistrado —con la blanca melena recogida con una cinta de color de rosa—, Bianco y Limona. Limona apenas probó bocado, pero estuvo muy amable y aceptó complacido las muestras de afecto de Bianco. Prometió que ya no habría más asesinatos de funcionarios, especialmente de los que Bianco tenía en el bolsillo.

Al término de la comida, mientras se disponían a pasar al salón para una última discusión, el León de Palermo se excusó, diciendo que regresaría en cinco minutos. Lo dijo en tono de disculpa y todos comprendieron que tenía que responder a una llamada de la naturaleza.

Limona descorchó otra botella de vino y llenó la copa de Bianco. Astorre se acercó a una ventana y miró hacia el ancho camino de entrada de la villa. Un solitario automóvil estaba aguardando cuando él vio aparecer la gran cabeza blanca del León de Palermo. El magistrado subió al vehículo y éste se alejó a gran velocidad.

Astorre no dudó ni un instante. Su mente ató inmediatamente cabos. Se encontró la pistola en la mano casi sin pensar. Limona y Bianco estaban bebiendo vino tomados del brazo. Astorre se acercó a ellos, levantó el arma y abrió fuego contra el rostro de Limona. La bala alcanzó primero la copa antes de penetrar en la boca de Limona mientras unos trozos de cristal volaban cual si fueran brillantes sobre la mesa. Astorre volvió inmediatamente el arma contra los cuatro guardaespaldas de Limona y empezó a disparar. Sus hombres ya estaban disparando con sus armas. Los cuerpos se desplomaron al suelo.

Bianco lo miró, perplejo.

—El León ha abandonado la villa —dijo Astorre, y Bianco comprendió de inmediato que le habían tendido una trampa.

—Tienes que andarte con cuidado —le dijo Bianco a Astorre, señalando el cadáver de Limona—. Sus amigos irán a por ti.

Cabe la posibilidad de que un hombre testarudo sea leal, pero no es fácil mantenerlo alejado de los problemas en determinados momentos de su vida. Y eso fue lo que ocurrió con Fissolini. Fissolini jamás traicionó al Don, pero traicionó a su propia familia. Sedujo a la mujer de su sobrino Aldo Monza. Y lo hizo quince años después de haberle hecho su promesa al Don, cuando contaba sesenta años.

Fue una temeridad inconcebible. Al seducir a la mujer de su sobrino, destruyó el lugar que ocupaba como jefe de la *cosca*, pues en los distintos grupos de la Mafia, para mantener el poder, la familia se sitúa por encima de todo. Y lo más peligroso de todo fue que la mujer era sobrina de Bianco. Bianco no permitió que el marido se vengara en su sobrina, por lo que al marido no le quedaba más remedio que matar a Fissolini, su tío preferido y jefe de la *cosca*. Todo ello daría lugar a una sangrienta contienda que devastaría la campiña. Astorre se lo comunicó al Don y le pidió instrucciones.

—Tú lo salvaste una vez —fue la respuesta—, tú tienes que volver a decidir.

Aldo Monza era uno de los hombres más apreciados de la *cosca* y de su numerosa familia. Había sido uno de los hombres a quienes el Don había perdonado la vida quince años atrás. Por consiguiente, cuando Astorre lo mandó llamar a la aldea del Don, Aldo acudió de muy buen grado. Astorre no permitió que Bianco estuviera presente en la reunión, pero le aseguró que protegería a su sobrina.

Aldo Monza era alto para ser un siciliano, pues medía casi metro ochenta de estatura. Tenía un cuerpo espléndidamente moldeado por el duro trabajo desde niño. Pero sus ojos estaban muy hundidos en las cuencas y la piel de su rostro, tan tirante que hubiera podido ser una calavera. Todo esto le confería un aspecto especialmente siniestro y peligroso. Y en cierto sentido trágico. Monza era el miembro más inteligente y culto de la *cosca* de Fissolini. Había estudiado para veterinario en Palermo y siempre llevaba consigo su maletín profesional. Le gustaban los animales y siempre estaba muy solicitado.

Pero se sentía tan fuertemente ligado al código de honor siciliano como cualquier campesino. Después de Fissolini, era el hombre más poderoso de la *cosca*.

Astorre ya había tomado una decisión.

—No estoy aquí para defender la vida de Fissolini. Tengo entendido que tu *cosca* ya ha aprobado tu venganza. Comprendo tu dolor. Pero estoy aquí para defender a la madre de tus hijos.

Aldo Monza lo miró fijamente.

—Nos ha traicionado a mí y a mis hijos. No puedo permitir que viva.

—Mira —dijo Astorre—, nadie exigirá venganza por la muerte de Fissolini. Pero la mujer es la sobrina de Bianco. Él vengará su muerte. Su *cosca* es más fuerte que la tuya. Será una guerra sangrienta. Piensa en tus hijos.

Aldo Monza hizo un despectivo gesto con la mano.

—¿Quién sabe si son míos? Es una puta. —Hizo una pausa—. Y morirá como una puta.

Su cadavérico rostro se iluminó con el fulgor de la muerte. Había superado los límites de la furia. Estaba dispuesto a destruir el mundo.

Astorre trató de imaginarse la vida de aquel hombre en su pueblo, después de haber perdido a su mujer y de haber visto ultrajada su dignidad por su tío y su esposa.

—Escúchame con atención —le dijo—. Hace años, Don Aprile te perdonó la vida. Ahora él te pide un favor. Véngate de Fissolini tal como todos sabemos que tienes que hacer. Pero perdona la vida a tu mujer, y Bianco se encargará de enviarla a ella y a sus hijos junto a unos parientes suyos de Brasil. Y a ti personalmente, con la aprobación del Don, te hago este ofrecimiento. Acompáñame a América como amigo y ayudante personal mío. Vivirás una existencia muy cómoda e interesante. Y te librarás de la vergüenza de vivir en tu pueblo. Y también estarás a salvo de la venganza de los amigos de Fissolini.

Astorre observó complacido que Aldo Monza no hacía ningún gesto de cólera ni de sorpresa. Éste permaneció cinco minutos en silencio, reflexionando. Después preguntó:

—¿Seguirás pagando a la *cosca* de mi familia? Mi hermano será el jefe.

—Por supuesto que sí —contestó Astorre—. Son muy valiosos para nosotros.

—Pues entonces, cuando haya matado a Fissolini, me iré contigo a América —dijo Aldo Monza—. Pero ni tú ni Bianco os podréis entremeter. Mi mujer no se irá a Brasil hasta que haya visto el cadáver de mi tío.

—De acuerdo —dijo Astorre. Al recordar el risueño rostro de Fissolini y su sonrisa de bribón, experimentó una punzada de tristeza—. ¿Cuándo ocurrirá? —preguntó.

—El domingo —contestó Monza—. Me pondré en contacto contigo el lunes. Y que Dios haga arder Sicilia y a mi mujer en mil infiernos eternos.

—Te acompañaré a tu pueblo —dijo Astorre—. Tomaré a tu mujer bajo mi protección. Temo que te dejes llevar por la furia.

Aldo Monza se encogió de hombros.

—No puedo permitir que mi destino lo decida lo que se pone una mujer en la vagina.

Lo dijo utilizando la palabra siciliana.

La *cosca* de Fissolini se reunió a primera hora del domingo por la mañana. Los sobrinos y yernos tenían que decidir si matar también o no a su hermano menor para evitar la venganza. Era evidente que el hermano debía de estar al corriente del ultraje y el hecho de que no hubiera dicho nada significaba que lo aceptaba. Astorre no participó en la reunión. Se limitó a decir que la mujer y los hijos no deberían sufrir daño alguno. Pero se le heló la sangre en las venas al pensar en la furia de aquellos hombres ante algo que a él no le parecía una ofensa tan grave. Ahora comprendía todo el alcance de la compasión del Don para con Fissolini.

Sin embargo, comprendía que no se trataba simplemente de una cuestión de carácter sexual.

Cuando una esposa traiciona al marido con un amante, puede introducir un caballo de Troya en la estructura de la *cosca*. Puede revelar secretos, debilitar las defensas y otorgar a su amante un poder sobre la familia del marido. Es como un espía en una guerra. El amor no es ninguna excusa para semejante traición.

Así pues, el domingo por la mañana los miembros de la *cosca* se reunieron a desayunar en casa de Aldo Monza y después las mujeres se fueron a misa con los niños. Tres hombres de la *cosca* sacaron al hermano de Fissolini al campo. Y a la muerte. Los demás se quedaron mientras Fissolini se reunía con los restantes miembros de su *cosca*. El único que no se rió de sus chistes fue Aldo Monza. Astorre, como invitado de más consideración, se sentó al lado de Fissolini.

Fissolini miró a su sobrino con una socarrona sonrisa en los labios.

—Aldo, estás tan avinagrado como tu cara.

Aldo miró a su tío.

—No puedo estar tan contento como tú, tío. Al fin y al cabo, yo no me he acostado con tu mujer, ¿verdad?

En aquel momento, tres hombres de la *cosca*, inmovilizaron a Fissolini en la silla. Aldo se dirigió a la cocina y regresó con su instrumental de veterinario.

—Tío —dijo—, te voy a enseñar lo que has olvidado.

Astorre apartó la cabeza.

Bajo la clara luz del sol de la mañana del domingo, en el camino sin asfaltar que conducía a la famosa iglesia de la Bienaventurada Virgen María, un caballo blanco de gran tamaño caminaba lentamente al paso. Sobre su lomo estaba Fissolini, atado a la silla de montar por medio de un alambre y con la espalda sostenida por una enorme cruz de madera. Casi parecía que estuviera vivo. Pero en la cabeza, a modo de corona de espinas, llevaba una especie de nido de ramas entrelazadas, con un montículo de verde hierba en su interior, sobre el cual descansaban su miembro y sus testículos. Desde ellos le bajaban por la frente unas minúsculas arañas de sangre.

Aldo Monza y su joven esposa contemplaron el espectáculo desde las gradas del templo. Ella fue a santiguarse, pero Aldo Monza la obligó a bajar el brazo de un manotazo y le sujetó la cabeza para que mirara hacia delante. Después la empujó a la calle para que siguiera el cadáver.

Astorre la siguió a su vez y la acompañó hacia su coche para conducirla a Palermo y a la seguridad.

Aldo Monza hizo ademán de acercarse a ellos con el rostro ensombrecido por el odio. Astorre lo miró en silencio, levantó un dedo de advertencia y Monza los dejó ir.

Seis meses después del asesinato de Limona, Nello invitó a Astorre a pasar el fin de semana en su villa. Jugarían al tenis y se bañarían en el mar.

Disfrutarían de un festín a base de aquel pescado tan exquisito de la costa y disfrutarían de la compañía de dos de las más bellas bailarinas de la sala de fiestas, Buji y Stella. En la villa no habría ningún pariente, pues todos estarían festejando una boda familiar en el campo.

Hacía un precioso día siciliano, con aquella sombra especial que parecía envolver el sol, evitando que el calor resultara insoportable, y que convertía el cielo en un soberbio dosel. Astorre y Nello jugaron al tenis con las chicas, que jamás en su vida habían visto una raqueta, pero peloteaban enérgicamente y enviaban las pelotas volando por encima de la red.

—Vamos a dar un paseo por la playa y a nadar un poco —dijo Nello al final.

Los cinco guardaespaldas estaban disfrutando de la sombra en la galería mientras unas criadas les servían comida y bebida, pero no por ello descuidaban sus tareas de vigilancia. Contemplaban además encantados los flexibles cuerpos de las dos chicas en traje de baño y se preguntaban cuál de ellas sería mejor en la cama. Llegaron a la conclusión de que era Buji, cuya animada conversación y alegres risas demostraban, según ellos, su mayor capacidad de excitación. Pero ahora las chicas se estaban disponiendo a

dar un paseo por la playa y ellos se habían re-
mangado las perneras de los pantalones.

Astorre les hizo una seña a los guardaespaldas.

—No nos alejaremos de la vista —les dijo—.
Bebed tranquilos.

Los cuatro bajaron a la playa y se acercaron
paseando a la orilla... Astorre y Nello delante y
las dos chicas detrás. Cuando ya llevaban reco-
rridos unos cincuenta metros, se quitaron la
ropa y se quedaron en traje de baño. Buji se bajó
los tirantes para dejar al descubierto los pechos y
se los sostuvo con las manos para que les diera
mejor el sol.

Los cuatro se metieron en el agua, apenas ri-
zada por un suave oleaje. Nello, que era un na-
dador de primera, se sumergió y apareció entre
las piernas de Stella de tal forma que, cuando se
levantó, ella quedó sentada sobre sus hombros.

—¡Ven! —le gritó a Astorre, y éste avanzó
hasta alcanzar la profundidad necesaria para nadar mientras Buji lo seguía sin soltarle la mano.
Una vez allí, empujó a Buji hacia abajo y la sumergió bajo el agua, pero ella, en lugar de asustarse, tiró de su traje de baño para dejarle el culo
al descubierto.

Mientras se encontraba bajo el agua, Astorre
percibió una vibración en los oídos mientras
contemplaba los blancos pechos de Buji suspen-
didos en las verdes aguas y su sonriente rostro
muy cerca del suyo. Después, la vibración se
convirtió en un rugido y entonces él emergió a

la superficie mientras Buji se aferraba a sus caderas desnudas.

Lo primero que vio fue una lancha rápida acercándose velozmente a él con un motor cuyo ruido desgarraba el aire y el agua como si fuera un trueno. Nello y Stella ya estaban en la playa. ¿Cómo era posible que la hubieran alcanzado tan rápido? A lo lejos, vio a sus guardaespaldas con los pantalones remangados, corriendo hacia la playa desde la villa. Empujó a Buji bajo el agua, la apartó y trató de acercarse caminando a la orilla. Pero fue demasiado tarde. La lancha rápida se encontraba muy cerca y Astorre vio a un hombre apuntándole cuidadosamente con un rifle. Los disparos rompieron la barrera del sonido, amortiguados por el rugido del motor...

La primera bala le obligó a girar sobre sí mismo y lo convirtió en un blanco más fácil para el tirador. Su cuerpo pareció salir disparado del agua y después se hundió bajo la superficie. Oyó que la embarcación se alejaba y sintió que Buji tiraba de él, lo arrastraba y trataba de levantarlo del suelo de la playa.

Cuando llegaron los guardaespaldas lo encontraron tendido boca abajo en la orilla, con una bala en la garganta. Buji lloraba a su lado.

Astorre tardó cuatro meses en recuperarse de las heridas. Bianco lo ocultó en una pequeña clínica privada de Palermo para que estuviera protegido y recibiera el mejor tratamiento. Bianco lo visitaba a diario. Buji también lo visitaba los días que no trabajaba en la sala de fiestas.

Hacia el final de su estancia, Buji le regaló una gruesa cadena de oro, de cuyo centro colgaba una gran medalla, también de oro, con una imagen labrada de la Virgen. Se la puso alrededor del cuello como si fuera un collar, y colocó el medallón sobre la herida. El medallón no era más grande que un dólar de plata, pero bastaba para cubrir la herida y parecía un adorno. Sin embargo, no tenía nada de afeminado.

—Ya está todo arreglado —dijo cariñosamente Buji—. No soportaba verlo.

Pero le dio un dulce beso mientras lo decía.

—Basta con que le quites el adhesivo una vez al día —le dijo Bianco.

—Alguien me cortará el cuello para robarme el oro —replicó Astorre con ironía—. ¿De verdad crees que es necesario?

—Sí —contestó Bianco—. Un hombre de respeto no puede exhibir la herida infligida por un enemigo. Además, Buji tiene razón. No es muy agradable de ver.

Lo único que le quedó grabado en la mente a Astorre fue que Bianco lo había llamado hombre de respeto. Ottavio Bianco, la quintaesencia del mafioso, le había hecho aquel honor. Astorre se sorprendió y se sintió halagado.

Cuando Buji se fue a pasar un fin de semana con el más próspero comerciante de vinos de Palermo, Bianco tomó un espejo para que Astorre se mirara. La cadena de oro era muy bonita. Y la Madonna, pensó Astorre, estaba en toda Sicilia, en las capillitas del borde del camino, en los automóviles y en las casas y hasta en los juguetes de los niños.

—¿Por qué los sicilianos veneran a la Madonna y no a Jesucristo? —le preguntó a Bianco.

Bianco se encogió de hombros.

—En el fondo, Jesús era un hombre y por eso no se puede uno fiar del todo. Pero olvida todo eso. Ya está hecho. Antes de que regreses a América, pasarás un año en Londres con el señor Pryor para familiarizarte con los bancos. Y con el negocio de la banca. Son órdenes de tu tío. Hay otra cosa. Tenemos que matar a Nello.

—¿Estás seguro de que fue Nello? —preguntó Astorre.

Era su más querido amigo.

—¿A quién más hubieran podido utilizar? —dijo Bianco—. ¿A tu más acérrimo enemigo? A tu amigo, naturalmente. En cualquier caso, como hombre de respeto, tendrás que castigarlo tú mismo. O sea que procura reponerte cuanto antes.

Astorre lo había pensado mucho y sabía que Nello era culpable. Ambos llevaban mucho tiempo siendo buenos amigos y su amistad era sincera. Pero después se había producido la matanza de los

272

corleoneses. Nello debía de estar relacionado de alguna manera con la *cosca* de los corleoneses y no habría tenido más remedio que colaborar.

Y además, Nello se había abstenido de visitarlo en la clínica. De hecho, había desaparecido de Palermo. Ya no tocaba en el club.

Durante la siguiente visita de Bianco, Astorre le dijo:

—No tenemos ninguna prueba contra Nello. Dejémoslo correr y tú concierta la paz con los corleoneses. Haz correr la voz de que he muerto a causa de las heridas.

Al principio, Bianco se opuso con todas sus fuerzas, pero después aceptó la prudencia de Astorre y pensó que era un hombre muy listo. Concertaría la paz con los corleoneses y quedarían empatados. En cuanto a Nello, no era más que un peón y no merecía la pena matarlo. Hasta otro día.

Tardaron una semana en arreglarlo todo. Astorre regresaría a Estados Unidos vía Londres, donde el señor Pryor lo instruiría. Bianco le dijo que Aldo Monza sería enviado directamente a Estados Unidos junto a Don Aprile y lo esperaría en Nueva York.

Astorre se pasó un año con el señor Pryor en Londres. Fue una experiencia aleccionadora.

En el estudio del señor Pryor, mientras tomaba un vaso de vino con limonada, se le explicó que se habían forjado unos planes extraordinarios para él y que su estancia en Sicilia había formado parte de un plan específico del Don para prepararlo con vistas a cierto importante papel.

Astorre preguntó al señor Pryor por Rosie. Se había pasado todos aquellos años pensando en ella, en su gracia, su ingenua alegría de vivir y su generosidad en todo, incluido el amor. La echaba de menos.

El señor Pryor enarcó las cejas.

—La mafiosa —dijo—. Ya sabía yo que no la olvidarías.

—¿Sabe usted dónde está? —preguntó Astorre.

—Por supuesto que sí —contestó el señor Pryor—. En Nueva York.

—He estado pensando en ella —dijo Astorre en tono vacilante—. La verdad es que yo estuve ausente mucho tiempo y ella era joven. Lo que ocurrió fue muy natural. Espero volver a verla.

—Por supuesto que sí —dijo el señor Pryor—. ¿Por qué no ibas a verla? Después de cenar te facilitaré toda la información que necesitas...

Aquella noche en el estudio del señor Pryor, Astorre averiguó toda la historia de Rosie. El señor Pryor le pasó unas cintas de conversaciones telefónicas de Rosie que revelaban sus citas con otros hombres en el apartamento. Las cintas permitían deducir con toda claridad que Rosie mantenía relaciones sexuales con ellos y que ellos le hacían costosos regalos y le entregaban dinero. Astorre experimentó un sobresalto al oír la voz de Rosie utilizando un tono que él creía exclusivamente para él, sus cantarinas carcajadas y sus ingeniosas bromas. Poseía un encanto especial y jamás resultaba ordinaria. Hablaba como si fuera una alumna de instituto que estuviera a punto de asistir a un baile de gala estudiantil. Su inocencia era una auténtica obra maestra de la simulación.

El señor Pryor, con la gorra muy calada sobre los ojos, estaba observando atentamente a Astorre.

—Lo hace muy bien, ¿verdad? —dijo Astorre.

—Con toda naturalidad —dijo el señor Pryor.

—¿Estas cintas se grabaron cuando yo salía con ella? —preguntó Astorre.

El señor Pryor hizo un gesto como de disculpa.

—Mi deber era protegerte. Sí.

—¿Y usted nunca me dijo nada?

—Estabas muy enamorado de ella —contestó el señor Pryor—. ¿Por qué iba a estropearte el placer? No era codiciosa y te trató bien. Yo también he sido joven y, puedes creerme, en el amor la verdad no tiene la menor importancia. A pesar de todo, es una chica maravillosa.

—Una puta de lujo —dijo Astorre casi con amargura.

—Pues no —dijo el señor Pryor—. Se las ingeniaba para vivir. Huyó de casa a los catorce años, pero era muy inteligente y quería estudiar. También aspiraba a ser feliz en la vida. Todo muy natural. Podía hacer felices a los hombres, una cualidad muy insólita. Era justo que ellos le pagaran un precio.

Astorre soltó una carcajada.

—Es usted un siciliano comprensivo. Pero anda que lo de pasarse veinticuatro horas con el cadáver de un amante...

El señor Pryor se rió de buena gana.

—Eso es precisamente lo mejor que tiene. Una auténtica mafiosa. Tiene el corazón ardiente pero la mente fría. Menuda combinación. Extraordinaria. Pero con ella siempre hay que andarse con cuidado. Una persona como ella siempre es peligrosa.

—¿Y el nitrito de amilo? —preguntó Astorre.

—De eso no tuvo la culpa —contestó el señor Pryor—. Sus relaciones con el profesor ya estaban en marcha antes de conocerte a ti, y el hombre insistía en tomar la droga. No, aquí estamos en presencia de una chica que sinceramente piensa en su propia felicidad por encima de cualquier otra cosa. Carece de inhibiciones sociales. Mi consejo es que sigas en contacto con ella. Puede que alguna vez te pueda prestar algún servicio profesional.

—Estoy de acuerdo —dijo Astorre, sorprendiéndose de no estar enojado con Rosie y de que el encanto de la chica fuera suficiente para que él la perdonara. Lo dejaría correr, le dijo al señor Pryor.

—Bueno —dijo el señor Pryor—. Cuando finalice tu año de estancia aquí, regresarás junto a Don Aprile.

—¿Y qué ocurrirá con Bianco? —preguntó Astorre.

El señor Pryor sacudió la cabeza y lanzó un suspiro.

—Bianco tiene que ceder. La *cosca* de los corleoneses es demasiado fuerte. No te perseguirán. El Don concertó la paz. La verdad es que el éxito de Bianco lo convirtió en un hombre demasiado civilizado.

Astorre siempre le había seguido la pista a Rosie. En parte por precaución, y en parte porque recordaba con cariño el gran amor de su vida. Sabía que había reanudado sus estudios, que estaba haciendo un doctorado en psicología en la Universidad de Columbia y vivía en un seguro y cercano edificio de apartamentos, donde finalmente había conseguido adquirir más profesionalidad con hombres más ricos y maduros.

Era tan lista que mantenía tres relaciones simultáneas y repartía su remuneración entre costosos regalos en dinero, joyas y vacaciones en los balnearios de los ricos, donde establecía nuevos contactos. Nadie hubiera podido calificarla de prostituta profesional pues jamás pedía nada, aunque nunca rechazaba un regalo.

Era inevitable que los hombres se enamoraran de ella, pero ella jamás aceptaba sus proposiciones de matrimonio. Les decía que eran simplemente unos amigos que se querían, que el matrimonio no estaba hecho para ella o para ellos. Casi todos los hombres aceptaban su decisión con agradecido alivio. No era una buscadora de oro, no exigía dinero y no daba la menor muestra de codicia. Sólo quería vivir a lo grande y sin preocupaciones. Pero tenía instinto de ardilla y ahorraba dinero para el mañana. Tenía cinco cuentas bancarias y dos cajas de seguridad.

Pocos meses después de la muerte del Don, Astorre decidió ver de nuevo a Rosie. Estaba seguro de que era sólo porque necesitaba su ayuda para sus planes. A fin de cuentas conocía sus secretos, y ella ya no podía volver a deslumbrarlo. Además Rosie estaba en deuda con él y él conocía su terrible secreto.

Sabía también que en cierto sentido Rosie era amoral, que su forma de ser la inducía a situar su persona y su placer en una especie de reino superior, casi como si fuera una creencia religiosa. Creía con todo su corazón que tenía derecho a ser feliz por encima de todo.

Astorre deseaba verla, sobre todo. Tal como les ocurre a muchos hombres, el paso del tiempo había suavizado las traiciones de Rosie y acrecentado sus encantos. Ahora sus pecados parecían el fruto de una juvenil despreocupación y no una prueba de su desamor. Recordaba sus pechos, cómo se teñían de manchas rosas cuando hacían el amor, su manera de ladear tímidamente la cabeza; la alegría que derrochaba a su alrededor y su apacible buen humor; sus flexibles andares con aquellas piernas que parecían zancos, y el increíble ardor de su boca sobre sus labios.

A pesar de todo ello, Astorre quiso convencerse de que aquella visita era estrictamente de negocios. Tenía un trabajo que ofrecerle.

Rosie estaba a punto de entrar en su edificio de apartamentos cuando él se le plantó delante, sonrió y le dijo:

—Hola, Rosie.

Rosie, que sostenía tres libros en la mano derecha, los dejó caer a la acera. Después se ruborizó de placer y se le iluminaron los ojos. Le arrojó los brazos al cuello y le dio un beso en la boca.

—Sabía que te volvería a ver —le dijo—. Sabía que me perdonarías.

Lo atrajo al interior del edificio y subió la escalera con él hasta su apartamento.

Allí preparó unas copas, vino para ella y brandy para él. Se sentó a su lado en el sofá. El salón estaba lujosamente amueblado y él sabía de dónde salía el dinero.

—¿Por qué has esperado tanto? —le preguntó Rosie mientras se quitaba las sortijas de los dedos, los pendientes y las tres pulseras del brazo izquierdo, todas de oro y brillantes.

—He estado ocupado —contestó Astorre—, y he tardado mucho en localizarte.

Rosie le dirigió una tierna mirada de cariño.

—¿Sigues cantando? ¿Sigues montando a caballo con aquel ridículo disfraz rojo?

Lo volvió a besar, y Astorre sintió su calor en el cerebro sin poder evitar aquella reacción.

—No —dijo—, no podemos volver atrás, Rosie.

Rosie tomó sus manos y le obligó a levantarse.

—Fue la época más feliz de mi vida —dijo.

De repente se encontraron en el dormitorio como por arte de ensalmo, y en pocos segundos se quedaron desnudos.

Rosie tomó un frasco de perfume de su mesita de noche, se pulverizó un poco y después le pulverizó unas gotas a él.

—No hay tiempo para tomar un baño —dijo entre risas.

Se metieron en la cama y Astorre contempló cómo aparecían lentamente en sus pechos las grandes manchas de color de rosa.

La experiencia tuvo para Astorre un carácter incorpóreo. Disfrutó del sexo, pero no pudo disfrutar de Rosie. En su mente apareció su imagen, montando guardia día y noche junto al cadáver del profesor. Si el hombre estaba vivo, ¿lo hubieran podido ayudar a vivir? ¿Qué había hecho Rosie, sola con la muerte y el profesor?

Tumbada boca arriba, Rosie alargó la mano para acariciarle la mejilla. Después inclinó la cabeza y dijo en un susurro:

—La antigua magia ya no funciona.

Había estado jugueteando con el medallón de su cuello, había visto la fea cicatriz morada y la había besado.

—Ha estado muy bien —dijo Astorre.

Rosie se incorporó y se volvió hacia él, con los pechos colgando por encima de su torso.

—No me puedes perdonar lo del profesor, que yo lo dejara morir y permaneciera a su lado. Es eso, ¿verdad?

Astorre no contestó. Jamás le revelaría lo que ahora sabía de ella, que siempre había sido la misma.

—Pues tú eres una persona mucho peor —dijo Rosie—. Leí lo que decían de ti los periódicos, el sobrino adoptado de Don Aprile. Y lo de tu amigo de Londres, el que me ayudó a resolver aquel desastre. Hizo un trabajo muy profesional para ser un banquero inglés, pero ya no resulta tan raro cuando sabes que emigró de Italia. No me costó mucho comprenderlo.

Se encontraban en el salón y ella estaba preparando otros tragos. Lo miró seriamente a los ojos.

—Sé lo que eres —le dijo—. Y no me importa, te lo aseguro. Somos almas afines. ¿No te parece perfecto?

Astorre se echó a reír.

—Lo que menos me interesa es encontrar un alma afín —dijo—. Pero he venido a verte por un asunto de negocios.

Rosie lo miró con semblante impasible. Su rostro había perdido todo el encanto. Empezó a colocarse de nuevo las sortijas en los dedos.

—Mi precio por un polvo rápido son quinientos dólares —dijo—. Acepto cheques.

Lo miró con picardía... era una broma. Astorre sabía que ella sólo aceptaba regalos para celebrar fiestas y cumpleaños, y eran cosas mucho más sustanciosas.

De hecho, aquel apartamento era un regalo de cumpleaños de un admirador.

—No, en serio —dijo Astorre. Entonces le contó lo de los hermanos Sturzo, le explicó lo que deseaba hacer y lo remató diciendo—: Ahora te voy a dar veinte mil dólares para gastos. Y otros cien mil cuando termines.

Rosie lo miró con semblante pensativo.

—¿Y qué ocurrirá después? —preguntó.

—Tú no tienes que preocuparte por eso —contestó Astorre.

—Comprendo —dijo Rosie—. ¿Y si digo que no...?

Astorre se encogió de hombros. No quería pensarlo.

—Nada —contestó.

—¿No me entregarás a las autoridades inglesas? —preguntó Rosie.

—Yo jamás te podría hacer una cosa así —dijo Astorre, y ella no dudó de la sinceridad de su voz.

—De acuerdo —dijo Rosie, lanzando un suspiro. Y entonces él vio que se le iluminaban los ojos y lo miraba sonriendo—. Otra aventura —añadió.

Y ahora, después de tantos años, Aldo Monza lo despertó de sus recuerdos, comprimiéndole la pierna.

—Falta media hora —dijo Aldo—. Tienes que prepararte para los hermanos Sturzo.

Astorre asomó la cabeza por la ventanilla del vehículo y percibió la frialdad de los copos de nieve en su rostro. Estaban atravesando una campiña punteada únicamente por unos grandes árboles sin hojas cuyas fulgurantes ramas se proyectaban hacia fuera como varitas mágicas. Las piedras cubiertas por sábanas de nieve luminiscente parecían estrellas rutilantes. En aquel momento Astorre sintió una fría desolación en el corazón. Después de aquella noche, su mundo cambiaría, él cambiaría, y empezaría en cierto modo su verdadera vida.

Astorre llegó a la casa franca en medio de un paisaje espectralmente blanco, donde la nieve se amontonaba en enormes ventisqueros. Dentro de la casa, los gemelos Sturzo permanecían esposados de pies y manos y el cuerpo aprisionado en el interior de una ajustada camisa que les impedía moverse. Estaban tumbados en el suelo de un dormitorio bajo la vigilancia de dos hombres armados.

Astorre los miró con simpatía.

—Es un cumplido —les dijo—. Sabemos lo peligrosos que sois.

Ambos hermanos mantenían actitudes completamente distintas. Stace parecía sereno y resignado; Franky en cambio los miraba a todos con un odio que transformaba su rostro habitualmente risueño en el de una gárgola.

Astorre se sentó en la cama.

—Creo que lo habéis adivinado, chicos —les dijo.

—Rosie fue el anzuelo —dijo Stace—. Lo hizo muy bien, ¿verdad, Frank?

—Estupendamente bien —contestó Franky, procurando controlar la voz.

—Eso es porque os apreciaba de verdad —dijo Astorre—. Sobre todo a ti, Frank. Ha sido muy duro para ella. Muy duro.

—Pues, ¿por qué lo hizo? —preguntó Franky en tono despectivo.

—Porque yo le di un montón de dinero —le contestó Astorre—. Pero un montón. Ya sabes cómo son estas cosas, Franky.

—Pues no, no lo sé —dijo Franky.

—Supongo que tuvieron que pagar un precio muy elevado para que dos tipos tan listos como vosotros aceptaran un contrato para matar al Don —dijo Astorre—. ¿Un millón? ¿Dos millones?

—Estás completamente equivocado —dijo Stace—. Nosotros no participamos en nada de todo eso. No somos tan tontos.

—Sé que vosotros fuisteis los que disparasteis —dijo Astorre—. Se dice por ahí que tenéis un par de cojones. Y yo he averiguado cosas.

Ahora lo que quiero de vosotros es el nombre del intermediario.

—Estás en un error —dijo Stace—. No puedes demostrar de ninguna manera que fuimos nosotros. Y además, ¿quién coño eres tú?

—Soy el sobrino del Don —replicó Astorre—. Soy su barrendero mayor. Y llevo casi seis meses haciendo investigaciones sobre vosotros. En el momento del tiroteo, no estabais en Los Ángeles. Tardasteis más de una semana en aparecer por allí. Y tú, Franky, dejaste de entrenar a los chicos durante dos partidos. Y tú, Stace, no apareciste por la tienda para ver qué tal iba el negocio. Ni siquiera llamaste. ¿Dónde estuvisteis?

—Yo estaba jugando en Las Vegas —contestó Franky—. Y podríamos hablar un poco mejor si nos quitaras estas esposas. No somos unos putos Houdinis.

Astorre le dirigió una comprensiva sonrisa.

—Un poco, sí. Y tú, Stace, ¿qué me dices?

—Estaba con mi chica en San Francisco —contestó Stace—. Pero ¿cómo se va uno a acordar después de tanto tiempo?

—A lo mejor tendré más suerte hablando con vosotros por separado —dijo Astorre.

Se dirigió a la cocina, donde Aldo Monza le había preparado un café. Le dijo a Monza que llevara a los dos hombres a dormitorios separados y que los mantuviera constantemente vigilados por dos guardias. Aldo trabajaba con un equipo de seis hombres.

—¿Estás seguro de que has atrapado a los que lo hicieron? —le preguntó Aldo.

—Creo que sí —contestó Astorre—. Si no lo son, mala suerte para ellos. Siento tener que pedírtelo, pero puede que tengas que ayudarme a hacerlos hablar.

—Bueno, pero no siempre hablan —dijo Monza—. Parece increíble, pero la gente es muy terca. Y estos dos tipos me parecen muy duros.

—Siento tener que recurrir a algo tan bajo —dijo Astorre.

Esperó una hora antes de subir al dormitorio donde habían llevado a Franky. Fuera estaba todo oscuro. Había caído la noche pero vio que los lentos copos de nieve reflejaban la luz de la lámpara. Encontró a Franky totalmente inmovilizado en el suelo.

—Es muy sencillo —le dijo—. Danos el nombre del intermediario y saldrás vivo de aquí.

Franky lo miró con odio.

—¡Yo jamás te diré nada, cabrón de la mierda! Te has equivocado de tíos. Y recordaré tu cara y la de Rosie.

—Eso es lo peor que podías decir —le dijo Astorre.

—¿Tú también te la follabas? —preguntó Franky—. ¿Eres su chulo?

Astorre comprendió que Franky jamás le perdonaría a Rosie su traición. Qué respuesta tan frívola para una situación tan seria.

—Creo que te estás comportando como un estúpido —dijo Astorre—. Y eso que vosotros dos tenéis fama de ser muy listos.

—Me importa una mierda lo que tú creas —dijo Franky—. No puedes hacer nada sin una prueba.

—¿De veras? O sea que estoy perdiendo el tiempo contigo —dijo Astorre—. Voy a hablar con Stace.

Pero antes de ir a verlo, bajó a la cocina a tomarse otro café. Le extrañó que Franky pudiera mostrarse tan seguro y hablar con tanto descaro a pesar de las esposas. Bueno, tendría que hacerlo mejor con Stace. Encontró al hombre incómodamente atado en la cama.

—Quitadle la camisa —dijo Astorre—. Pero comprobad que tenga bien ajustados los grilletes y las esposas.

—Ya sé lo que ocurre —le dijo Stace tranquilamente—. Sabes que tenemos mucho dinero guardado. Puedo tomar disposiciones para que lo recojas y se acabe de una vez toda esta bobada.

—Acabo de hablar con Franky —dijo Astorre—. Me ha decepcionado. Tú y tu hermano tenéis fama de ser muy listos. Y ahora tú me hablas de dinero, sabiendo que todo eso es porque liquidasteis al Don.

—Estás equivocado —dijo Stace.

—Sé que tú no estuviste en Tahoe —repuso Astorre amablemente— y que Franky no estuvo en Las Vegas. Sois dos colaboradores libres que tuvisteis los cojones de aceptar el encargo. Los que dispararon eran zurdos, como tú y Franky. O sea que lo único que yo quiero saber es quién fue vuestro intermediario.

—¿Y por qué te lo iba a decir? —replicó Stace—. Sé que la historia ha terminado. Vosotros no vais enmascarados y habéis revelado el verdadero papel de Rosie, por consiguiente no nos permitirás salir vivos de aquí. Por muchas cosas que nos prometas.

—No quiero engañarte —dijo Astorre, lanzando un suspiro—. Más o menos es eso. Pero tenéis una cosa que podéis negociar. A las buenas o a las malas. Tengo aquí conmigo a un hombre muy cualificado y lo voy a poner a trabajar con Franky.

Mientras lo decía, Astorre experimentó una sensación de náusea en el estómago. Recordaba el trabajo que le había hecho Aldo Monza a Fissolini.

—Pierdes el tiempo —dijo Stace—. Franky no hablará.

—Puede que no —dijo Astorre—. Pero será despedazado trocito a trocito y cada trocito te será presentado para que lo veas. Supongo que entonces tú hablarás para salvarlo de eso. Pero ¿por qué echar a andar por este camino? Y además, ¿por qué quieres proteger al intermediario, Stace? Él hubiera tenido que protegerte a ti, y no lo hizo.

Stace no contestó.

—¿Por qué no dejas libre a Franky? —preguntó tras una pausa.

—Tú sabes muy bien que no lo haré —dijo Astorre.

—¿Y cómo sabes que no te mentiré? —preguntó Stace.

—¿Por qué ibas a hacerlo? —dijo Astorre—. ¿Qué ganas con eso? Tú puedes impedir que Franky pase por una terrible situación. Tienes que comprenderlo con toda claridad.

—Fuimos unos simples tiradores que hicimos un trabajo. El que tú quieres está mucho más arriba. ¿Por qué no nos sueltas sin más?

Astorre tenía mucha paciencia.

—Stace, tú y tu hermano aceptasteis el encargo de matar a un gran hombre. Un precio muy alto y un orgullo, vamos. Eso os levantó mucho la moral. Hicisteis una apuesta y la perdisteis, y ahora tenéis que pagarlo, de lo contrario todo el mundo se vendría abajo. Tiene que ser así. Ahora, lo único que podéis hacer es elegir si a las buenas o a las malas. Dentro de una hora podrías estar contemplando un buen trozo de Franky sobre esta mesa. No quiero hacerlo, te lo aseguro, puedes creerme.

—¿Y cómo puedo yo saber que todo eso no es un cuento? —preguntó Stace.

—Piénsalo, Stace —dijo Astorre—. Piensa en la trampa que te tendí con Rosie. Fue cosa de mucho tiempo y paciencia. Piénsalo, te traje a este lugar y tengo siete hombres armados. Muchos gastos y muchas molestias. Y justo la víspera de Navidad. Soy un tipo muy serio, Stace, tú mismo lo puedes ver. Te concederé una hora para que lo pienses. Si hablas, te prometo que Franky ni siquiera se enterará de lo que pasa.

Astorre bajó de nuevo a la cocina. Monza lo estaba esperando.

—¿Y? —preguntó Monza.

—No sé —dijo Astorre—. Pero mañana tengo que asistir a la comida de Navidad en casa de Nicole, o sea que tenemos que terminar esta noche.

—No me llevará más de una hora. O hablará o morirá.

Astorre descansó un poco junto a la chimenea encendida y después subió de nuevo arriba para ver a Stace. El hombre parecía cansado y resignado. Lo había pensado. Sabía que Franky jamás hablaría. Franky pensaba que aún les quedaban esperanzas. Stace creía que Astorre había puesto todas las cartas sobre la mesa. Y ahora Stace comprendió los temores de todos los hombres a los que había matado, sus últimas y vanas esperanzas en un destino que los salvara, en contra de todas las probabilidades. Y él no quería que Franky muriera de aquella manera, trozo a trozo. Estudió el rostro de Astorre. Era duro e implacable, a pesar de su juventud. Tenía toda la seriedad de un alto magistrado.

La fuerte nevada estaba cubriendo los cristales de la ventana como si fuera un blanco manto de piel. En su habitación, Franky soñaba despierto en estar en Europa con Rosie, donde la nieve cubriría los bulevares de París y caería a los canales de Venecia. La nieve era una magia. Roma era una magia.

Stace permanecía tumbado en su cama, pensando en Franky. Habían jugado y habían perdido. Y aquél era el final de la historia. Pero él podía ayudar a Franky a pensar que sólo estaban perdiendo por veinte puntos.

—Muy bien —dijo Stace—. Pero cuida de que Franky no se entere de lo que ocurre, ¿de acuerdo?

—Te lo prometo —dijo Astorre—. Pero me daré cuenta si no dices la verdad.

—No —dijo Stace—. ¿Para qué? El intermediario es un hombre llamado Heskow, que vive en Brightwaters, justo pasado Babylon. Está divorciado, vive solo y tiene un fabuloso hijo de dieciséis años que juega al baloncesto de maravilla. Pero el chico vive con su madre. Heskow nos ha contratado para varios trabajos a lo largo de los años. Al principio nos echamos atrás, como cuando éramos pequeños. El precio era de un millón, pero Franky y yo éramos un poco reacios a aceptarlo. Un trabajo demasiado peligroso. Lo aceptamos porque él nos dijo que no tendríamos que preocuparnos por el FBI ni por la policía local. Que todos habían sido sobornados. Nos dijo también que el Don ya no tenía conexiones importantes. Pero está claro que en eso se equivocaba. Ahí tienes. Era un precio demasiado alto como para rechazarlo.

—Eso es facilitarle mucha información a un tío que, a tu juicio, es una mierda —dijo Astorre.

—Quiero convencerte de que digo la verdad —dijo Stace—. Lo he pensado. La historia ha terminado. No quiero que Franky lo sepa.

—No te preocupes —dijo Astorre—. Te creo.

Abandonó la estancia y bajó a la cocina para dar instrucciones a Monza. Quería la documentación de los hermanos, sus matrículas, tarjetas de crédito, etc. Quería cumplir la palabra que le había dado a Stace. Franky debería recibir un disparo en la cabeza sin previa advertencia. Y Stace también tendría que ser ejecutado sin dolor. Después se fue para regresar a Nueva York. La tormenta se había convertido en una lluvia que estaba eliminando la nieve que cubría la campiña.

Monza raras veces incumplía una orden, pero en su calidad de verdugo pensaba que tenía derecho a protegerse a sí mismo y a sus hombres. No habría armas. Utilizaría una cuerda.

Primero tomó cuatro hombres para que lo ayudaran a estrangular a Stace. Éste ni siquiera intentó oponer resistencia. Pero Franky fue distinto. Franky se pasó veinte minutos tratando de librarse de la cuerda. Durante unos terribles veinte minutos Franky Sturzo comprendió que lo estaban asesinando.

Después envolvieron los dos cuerpos con unas mantas y los transportaron a través de los claros del bosque bajo la nieve que estaba empezando a caer de nuevo. Los depositaron en el bosque que había detrás de la casa. Un agujero entre unos densos matorrales fue el escondrijo. No los descubrirían hasta la primavera, si es que los descubrían. Para entonces estarían tan destrozados por la naturaleza que Aldo Monza confiaba en que no se pudiera establecer la causa de la muerte.

Pero no fue sólo por esta razón práctica por lo que Aldo Monza desobedeció a su jefe. Lo mismo que el Don, él creía con todas sus fuerzas que la clemencia sólo podía proceder de Dios. Despreciaba la idea de la compasión hacia unos hombres que cobraban por asesinar a otros hombres. Era una presunción pensar que un hombre pudiera perdonar a otro. Eso correspondía a Cristo. El hecho de que los hombres se atribuyeran semejante prerrogativa era una muestra de orgullo y una falta de respeto. No deseaba semejante compasión ni siquiera para sí mismo.

9

Kurt Cilke creía en la ley, todo ese conjunto de reglas que el hombre se ha inventado para vivir en paz. Siempre había tratado de evitar los compromisos que socavan los cimientos de una sociedad imparcial y luchaba sin clemencia contra los enemigos del Estado. Pero al cabo de veinte años de lucha, había perdido buena parte de su fe.

Sólo su mujer Georgette estaba a la altura de sus expectativas. Los políticos eran unos embusteros, los ricos eran despiadados en su afán de poder, los pobres eran malos. Y después estaban los estafadores natos, los timadores, los bárbaros y los asesinos. Los representantes de la ley sólo eran ligeramente mejores, pero él creía con todo su corazón que el FBI era el mejor de todos.

En el último año había tenido el mismo sueño: él era un niño de doce años y tenía que someterse en la escuela a un importante examen que duraría todo el día. Al salir de casa, su madre lo despedía con lágrimas en los ojos y él sabía por qué. Si no aprobaba el examen, jamás volvería a verla.

En el sueño sabía que el asesinato estaba tan a la orden del día que se habían elaborado unas leyes con la ayuda de los psiquiatras al objeto de que se pudieran llevar a cabo toda una serie de pruebas de salud mental que permitieran adivinar qué niños de doce años se convertirían en asesinos de mayores. Los que no superaban el examen desaparecían sin más. Pues la ciencia médica había demostrado (en su sueño) que los asesinos mataban por puro placer de matar. Que los crímenes políticos, la rebelión, el terrorismo, los celos, los robos no eran más que pretextos superficiales. Por consiguiente, lo único que hacía falta era arrancar la mala hierba de aquellos asesinos genéticos a muy temprana edad.

El sueño pasaba de golpe a su regreso a casa después del examen, cuando su madre lo besaba y abrazaba. Sus tíos y primos habían preparado una gran cena para celebrarlo. Después se quedaba solo en su dormitorio, temblando de miedo, pues sabía que se había producido un error. No hubiera tenido que superar el examen y ahora, cuando creciera, se convertiría en un asesino.

El sueño se había repetido un par de veces y él no se lo había querido contar a su mujer porque conocía su significado, o creía conocerlo.

El comienzo de sus relaciones con Timmona Portella se remontaba a seis años atrás, cuando Portella había matado a un subordinado en un acceso de furia. Cilke vio inmediatamente las posibilidades que aquello le ofrecería. Tomó las disposiciones necesarias para que Portella se convirtiera en su confidente sobre asuntos de la Mafia a cambio de no ser acusado ni juzgado por asesinato. El director aprobó el plan, y el resto ya era historia. Con la ayuda de Portella, Cilke aniquiló la Mafia de Nueva York, pero tuvo que hacer la vista gorda a las actividades de Portella, incluida la supervisión del narcotráfico.

Sin embargo, con la aprobación del director, Cilke había elaborado un plan para volver a atrapar a Portella. Éste pretendía apoderarse del control de los bancos Aprile para blanquear el dinero procedente del narcotráfico. Pero Don Aprile oponía una férrea resistencia. En el transcurso de una fatídica reunión, Portella le preguntó a Cilke:

—¿Montará el FBI una operación de vigilancia cuando Don Aprile asista a la ceremonia de la confirmación de su nieto?

Cilke lo comprendió de inmediato, pero dudó un poco antes de responder. Después contestó muy despacio:

—Le garantizo que no. Pero ¿y el Departamento de Policía de Nueva York?

—Eso ya está resuelto —respondió Portella.

Cilke sabía que sería cómplice de un asesinato. Pero ¿acaso el Don no se lo tenía merecido? A lo largo de casi toda su vida había sido un despiadado criminal. Se había retirado con una enorme fortuna sin que la ley jamás lo hubiera podido atrapar. Y habría otro beneficio. En cuanto adquiriera los bancos Aprile, Portella caería directamente en su trampa. Como es natural, quedaría Inzio en segundo plano, con sus sueños de creación de un arsenal nuclear. Cilke sabía que, con un poco de suerte, lo podría resolver todo y entonces el Estado, echando mano de las leyes RICO, podría hacerse con los diez mil millones de dólares en que estaban valorados los bancos Aprile, pues no cabía duda de que los herederos del Don venderían los bancos y cerrarían un trato con los emisarios secretos de Portella. Y los diez u once mil millones de dólares serían un arma poderosísima en la lucha contra el crimen.

Pero Georgette lo despreciaría; por tanto, jamás debería saberlo. A fin de cuentas, ella vivía en otro mundo.

Sin embargo, ahora tenía que volver a reunirse con Portella. Tenía que resolver la cuestión de la carnicería que habían cometido con sus pastores alemanes y de la persona que estaba detrás de ella. Empezaría con Portella.

Timmona Portella era una rareza entre los hombres italianos que triunfaban en la vida: a los cincuenta años aún estaba soltero. Pero eso no significaba que observara la continencia sexual. Buena parte de las noches de los viernes la pasaba con una bella mujer facilitada por uno de los negocios de prostitución controlados por sus subordinados. Las instrucciones eran que la chica fuera joven, que no llevara mucho tiempo en el negocio y que fuera guapa y de rasgos delicados. Agradable y divertida, pero no descarada. Y que no le propusiera hacer ninguna cosa rara. Timmona era muy conservador en cuestión de gustos sexuales. Tenía sus pequeños caprichos, pero eran inofensivos y más bien propios de un anciano y bondadoso tío. Uno de ellos era que las chicas siempre tuvieran un sencillo nombre anglosajón, como Jane o Susan, o Tiffany como mucho, o incluso Merle. Raras veces repetía con la misma.

Aquellas sesiones nocturnas de los viernes siempre tenían lugar en toda una serie de habitaciones de un hotel relativamente pequeño del East Side de Nueva York, también perteneciente a una de sus empresas. Se trataba de dos suites comunicadas entre sí, una de las cuales disponía de una cocina perfectamente equipada, pues Timmona Portella era un hábil *chef* especializado curiosamente en cocina del norte de Italia, pese a que sus padres habían nacido en Sicilia. Y le encantaba cocinar.

Aquella noche la chica fue acompañada a su suite por el propietario del negocio de prostitución, el cual se quedó un momento a tomar una copa y después se retiró. Entonces Portella empezó a preparar la cena para la chica mientras ambos conversaban y hacían amistad. La chica se llamaba Janet. Portella era un rápido y eficiente cocinero. Su especialidad era una salsa hecha con queso de gruyere, unas pequeñas berenjenas, ternera a la milanesa y una ensalada de hortalizas y tomates. El postre consistió en pastas surtidas de una famosa pastelería francesa del barrio.

Portella sirvió a Janet con una finura y elegancia totalmente en desacuerdo con su aspecto físico, pues era un hombre muy corpulento y velludo, con una cabeza muy grande y una piel muy áspera, aunque a pesar de su tosco aspecto siempre comía con camisa y corbata y sin quitarse la chaqueta. Durante la cena le hizo varias preguntas a Janet acerca de su vida, utilizando un tono sorprendentemente suave en un hombre tan brutal. Le encantó oír el relato de sus desgracias, de cómo había sido traicionada por su padre, sus hermanos y los hombres poderosos que la habían empujado a una vida de pecado en medio de apuros económicos y embarazos no deseados para poder ayudar a su pobre familia sin recursos. Portella se sorprendía de que hubiera tantos hombres miserables y de que él fuera tan bondadoso con las mujeres, pues siempre se mostraba extremadamente generoso con ellas y no se limitaba simplemente a entregarles elevadas sumas de dinero.

Después de la cena llevó el vino al salón y le mostró a Janet seis estuches de joyas: un reloj de oro, una sortija de rubíes, unos pendientes de brillantes, un collar de jade, una pulsera con piedras preciosas y un fabuloso collar de perlas. Le dijo que eligiera uno como regalo. Todos valían varios miles de dólares (cada nueva chica se los hacía valorar).

Años atrás, uno de sus hombres había atracado una furgoneta que transportaba joyas, y en lugar de venderlas las había guardado. En realidad, las joyas no le costaban nada.

Mientras Janet lo pensaba y elegía finalmente el reloj, Portella le preparó un baño, comprobó cuidadosamente la temperatura del agua y puso a su disposición sus perfumes y polvos preferidos. Sólo cuando ella se hubo relajado, ambos se retiraron a la cama y mantuvieron unas relaciones sexuales tan normales como las de una pareja felizmente casada.

A veces, cuando Portella estaba especialmente animado, cabía la posibilidad de que la chica se quedara hasta las cuatro o las cinco de la madrugada, pero él nunca se quedaba dormido mientras las chicas estaban en la suite. Aquella noche despidió a Janet muy temprano.

Y lo hacía por su salud. Sabía que su terrible mal genio podía causarle problemas, y aquellas sesiones sexuales semanales lo calmaban. Las mujeres en general ejercían en él un efecto tranquilizante, y él demostraba su teoría acudiendo cada sábado a su médico y comprobando con satisfacción que su tensión arterial se había normalizado. Cuando se lo dijo al médico, éste se limitó a comentar:

—Muy interesante.

Y Timmona sufrió una decepción.

Había otra ventaja. Los guardaespaldas de Timmona estaban agrupados en la parte anterior de la suite. Pero la puerta de atrás daba acceso a la otra suite cuya entrada se abría a otro pasillo, y era allí donde Portella celebraba ciertas reuniones de las que no quería que sus más estrechos colaboradores tuvieran conocimiento, pues es muy peligroso que un jefe de la Mafia se reúna en privado con un agente especial del FBI. Alguien hubiera podido sospechar que era un confidente, y el Bureau hubiera podido sospechar a su vez que Cilke aceptaba sobornos.

Era Portella quien le facilitaba los números telefónicos que deberían ser pinchados, los nombres de los más débiles, que se vendrían abajo en cuanto se vieran sometidos a presión, y las claves de ciertos asesinatos del sector del fraude organizado. Él le había explicado cómo actuaban algunas organizaciones de aquel sector. Y también era Portella el que a veces hacía ciertos trabajos sucios que el FBI no hubiera podido hacer legalmente.

A lo largo de los años, ambos se habían inventado una clave para organizar sus reuniones. Cilke disponía de la llave de la puerta de la suite del otro pasillo para poder entrar sin que lo vieran los guardaespaldas de Portella, y podía esperar en la suite más pequeña. Portella se deshacía de la chica y entonces ambos se reunían. Aquella noche, Portella estaba esperando a Cilke.

Cilke siempre se ponía un poco nervioso en aquellas reuniones. Sabía que ni siquiera Portella se atrevería a causar daño a un agente del FBI, pero aquel hombre tenía un mal genio que lindaba con la locura. Cilke iba armado, pero para proteger la identidad de su confidente no podía ir acompañado de guardaespaldas.

Portella sostenía una copa de vino en la mano.

—¿Qué coño pasa ahora? —fueron sus palabras de saludo.

Pero sonreía jovialmente y le dio a Cilke un medio abrazo. Portella ocultaba su prominente barriga bajo la elegante bata china que llevaba por encima del pijama blanco.

Cilke rechazó la copa, se sentó en el sofá y le explicó serenamente a Portella:

—Ayer cuando regresé a casa del trabajo, me encontré a mis dos perros con los corazones arrancados. He pensado que usted quizá me podría facilitar una pista.

Estudió detenidamente a Portella.

El asombro de éste le pareció sincero. Portella estaba acomodado delante de él en un sillón y pareció que pegaba un brinco en su asiento, como si hubiera sufrido una descarga eléctrica. Su rostro se llenó de furia. Cilke no se impresionó; sabía por experiencia que los culpables podían reaccionar con la mayor inocencia.

—Si está usted intentando hacerme alguna advertencia sobre algo —le dijo—, ¿por qué no me lo dice directamente?

Al oír sus palabras, Timmona le contestó casi con lágrimas en los ojos:

—Kurt, usted viene aquí armado, he notado el revólver. Yo voy desarmado. Usted podría matarme y afirmar que yo opuse resistencia a la detención. Confío en usted. He depositado más de un millón de dólares en su cuenta de las islas Caimán. Somos socios. ¿Por qué iba yo a cometer un acto siciliano tan antiguo? Alguien está tratando de dividirnos. Tiene que comprenderlo.

—¿Quién? —preguntó Cilke.

Portella adoptó un semblante pensativo.

—Sólo puede ser el joven Astorre. Se le han subido los humos a la cabeza porque una vez se me escapó. Investíguenos a él y a mí mientras yo hago un contrato contra él.

Al final, Cilke se convenció.

—De acuerdo —dijo—, pero creo que tenemos que andarnos con mucho cuidado. No subestime a ese chico.

—No se preocupe —dijo Portella—. Por cierto, ¿ya ha cenado? Tengo aquí un poco de ternera y unos espaguetis, una ensalada y un vino muy bueno. Vamos, coma conmigo.

Cilke soltó una carcajada.

—Le creo. Pero no tengo tiempo para quedarme a cenar.

Lo cierto era que no quería compartir el pan con un hombre al que en un cercano futuro tendría que enviar a la cárcel.

Ahora Astorre ya disponía de suficiente información para elaborar un plan de batalla. Estaba seguro de que el FBI había participado en la muerte del Don. Y de que Cilke había sido el encargado de la operación. Ahora ya sabía quién había sido el intermediario, John Heskow. Y sabía que Timmona Portella había ordenado aquel contrato. No obstante, había ciertos misterios incomprensibles. El embajador, a través de su prima Nicole, había ofrecido comprar los bancos por cuenta de unos inversores extranjeros. Cilke le había propuesto traicionar a Portella y colocarlo en una situación delictiva. Se trataba de unas inquietantes y peligrosas variaciones. Decidió consultar con Craxxi en Chicago y llevar consigo al señor Pryor.

Ya le había pedido al señor Pryor que se trasladara a Estados Unidos para ponerse al frente de los bancos Aprile. El señor Pryor había aceptado el ofrecimiento y era curiosa la rapidez con que se había transformado de caballero inglés en agresivo ejecutivo norteamericano. Se tocaba con un sombrero flexible en lugar de un bombín, se había desprendido del paraguas plegable, llevaba siempre un periódico doblado bajo el brazo y había llegado con su mujer y dos sobrinos. Su mujer había abandonado su estilo de matrona inglesa y lucía modelos más elegantes y modernos. Sus dos sobrinos eran sicilianos, pero hablaban el inglés a la perfección y eran unos expertos contables. Ambos eran muy aficionados a la caza y guardaban sus atuendos de caza en el portamaletas de la limusina. Uno de ellos se sentaba al volante. En realidad, los dos sobrinos eran los guardaespaldas del señor Pryor.

Los Pryor se instalaron en una residencia urbana del Upper East Side protegida por patrullas de seguridad de una agencia privada. Nicole, que se había opuesto al nombramiento, congenió enseguida con el señor Pryor, sobre todo al decirle éste que estaban emparentados, pues eran primos lejanos. No cabía duda de que el señor Pryor ejercía un cierto encanto paternal en las mujeres; hasta Rosie lo adoraba. Y tampoco cabía duda de que sabría dirigir muy bien los bancos. Hasta Nicole se quedó impresionada por sus profundos conocimientos sobre la banca internacional. Gracias a un simple cambio de divisas había conseguido incrementar los márgenes de beneficios. Y Astorre sabía que el señor Pryor era íntimo amigo de Don Aprile. Él había convencido al Don de que adquiriera los bancos y de que éstos tuvieran consejos de administración coincidentes con los de los bancos dirigidos por él en Inglaterra e Italia. El señor Pryor le había descrito a Astorre la relación.

—Le dije a tu tío —le explicó— que en los bancos se puede adquirir más riqueza con menos riesgo que en los negocios que él tenía. Aquellos negocios ya han quedado anticuados. El Gobierno es muy fuerte y se fija demasiado en nuestra gente. Ya era hora de dejarlos. Los bancos son el mejor medio para ganar dinero si uno tiene experiencia y dispone de personal y contactos políticos. No es que quiera presumir, pero con dinero cuento con la benevolencia de los políticos italianos. Todo el mundo se hace rico y nadie sufre el menor daño ni acaba en la cárcel. Yo podría ser un profesor universitario en eso de enseñar a la gente a hacerse rica sin quebrantar la ley ni recurrir a la violencia. Basta que tengas la precaución de conseguir que se aprueben las leyes que más te convienen. A fin de cuentas, la educación es la clave para alcanzar una civilización superior.

El señor Pryor hablaba medio en broma, medio en serio. Astorre había establecido con él una afinidad que no sabía definir. Y confiaba ciegamente en él. Don Craxxi y el señor Pryor eran hombres de quienes él se podía fiar. Y no sólo por amistad, pues ambos habían ganado una fortuna gracias a los diez bancos del Don.

Cuando llegó con el señor Pryor a la casa de Don Craxxi en Chicago, Astorre se llevó una gran sorpresa al ver que Pryor y Craxxi se fundían en un cordial abrazo. Estaba claro que ambos se conocían. Craxxi les tenía preparada una comida a base de fruta y queso, y aprovechó para conversar con Pryor mientras comía. Astorre los escuchó con curiosidad, pues le encantaba escuchar las historias que contaban los viejos. Craxxi y Pryor se mostraron de acuerdo en que los antiguos medios de hacer dinero estaban plagados de peligros.

—Todo el mundo tenía la tensión elevada, todo el mundo tenía problemas cardíacos —dijo Craxxi—. Era una manera de vivir espantosa. Y los nuevos elementos no tienen sentido del honor. Es bueno que los vayan eliminando.

—Ah, pero todos teníamos que empezar de la manera que fuera —dijo el señor Pryor—. Si vieran ahora adónde hemos llegado...

Toda aquella conversación hizo que Astorre dudara de la conveniencia de plantear el asunto que tenía entre manos. ¿Qué demonios creían aquel par de carrozas que estaban haciendo ahora?

El señor Pryor se rió al ver la cara de Astorre.

—No te preocupes, todavía no somos unos santos. Y esta situación constituye un desafío para nuestros intereses. Dinos por tanto qué necesitas. Estamos dispuestos a actuar.

—Necesito su consejo —contestó Astorre—. No pretendo que hagan nada, eso corre de mi cuenta.

—Si es sólo por venganza —dijo Don Craxxi—, te aconsejaría que volvieras a tus canciones.

Pero supongo y espero que tú también lo creas así, que se trata de proteger a tu familia del peligro.

—Las dos cosas —dijo Astorre—. Cualquiera de los dos motivos sería suficiente. Pero mi tío hizo que me adiestraran con vistas precisamente a una situación como la presente. Y no le puedo fallar.

—Bien —dijo el señor Pryor—. Pero ten en cuenta una cosa. Lo que estás haciendo es fruto de tu manera de ser. Ten cuidado con los riesgos que corres. No te dejes arrastrar.

—¿En qué puedo ayudarte? —preguntó amablemente Don Craxxi.

—Tuvo usted razón sobre los hermanos Sturzo —dijo Astorre—. Confesaron ser autores de la acción y me dijeron que el intermediario era John Heskow, un hombre del que yo jamás había oído hablar. Por consiguiente, ahora tengo que ir a por él.

—¿Y los hermanos Sturzo? —preguntó Craxxi.

—Ya han desaparecido de la escena —contestó Astorre.

Los dos viejos guardaron silencio.

—Heskow —dijo Craxxi—, sé quién es. Lleva veinte años actuando como intermediario. Corren tremendos rumores de que fue el intermediario de ciertos asesinatos políticos. Yo no lo creo, pero te aseguro que cualquier táctica que hayas empleado para hacer hablar a los hermanos Sturzo no te dará resultado con Heskow. Es un gran negociador y comprenderá que tiene que concertar un trato para escapar de la muerte. Comprenderá que necesitas una información que sólo él te puede facilitar.

—Tiene un hijo al que adora —dijo Astorre—. Juega al baloncesto y es toda su vida.

—Eso es una carta muy vieja y él tendrá preparado un triunfo. Se reservará una información esencial, y te facilitará otra que no lo es. Tienes que comprender a Heskow. Se ha pasado la vida negociando para evitar la muerte. Busca otro planteamiento.

—Hay muchas cosas que quiero saber antes de seguir adelante —dijo Astorre—. ¿Quién estuvo detrás del asesinato y, sobre todo, por qué? Pienso lo siguiente. Tiene que ser por los bancos. Alguien necesita los bancos.

—Puede que Heskow sepa algo de eso —dijo Craxxi.

—Me preocupa que no hubiera agentes de la policía ni vigilancia del FBI durante la ceremonia de la confirmación en la catedral —dijo Astorre—. Los hermanos Sturzo me dijeron que les habían garantizado que no habría vigilancia. ¿Voy a creerme que la policía y el FBI no tenían conocimiento previo de aquella acción? ¿Es posible?

—Lo es —contestó Don Craxxi—. Y en tal caso tienes que ir con pies de plomo. Especialmente con Heskow.

—Astorre —dijo fríamente el señor Pryor—, tu principal objetivo es salvar los bancos y proteger a los hijos de Don Aprile. La venganza es un objetivo secundario que se puede desechar.

—No sé —dijo Astorre en tono evasivo—, tendré que pensarlo. —Miró a los dos hombres con una sincera sonrisa en los labios—. Pero ya veremos qué tal resulta eso.

Los viejos no le creyeron ni por un instante. A lo largo de su vida habían conocido y tratado a muchos jóvenes como Astorre. Éste les parecía una encarnación de los grandes jefes de la Mafia de los primeros tiempos, unos hombres en los que ellos no habían podido convertirse porque les faltaba el carisma y la fuerza de voluntad que sólo tenían los grandes, los hombres de respeto que dominaban las provincias, desafiaban las reglas del Estado y salían triunfantes. Veían en Astorre la misma voluntad, el encanto y una determinación de la que ni él era consciente. Ni siquiera sus tonterías, sus canciones y su afición a los caballos resultaban perjudiciales para su destino. Eran simples placeres juveniles y una muestra de su buen corazón.

Astorre les habló del cónsul general Marriano Rubio y de Inzio Tulippa, el que estaba empeñado en comprar los bancos. Y también de Cilke, que intentaba utilizarlo para atrapar a Portella. Los dos hombres lo escucharon con atención.

—Envíamelos a mí la próxima vez —dijo el señor Pryor—. Por lo que yo sé, Rubio es el gestor económico del mundo del narcotráfico.

—No pienso vender —dijo Astorre—. El Don me dio instrucciones.

—Por supuesto que no —dijo Craxxi—. Representan el futuro y pueden ser tu protección. —Tras una pausa, añadió—: Deja que te cuente una pequeña historia. Antes de retirarme, yo tenía un socio, un hombre de negocios muy serio, un auténtico modelo para la sociedad. Un día me invitó a almorzar en el comedor privado de su edificio comercial. Después del almuerzo, me acompañó en un recorrido por todas sus oficinas, unas inmensas salas llenas de miles de compartimientos de ordenadores manejados por un montón de jóvenes de ambos sexos.

»"Esta sala —me dijo— me permite ganar mil millones de dólares al año. En este país viven casi trescientos millones de personas y nosotros estamos entregados a la tarea de hacerles comprar nuestros productos. Organizamos loterías especiales, premios y bonificaciones especiales, hacemos extravagantes promesas, todo legalmente encaminado a que se gasten su dinero en beneficio de nuestras empresas. ¿Y sabe qué es lo más importante? Necesitamos bancos que faciliten crédito a estos trescientos millones de personas para que se gasten el dinero que no tienen. Los bancos son la clave, necesitas tener a los bancos de tu parte."

—Es cierto —dijo el señor Pryor—. Y ambas partes se benefician de ello. Aunque los tipos de interés sean altos, las deudas estimulan a la gente y la inducen a esforzarse más.

Astorre soltó una carcajada.

—Me alegro de que conservar los bancos sea una muestra de inteligencia. Pero no importa. El Don me dijo que no vendiera. Y eso me basta. Sin embargo, lo que sí significa algo es el hecho de que lo mataran.

—No puedes causarle daño a Cilke —dijo severamente Craxxi—. El Estado es ahora tan fuerte que no aceptaría esta acción tan definitiva contra su estructura. Pero estoy de acuerdo en que ese hombre supone un cierto peligro. Tienes que actuar con inteligencia.

—Tu fase más inmediata es Heskow —dijo Pryor—. Es un hombre esencial, pero te repito que tengas cuidado. Recuerda que puedes pedir ayuda a Don Craxxi y que yo dispongo de recursos. No nos hemos retirado del todo. Y tenemos intereses en los bancos... por no hablar de nuestro afecto por Don Aprile, que en paz descanse.

—De acuerdo —dijo Astorre—. Cuando haya visto a Heskow volveremos a reunirnos.

Astorre era plenamente consciente de la peligrosa situación en que se encontraba. Sabía que sus éxitos habían sido más bien escasos, a pesar del castigo que había infligido a los que habían disparado. Sólo de un hilo se podía tirar en el ovillo del misterioso asesinato de

Don Aprile. Sin embargo, confiaba en la infalible paranoia que le habían inculcado en sus años de aprendizaje de las interminables traiciones de Sicilia. Ahora tenía que andarse con mucho ojo. Heskow parecía un blanco muy fácil, pero cabía la posibilidad de que le hicieran la zancadilla a él.

Una cosa lo sorprendía. Antes se creía feliz en su vida de pequeño hombre de negocios y de cantante aficionado, pero ahora experimentaba un júbilo desconocido. La sensación de haber regresado al mundo al que realmente pertenecía. Y tenía una misión que cumplir. Proteger a los hijos de Don Aprile y vengar la muerte de un hombre al que había amado. Tendría que resquebrajar la voluntad del enemigo. Aldo Monza había mandado llamar a diez expertos hombres de su aldea de Sicilia. Siguiendo las instrucciones de Astorre, había asegurado con carácter vitalicio la subsistencia de las familias de los diez hombres, con independencia de lo que les pudiera ocurrir.

«No cuentes con la gratitud por actos que hayas realizado en favor de la gente en el pasado —recordaba que le había dicho el Don—. Tienes que procurar que la gente te esté agradecida por las cosas que hagas por ellas en el futuro.» Los bancos eran el futuro de la familia Aprile, de Astorre y de su cada vez más numeroso ejército de hombres. Era un futuro por el que merecía la pena luchar al precio que fuera.

Don Craxxi le había facilitado otros seis hombres, de cuya lealtad respondía. Y Astorre había convertido su casa en una fortaleza gracias la presencia de aquellos hombres y a los más modernos dispositivos de seguridad. Disponía además de una casa franca donde ocultarse, en caso de que las autoridades quisieran atraparlo por el motivo que fuera.

No utilizaba guardaespaldas personales. Confiaba en su propia rapidez y, en su lugar, utilizaba a sus hombres como exploradores de los caminos que él tenía que recorrer.

De momento a Heskow lo dejaría en paz. Pensó en la fama de honradez de Cilke, tal y como el propio Don Aprile se la había descrito.

«Hay hombres honrados que se pasan toda la vida preparando un supremo acto de traición», recordó que Pryor le había dicho. Pero a pesar de todo ello se sentía seguro. Lo único que tendría que hacer sería permanecer vivo mientras las piezas del rompecabezas fueran encajando poco a poco.

Sin embargo, la verdadera prueba procedería de hombres como Portella, Tulippa y Cilke. Tendría que mancharse personalmente las manos de sangre una vez más.

Astorre tardó un mes en encontrar el medio de manejar a John Heskow. El hombre debía de ser tremendo, tramposo y fácil de matar, pero lo difícil sería arrancarle información. Utilizar a su hijo para hacer presión sería demasiado peligroso, pues obligaría a Heskow a intrigar contra él, fingiendo colaborar. Decidió no decirle a Heskow que los hermanos Sturzo le habían revelado que él era el conductor del vehículo desde el que se había llevado a cabo la acción. Puede que eso lo asustara demasiado.

Entretanto reunió toda la información necesaria sobre las costumbres cotidianas de Heskow. Al parecer era un hombre de gustos sencillos cuya principal afición era cuidar de las flores de sus invernaderos, que después vendía al por mayor a las floristerías e incluso, directamente, él mismo, al borde de la carretera en los Hamptons. Su único vicio era asistir a los partidos de baloncesto del equipo de su hijo. Era fácil averiguar el programa de encuentros del Villanova y establecer dónde estaría en determinado día.

John Heskow pensaba asistir aquel sábado por la noche al partido entre el Villanova y el Temple en el Madison Square Garden de Nueva York. Al salir de casa, activó todo el sofisticado sistema de alarma. Siempre era muy cuidadoso con los detalles cotidianos de su vida. Siempre tenía la absoluta confianza de haber tomado todas las medidas necesarias contra cualquier posible contingencia. Y esta confianza era precisamente la que Astorre quería destrozar al principio de su entrevista con él.

Le encantó la cena, con los platos cubiertos con tapaderas plateadas como si cada uno de ellos contuviera una deliciosa sorpresa. Le gustaban los chinos. Se ocupaban de sus asuntos, no perdían el tiempo en conversaciones triviales ni le trataban a uno con excesiva familiaridad. Y jamás de los jamases había encontrado un error en la suma de la cuenta que él siempre controlaba cuidadosamente, pues pedía muchos platos.

Aquella noche Heskow decidió darse un atracón. Le gustaba especialmente el pato al estilo de Pekín y los cangrejos en salsa de langosta cantonesa. Tomó un arroz blanco frito especial y, naturalmente, unas cuantas bolas de masa frita y chuletas de cerdo picantes. Remató la cena con un helado de té verde, un nuevo sabor que demostraba bien a las claras su condición de auténtico *gourmet* de la comida oriental.

Cuando llegó al Garden, las gradas estaban medio vacías y eso que el Temple iba a jugar con su mejor equipo. Heskow ocupó el asiento que le había reservado su hijo, cerca de la cancha, donde se sentaban las personalidades. Esto le hizo sentirse orgulloso de su hijo.

El partido no fue emocionante. El Temple machacó al Villanova, pero el hijo de Heskow fue el mejor encestador del partido. Al terminar, Heskow se dirigió a los vestuarios.

Su hijo lo saludó con un abrazo.

—Hola, papá, me alegro de que hayas venido. ¿Quieres salir a cenar con nosotros después?

Heskow se llenó de satisfacción. Su hijo era todo un caballero. Estaba claro que aquellos chavales no querían tener al lado a un carrozón como él en su salida nocturna por la ciudad. Querían emborracharse, reírse un poco y quizás echar un polvo.

—Gracias —contestó Heskow—. Ya he cenado y me queda un largo camino de vuelta a casa. Estoy muy orgulloso de ti. Que te lo pases bien.

Le dio a su hijo un beso de despedida y se preguntó cómo era posible que hubiera tenido tanta suerte. Bueno, la madre del chico era una buena madre, aunque una pésima esposa.

Heskow tardó sólo una hora en llegar a su casa de Brightwaters. Las carreteras arboladas de Long Island estaban casi desiertas a aquella hora. Se sentía cansado cuando llegó, pero antes de entrar en la casa comprobó el estado de los invernaderos para asegurarse de que la temperatura y el agua eran las apropiadas.

Bajo la luz de la luna que penetraba a través del tejado de cristal del invernadero, las flores poseían una salvaje belleza de pesadilla, las rojas parecían casi negras y las blancas estaban rodeadas por un vaporoso halo espectral. Le encantaba contemplarlas, sobre todo antes de irse a dormir. Subió por el camino de la entrada cubierto de grava y abrió la puerta de la casa. Una vez dentro, pulsó rápidamente los números del panel para evitar que se disparara la alarma y se dirigió al salón.

El corazón le dio un vuelco. Dos hombres le estaban esperando de pie. Reconoció a Astorre. Sabía lo suficiente sobre la proximidad de la muerte como para reconocer su presencia de un solo vistazo. Aquéllos eran sus mensajeros.

Reaccionó con un mecanismo de defensa perfecto.

—¿Cómo coño han entrado ustedes aquí dentro y qué cojones quieren?

—No se asuste —dijo Astorre.

Después se presentó, añadiendo que era el sobrino del difunto Don Aprile.

Heskow consiguió serenarse. Se había encontrado otras veces en situaciones apuradas y, tras el primer torrente de adrenalina, siempre había logrado salir del trance.

Se acomodó en el sofá, apoyando la mano en el brazo de madera para alargarla hacia el arma oculta que guardaba en aquel lugar.

—Bueno, ¿qué desean?

Astorre le estaba mirando con una risueña sonrisa en los labios. Esto irritó a Heskow, cuya intención era esperar el momento más apropiado. Abrió el brazo de madera del sofá y buscó el arma escondida. El hueco estaba vacío.

En aquel momento aparecieron tres coches en el camino de la entrada, y las luces de los faros penetraron en la estancia. Otros dos hombres entraron en la casa.

—No quise subestimarle, John —dijo jovialmente Astorre—. Hemos registrado la casa. Encontramos un arma en la cafetera, otra sujeta con cinta adhesiva debajo de la cama, otra en aquel falso buzón y otra en el cuarto de baño detrás de la taza del escusado. ¿Nos hemos dejado alguna?

Heskow no contestó. El corazón se le volvió a desbocar. Se notaba los latidos en la garganta.

—¿Qué cultiva en aquellos invernaderos de flores? —preguntó Astorre, riéndose—. ¿Brillantes, cáñamo, cocaína o qué? Pensé que nunca llegaría. Por cierto, eso es mucha potencia de fuego para alguien que se dedica a cultivar azaleas.

—Deje de tomarme el pelo —dijo Heskow.

Astorre se sentó en un sillón delante de Heskow y arrojó dos billeteros Gucci, uno dorado y el otro marrón, sobre la mesita auxiliar que había entre ambos.

—Eche un vistazo —dijo.

Heskow alargó la mano y los abrió. Lo primero que vio fueron los permisos de conducir de los hermanos Sturzo con sus fotografías plastificadas. La bilis que le subió por la garganta era tan amarga que estuvo a punto de vomitar.

—Lo delataron —dijo Astorre—. Dijeron que era usted el intermediario de la acción contra Don Aprile. También dijeron que usted les garantizó que no habría vigilancia de la policía de Nueva York ni del FBI durante la ceremonia de la catedral.

Heskow procesó lo ocurrido. A él no lo habían matado sin más, pese a que los hermanos Sturzo estaban muertos con toda seguridad. Sólo sintió una leve amargura por aquella traición. Pero, al parecer, Astorre no sabía que él había actuado de chófer. Allí tendría que haber una negociación, la más importante de toda su vida.

Heskow se encogió de hombros.

—No sé de qué está usted hablando.

Aldo Monza lo había estado escuchando todo atentamente sin apartar los ojos de Heskow. Ahora se dirigió a la cocina, regresó con dos tazas de café solo y le entregó una a Astorre y otra a Heskow.

—Vaya, hombre, tiene usted café italiano, qué bien.

Heskow le dirigió una mirada de desprecio.

Astorre se bebió el café.

—Tengo entendido —le dijo a Heskow con deliberada lentitud— que es usted un hombre muy inteligente y que por esta razón aún no está muerto. Así que escúcheme y piénselo bien. Soy el hombre de la limpieza de Don Aprile. Dispongo de todos los recursos que él tenía antes de retirarse. Usted lo conocía y sabe lo que eso significa. Jamás se habría atrevido a ser el inter-

mediario de este trabajo si él no se hubiera retirado, ¿verdad?

Heskow no contestó. Siguió mirando a Astorre como si quisiera calibrarlo.

Astorre puso mucho cuidado en sus palabras.

—Los hermanos Sturzo han muerto. Usted
puede reunirse con ellos. Pero le haré un ofrecimiento y tiene que estar usted muy atento. En
los próximos treinta minutos me tendrá que
convencer de que está de mi parte y actuará
como agente mío. Si no lo hace, será enterrado
bajo las flores de aquel invernadero. Ahora permítame que le dé la mejor noticia. Su hijo jamás
se verá envuelto en este asunto. Yo no hago esas
cosas, y además esa acción lo convertiría a usted
en mi enemigo, dispuesto a traicionarme. Pero
tiene que comprender que soy yo quien mantiene con vida a su hijo. Mis enemigos me quieren
muerto. Si lo consiguen, mis amigos no le per-
donarán la vida a su hijo. Su destino depende
del mío.

—¿Qué es lo que desea? —preguntó Heskow.

—Necesito información —contestó Astorre—.
Y usted tiene que hablar. Si me doy por satisfecho,
cerraremos un trato. Si no, es usted hombre
muerto. Así que su problema más inmediato es
permanecer vivo esta noche. Empiece.

Heskow tardó por lo menos cinco minutos en
hablar. Primero estudió a Astorre, un chico muy
guapo que no parecía brutal ni infundía terror.
Pero los hermanos Sturzo estaban muertos. Y ha-

bía burlado las medidas de seguridad y encontrado todas las armas. Lo más siniestro de todo había sido verle esperar a que él alargara la mano hacia el inexistente revólver. Por consiguiente aquello no era un farol y, aunque lo hubiera sido, él jamás lo habría podido descubrir. Al final se bebió el café y tomó una decisión, aunque con ciertas reservas.

—Tengo que pasarme a su bando —le dijo Heskow a Astorre—. Tengo que confiar en que haga usted lo más apropiado. El hombre que me contrató como intermediario para el trabajo y me entregó el dinero es Timmona Portella. Yo compré la falta de vigilancia de la policía de Nueva York. Yo fui el hombre del maletín de Timmona y le entregué al jefe de la Brigada de Investigación del Departamento de Policía de Nueva York, Di Benedetto, cincuenta billetes de mil dólares y a su subjefa Aspinella, veinticinco. En cuanto a las garantías dadas por el FBI, fue el propio Portella quien me las dio a mí. Insistí en pedirle pruebas y él me dijo que tenía en el bolsillo a aquel tío, Cilke, el jefe de la oficina del FBI en Nueva York. Fue Cilke quien dio el visto bueno a la acción contra el Don.

—¿Había usted trabajado para Portella en otras ocasiones? —preguntó Astorre.

—Pues sí —contestó Heskow—. Es el que lleva todo el negocio de la droga en Nueva York, y por tanto siempre tiene un montón de trabajos para mí. Pero nada relacionado con el Don. Eso es todo.

—Bien —dijo Astorre. La expresión de su rostro parecía sincera—. Ahora quiero que tenga usted mucho cuidado. Por su propio bien. ¿Hay algo más que pueda decirme?

De repente, Heskow comprendió que se encontraba a pocos segundos de la muerte y que no había conseguido convencer a Astorre. Se fió de su instinto y le dirigió a Astorre una débil sonrisa.

—Sí, otra cosa —añadió muy despacio—. Tengo un contrato con Portella ahora mismo. Contra usted. Voy a pagar medio millón a dos investigadores para que lo liquiden. Se presentarán para detenerlo. Si usted opone resistencia, le pegarán un tiro.

Astorre lo miró estupefacto.

—¿Por qué hacerlo todo tan complicado y tan caro? —preguntó—. ¿Por qué no contratar directamente a un pistolero?

Heskow sacudió la cabeza.

—A usted lo valoran más. Una acción directa llamaría demasiado la atención después de lo del Don, siendo usted su sobrino. Los medios armarían un revuelo. De esta manera hay una justificación.

—¿Ya les ha pagado? —preguntó Astorre.

—No —contestó Heskow—. Tenemos que reunirnos.

—De acuerdo —dijo Astorre—. Concierte la reunión en un lugar tranquilo. Comuníqueme los datos de antemano. Una cosa. Después de la reunión, no se vaya con ellos.

—¡Mierda! —exclamó Heskow—. ¿Así lo quiere hacer? Se armará un escándalo.

Astorre se reclinó contra el respaldo de su sillón.

—Así se hará —dijo. Se levantó y le dio a Heskow un medio abrazo de amistad—. Recuerde —le dijo—, tenemos que mantenernos vivos el uno al otro.

—¿Puedo quedarme con una parte del dinero?

Astorre soltó una carcajada.

—No —contestó—. Aquí está la gracia. Cómo explican los polis el medio millón que llevan encima.

—Sólo veinte mil —dijo Heskow.

—De acuerdo —dijo Astorre en tono bonachón—. Pero no más. Como premio de consolación.

Astorre tenía que volver a reunirse con don Craxxi y el señor Pryor para pedirles consejo respecto al amplio plan operativo que tenía que llevar a cabo.

Pero las circunstancias habían cambiado. El señor Pryor insistió en enviar a sus dos sobrinos a Chicago para que actuaran de guardaespaldas, y cuando éstos llegaron al suburbio de Chicago descubrieron que la modesta finca de Don Craxxi se había convertido en una fortaleza. Los caminos que conducían a la casa estaban interceptados por unas pequeñas cabañas de color verde ocupadas por unos jóvenes de aspecto siniestro. En el huerto de árboles frutales había una furgoneta de comunicaciones, sobre cuya capota caían las manzanas. Y en su interior se encontraban tres jóvenes que contestaban a los timbres de las puertas y a los teléfonos y comprobaban la documentación de los visitantes.

Erice y Roberto, los dos sobrinos del señor Pryor, eran unos jóvenes delgados y atléticos, expertos en armas de fuego, que sentían verdadera adoración por su tío. También parecían conocer la historia de Astorre en Sicilia y lo trataban con un gran respeto, que manifestaban prestándole pequeños servicios personales. Le llevaban el equipaje, le servían el vino durante la cena, le sacudían las migas de encima con sus servilletas, daban propinas en su nombre, le abrían y sujetaban las puertas y le expresaban con toda claridad que lo consideraban un gran hombre. Astorre trataba jovialmente de que se sintieran a sus anchas a su lado, pero ellos se negaban a tomarse libertades.

Los hombres que guardaban a Don Craxxi no eran tan amables. Eran unos tipos corteses pero rígidos, de cincuenta y tantos años, enteramente entregados a su tarea. E iban todos armados.

Aquella noche, cuando Don Craxxi, el señor Pryor y Astorre ya habían terminado de cenar y estaban comiendo la fruta del postre, Astorre le preguntó a Craxxi:

—¿Por qué todas estas medidas de seguridad?

—Simple precaución —contestó serenamente Don Craxxi—. Me he enterado de una inquietante noticia. Un viejo amigo mío, Inzio Tulippa, acaba de llegar a Estados Unidos. Es un hombre muy violento y codicioso, y por tanto siempre es mejor estar preparados. Ha venido para reunirse con nuestro Timmona Portella. Se reparten rápidamente los beneficios del narcotráfico y eliminan a los enemigos. Es mejor estar preparados. Pero ahora dime qué ocurre, mi querido Astorre.

Astorre les reveló la información que había averiguado y la manera en que él había conseguido hacer hablar a Heskow. Les habló de Portella, de Cilke y de los dos investigadores de la policía.

—Ahora tengo que montar una operación —dijo—. Necesito a un experto en explosivos, y por lo menos a otros diez hombres muy bien preparados. Sé que ustedes dos me los pueden proporcionar, que pueden recurrir a los viejos amigos del Don. —Peló cuidadosamente la pera de un verde amarillento que se estaba comiendo—. Ustedes saben que eso será muy peligroso y no conviene que intervengan de una manera demasiado directa.

—Tonterías —replicó con impaciencia el señor Pryor—. Debemos nuestro destino a Don Aprile. Por supuesto que te ayudaremos. Pero recuerda una cosa: eso no es una venganza. Es un acto de defensa propia. Por consiguiente no puedes causarle ningún daño a Cilke. El Gobierno nos haría la vida imposible.

—Pero hay que neutralizar a ese hombre —dijo Don Craxxi—. Siempre será un peligro. Considera lo que te voy a decir: vende los bancos y todo el mundo estará contento.

—Todo el mundo menos mis primos y yo —objetó Astorre.

—Tendrías que pensarlo —dijo el señor Pryor—. Estoy dispuesto a sacrificar mi participación en los bancos con Don Craxxi, aunque sé muy bien que ésta me reportaría una inmensa fortuna. Pero no cabe duda de que una vida tranquila también tiene sus ventajas.

—No pienso vender los bancos —replicó Astorre—. Ellos mataron a mi tío y tienen que pagarlo, no alcanzar su objetivo. No puedo vivir en un mundo en el que mi lugar esté garantizado por la compasión de esa gente. Es lo que me enseñó el Don.

Se sorprendió al ver que ambos hombres parecían suspirar de alivio ante su decisión. Y entonces comprendió que los viejos le tenían respeto, que por muy poderosos que fueran veían en él algo que ellos jamás podrían tener.

—Sabemos cuál es nuestro deber para con Don Aprile, que en paz descanse —dijo Don Craxxi—. Y sabemos cuál es nuestro deber para contigo. Pero hay que actuar con prudencia. Si te precipitas y algo te ocurriera, nos veríamos obligados a vender los bancos.

—Sí —intervino el señor Pryor—. Procura ser prudente.

—No se preocupen —dijo Astorre, soltando una carcajada—. Si yo desaparezco, no quedará nadie más.

Los tres siguieron mondando las peras y melocotones del postre. Don Craxxi pareció enfrascarse en sus pensamientos.

—Inzio es el primer narcotraficante de todo el mundo —dijo de pronto—. Portella es su socio norteamericano. Deben de querer los bancos para blanquear el dinero de la droga.

—¿Y cómo encaja Cilke en todo eso? —preguntó Astorre.

—No lo sé —contestó Don Craxxi—. Pero no podemos atacar a Cilke.

—Sería un desastre —señaló el señor Pryor.

—Lo tendré en cuenta —dijo Astorre.

Pero si Cilke era culpable, ¿qué podía hacer?

La investigadora Aspinella Washington se aseguró de que su hija de ocho años cenara debidamente, hiciera los deberes y rezara sus oraciones antes de acostar a la niña, a la que adoraba. Hacía mucho tiempo que había desterrado de su vida al padre de su hija. La canguro, la hija adolescente de un agente, llegó a las ocho de la tarde. Aspinella le dio instrucciones acerca de las medicinas que la niña debería tomar y le dijo que regresaría antes de la medianoche.

Poco después de las nueve sonó el telefonillo del vestíbulo y Aspinella bajó corriendo la escalera y salió a la calle. Jamás utilizaba el ascensor. El jefe de la Brigada de Investigación, Paul Di Benedetto, la estaba esperando en su Chevrolet camuflado de color canela. Aspinella subió al vehículo y se ajustó el cinturón de seguridad. De noche, Paul era un pésimo conductor.

El jefe estaba fumando un largo puro y Aspinella bajó el cristal de su ventanilla.

—Está a una hora aproximadamente de distancia —dijo Di Benedetto—. Tenemos que pensarlo.

Sabía que aquello sería un gran paso para ambos. Una cosa era aceptar sobornos y dinero procedente del narcotráfico, y otra muy distinta emprender una acción.

—¿Qué es lo que hay que pensar? —preguntó Aspinella—. Nos dan medio millón a cada uno por liquidar a un tío que tendría que estar en el Corredor de la Muerte. ¿Sabes lo que puedo hacer con medio millón de dólares?

—No —contestó Di Benedetto—. Pero sé lo que puedo hacer yo. Comprarme un apartamento en Miami cuando me retire. Recuerda que eso lo tendremos toda la vida sobre nuestra conciencia.

—Aceptar dinero de la droga ya es un delito —dijo Aspinella—. Que se vayan todos a la mierda.

—Sí —dijo Di Benedetto—. Pero tenemos que asegurarnos de que ese Heskow tenga el dinero esta noche, que no nos esté tomando el pelo.

—Siempre ha sido de fiar —dijo Aspinella—. Es mi Papá Noel. Pero como no nos entregue un buen saco, será un Papá Noel muerto.

Di Benedetto soltó una carcajada.

—Así me gusta mi niña —dijo—. ¿Has vigilado bien a ese Astorre y estás segura de que podemos liquidarlo de inmediato?

—Sí —contestó Aspinella—. Lo he mantenido bajo vigilancia. Sé justo el lugar donde tenemos que practicar la detención... su almacén de macarrones. Suele trabajar hasta muy tarde casi todas las noches.

—¿Llevas el impreso de la orden de detención? —preguntó Di Benedetto.

—Pues claro —contestó Aspinella—. Yo no le haría ni puto caso a un agente que no me mostrara una orden.

Circularon en silencio durante diez minutos. Después Di Benedetto preguntó en un tono de voz deliberadamente sereno e impasible:

—¿Quién será el del gatillo?

Aspinella lo miró con expresión burlona.

—Paul —le dijo—, llevas diez años sentado detrás de un escritorio. Has visto más salsa de tomate que sangre. Yo dispararé.

Vio la cara de alivio de Paul. Los malditos hombres no servían para nada.

Ambos estaban pensando en la forma en que habían llegado a aquel punto de su vida. Di Benedetto había ingresado en el cuerpo hacía más de treinta años, cuando era muy joven. Su corrupción había sido gradual pero inevitable. Había ingresado con delirios de grandeza, soñando con ser admirado y respetado por arriesgar su vida para proteger a los demás. Pero los años se habían llevado sus sueños. Al principio fueron pequeños sobornos de vendedores callejeros y tenderos. Después empezó a mentir en sus declaraciones para conseguir que algún tipo eludiera una condena. Luego decidió aceptar dinero de narcotraficantes de peso. Y más tarde de Heskow, que con toda seguridad trabajaba por cuenta de Timmona Portella, el principal jefe de la Mafia de Nueva York.

Como es natural, siempre tenía un buen pretexto. El cerebro se puede convencer a sí mismo de cualquier cosa. Veía que los de arriba se enriquecían con el dinero de los sobornos de la droga y que los de abajo eran todavía más corruptos que ellos. Y él tenía tres hijos a los que enviar a la universidad. Pero por encima de todo pensaba en la ingratitud de las personas a las que protegía. Los grupos de defensa de las libertades civiles protestaban y denunciaban la brutalidad de la policía como le pegaras un tortazo a un atracador negro. Los medios de difusión ponían a la policía de vuelta y media siempre que podían. Los ciudadanos presentaban querellas contra la policía. Los policías eran expulsados del cuerpo, privados de sus pensiones e incluso enviados a la cárcel tras varios años de servicio. En cierta ocasión, él mismo había sido objeto de un expediente disciplinario, acusado de elegir especialmente a los delincuentes de raza negra, a pesar de que él sabía muy bien que no tenía ningún tipo de prejuicio racial. ¿Qué culpa tenía él de que casi todos los delincuentes de Nueva York fueran negros? ¿Qué hubiera tenido que hacer? ¿Concederles autorización para robar, en un alarde de discriminación positiva? A fin de cuentas, él había ascendido a muchos agentes de raza negra y se había convertido en el mentor de Aspinella en el Departamento, concediéndole el ascenso que ésta se había ganado aterrorizando a los mismos delincuentes negros. Y a ella nadie hubiera podido acusarla de racismo por eso. En pocas palabras, la sociedad se cagaba en la policía que la protegía. A no ser, naturalmente, que algún agente muriera en acto de servicio. Entonces se producía una invasión de idioteces. ¿Cuál era la verdad definitiva? No merecía la pena ser un policía honrado. Y sin embargo... sin embargo, él nunca había imaginado que pudiera llegar al asesinato. Pero bueno, él era invulnerable, no correría el menor riesgo, podría ganar un montón de pasta y la víctima era un asesino. Aun así...

Aspinella también se estaba preguntando cómo era posible que su vida hubiera llegado a semejante situación. Bien sabía Dios que había luchado contra el mundo del hampa con una pasión y una fuerza que la habían convertido en una leyenda en Nueva York. Cierto que había aceptado sobornos de los delincuentes.

En realidad había empezado muy tarde a participar en el juego, cuando Di Benedetto la convenció de que aceptara dinero de la droga. Él había sido su mentor durante muchos años y su amante durante unos meses... no había estado mal, un oso torpón que utilizaba el sexo como si éste formara parte de un impulso de hibernación.

Sin embargo, su proceso de corrupción había empezado en su primer día de trabajo, cuando la ascendieron a investigadora. En la sala de recreo de la comisaría, un prepotente compañero blanco apellidado Gangee había empezado a meterse con ella, aunque sin mala intención.

—Oye, Aspinella —le dijo—, con tu chocho y mis músculos eliminaremos el crimen del mundo civilizado.

Los demás agentes, entre ellos algunos negros, se rieron a carcajadas.

Aspinella lo miró fríamente.

—Tú nunca serás mi compañero. Un hombre que insulta a una mujer es un cobarde con una polla de mierda.

Gangee procuró mantenerse en un plano amistoso.

—A pesar de lo pequeña que es, mi polla te puede obturar el agujero siempre que quieras. En cualquier caso, estoy deseando que cambie mi suerte.

Aspinella lo miró con expresión glacial.

—Negro es mejor que amarillo. ¡Vete a hacerte una paja, pedazo de mierda!

La estancia se quedó helada de asombro. Gangee se ruborizó intensamente. Un desprecio tan grande no se podía tolerar sin una pelea. Empezó a acercarse a ella mientras los demás se apartaban de su camino.

Aspinella vestía de uniforme. Sacó su arma, sin apuntarle con ella.

—Como lo intentes, te vuelo los cojones —dijo, y a nadie de los presentes en la sala le cupo la menor duda de que apretaría el gatillo. Gangee se detuvo y sacudió la cabeza, con cara de asco.

Como es natural, la superioridad fue informada de lo ocurrido. Era una grave infracción por parte de Aspinella. Pero Di Benedetto fue lo bastante inteligente como para comprender que un juicio en su brigada sería un desastre político para el Departamento de Policía de Nueva York. Se encargó de tapar el asunto, y la actuación de Aspinella le causó tal impresión que la incorporó a su equipo de colaboradores y se convirtió en su mentor.

Lo que más sorprendió a Aspinella fue que en la sala había por lo menos cuatro policias negros y ninguno de ellos la hubiera defendido. Muy al contrario, se habían reído con las bromas de los blancos. La lealtad al propio sexo era más fuerte que la lealtad racial.

A partir de aquel momento, su actuación la convirtió en la mejor policía de la división. Era implacable con los camellos, los atracadores y los ladrones a mano armada. No les tenía la menor compasión, tanto si eran blancos como si eran negros. Disparaba contra ellos, les pegaba y los humillaba. Varias veces había sido acusada de malos tratos, pero las acusaciones no se habían podido demostrar y su historial de valentía hablaba por sí solo. Sin embargo, las acusaciones despertaron su furia contra la sociedad. ¿Cómo se atrevían a poner en tela de juicio su actuación cuando lo que ella hacía era librarlos precisamente de la peor escoria de la ciudad? Di Benedetto la respaldó hasta el final.

Había habido un caso más complicado, en que ella había matado de sendos disparos a dos atracadores adolescentes que habían intentado robarle en una calle de Harlem muy bien iluminada, justo delante de su casa. Uno de los chicos le había propinado un puñetazo en la cara y el otro se había apoderado de su bolso. Aspinella extrajo su arma reglamentaria y los chicos se quedaron paralizados. Sabiendo muy bien lo que hacía, abrió fuego contra los dos. No sólo por el puñetazo en la cara sino también para advertir a los habitantes del barrio de que no intentaran atracarla. Varios grupos en favor de las libertades civiles organizaron una protesta. El Departamento de Policía señaló en su comunicado oficial que había actuado en defensa propia. Pero ella sabía que era culpable.

Fue Paul quien la convenció de que aceptara su primer soborno en un importante asunto de drogas. Le habló como si fuera un afectuoso tío.

—Aspinella —le dijo—, hoy en día un policía no se preocupa demasiado por las balas. Eso forma parte del trato. Tiene que preocuparse más bien por los grupos que defienden las libertades civiles, los ciudadanos y los delincuentes que presentan denuncias por daños. Por los jefes políticos del Departamento que son capaces de enviarte a la cárcel para conseguir votos. Especialmente a alguien como tú. Tú eres una víctima natural. ¿Quieres acabar como esos pobres desgraciados de la calle que terminan violados, atracados y asesinados, o prefieres protegerte? Métetelo bien en la cabeza. Recibirás más protección por parte de los peces gordos del Departamento que ya estén comprados. Dentro de cinco o seis años te podrás retirar con un montón de pasta. Y no tendrás que preocuparte por la posibilidad de ir a parar a la cárcel por haberle tocado un pelo a un atracador.

Y Aspinella cedió. Poco a poco empezó a ingresar el dinero de los sobornos en cuentas bancarias disfrazadas. Pero no por eso dejó de perseguir a los delincuentes.

Sin embargo, aquello era distinto. Aquello era una asociación para cometer un asesinato, aunque en realidad sería un placer quitar de en medio a aquel Astorre, que era uno de los jefes más importantes de la Mafia. En cierta curiosa manera, estaría cumpliendo con su deber. Sin embargo, el argumento definitivo era el hecho de que la acción entrañaba muy pocos riesgos y estaba muy bien remunerada. Medio millón de dólares.

Paul abandonó la carretera arbolada Southern State, y minutos después entró en el aparcamiento de un pequeño centro comercial. El centro sólo tenía una docena de tiendas de dos pisos y todas ellas estaban cerradas, incluso la pizzería, con su llamativo rótulo rojo de neón en el escaparate.

Bajaron de la berlina canela.

—Es la primera vez que veo una pizzería cerrada tan temprano —dijo Paul.

Eran sólo las diez de la noche.

Acompañó a Aspinella a una entrada lateral de la pizzería. No estaba cerrada. Subieron unos doce peldaños que conducían a un rellano. Había una suite de dos habitaciones a la izquierda y una habitación a la derecha.

Paul hizo una seña y Aspinella registró la suite de dos habitaciones de la izquierda mientras él montaba guardia. Después entraron en la habitación de la derecha. Heskow los estaba esperando.

Se encontraba sentado al fondo de una alargada mesa de madera con cuatro desvencijadas sillas a su alrededor. Sobre la mesa había una bolsa de muletón del tamaño de un saco de arena, como los que utilizan los púgiles, y daba la impresión de estar llena. Heskow estrechó la mano de Paul y saludó con una inclinación de la cabeza a Aspinella. Ésta pensó que jamás en su vida había visto a un blanco tan blanco. Ambos se sentaron alrededor de la mesa. La habitación sólo estaba iluminada por una débil bombilla y carecía de ventana. Paul alargó la mano y dio unas palmadas a la bolsa.

—¿Está todo aquí dentro? —preguntó.

—Pues claro —contestó Heskow.

Aspinella observó que no sólo su rostro sino también su cuello habían perdido el color. Bueno, un hombre que llevaba una bolsa con un millón de dólares tenía todo el derecho del mundo a estar nervioso. Pero aun así, Aspinella dio una vuelta por la habitación para comprobar que no hubiera micrófonos ocultos.

—Vamos a echar un vistazo —dijo Paul.

Heskow desató el cordel de la bolsa y la inclinó. Unos veinte fajos de billetes sujetos con gomas cayeron sobre la mesa. Casi todos los fajos eran de cien dólares, no de cincuenta, y algunos eran de billetes de veinte.

Paul lanzó un suspiro.

—Malditos billetes de veinte dólares —dijo—. Bueno, vuélvalos a guardar.

Heskow volvió a introducir los fajos en la bolsa y ató de nuevo el cordel.

—Mi cliente exige que se haga cuanto antes —dijo.

—Dentro de un plazo de dos semanas —dijo Paul.

—Muy bien —dijo Heskow.

Aspinella se echó la bolsa al hombro. Pensó que no pesaba mucho. Un millón de dólares no pesaba mucho.

Vio que Paul estrechaba la mano de Heskow y experimentó una cautelosa impaciencia. Quería largarse de allí cuanto antes. Empezó a bajar los peldaños, sosteniendo la bolsa que llevaba al hombro con una mano. La otra mano la tenía libre para poder sacar el arma. Oyó que Paul la seguía.

Salieron a la fría noche, empapados de sudor.

—Coloca la bolsa en el portamaletas —dijo Paul Di Benedetto.

Se sentó al volante y encendió un cigarro. Aspinella rodeó el vehículo y subió.

—¿Adónde vamos para repartirlo? —preguntó Paul.

—A mi casa, no —contestó Aspinella—. Tengo a la canguro de la niña.

—Pues a la mía tampoco —dijo Paul—. Mi mujer está en casa. ¿Qué tal si alquilamos una habitación de motel?

Aspinella hizo una mueca, y entonces Paul dijo sonriendo:

—En mi despacho. Cerraremos la puerta por dentro.

Se echaron a reír.

—Echa un nuevo vistazo al portamaletas —dijo Paul—. Comprueba que esté bien cerrado.

Aspinella bajó del automóvil, echó un vistazo al portamaletas y tiró de la bolsa. En aquel momento, Paul giró la llave de contacto.

La explosión arrojó un diluvio de cristal sobre el centro comercial. El automóvil pareció flotar en el aire y, al caer en medio de una granizada de metal, destrozó el cuerpo de Paul Di Benedetto.

Aspinella fue lanzada a casi tres metros de distancia con un brazo y una pierna rotos, pero fue el ojo arrancado el que le hizo perder el conocimiento.

Heskow salió por la puerta de atrás de la pizzería y sintió que el aire le empujaba el cuerpo contra el edificio. Después subió a su automóvil y, veinte minutos más tarde, ya estaba en su casa de Brightwaters. Se preparó un rápido trago y examinó los dos fajos de billetes de cien dólares que había sacado de la bolsa de muletón. Cuarenta de los grandes, una pequeña bonificación. Le daría a su chico un par de los grandes para gastos. No, uno de los grandes. Y guardaría el resto.

Vio el último telediario en cuyos titulares se daba cuenta de la explosión. Un investigador muerto y su compañera gravemente herida.

Y en el lugar de los hechos, una bolsa de muletón con una increíble cantidad de dinero. El presentador del telediario no dijo cuánto.

Cuando dos días más tarde Aspinella recuperó el conocimiento en el hospital, no se sorprendió de que la interrogaran tan detenidamente acerca del dinero y de la razón por la que faltaban sólo cuarenta mil para llegar al millón. Negó tener el menor conocimiento sobre el dinero. Le preguntaron qué hacía un jefe de una brigada de investigación y una inspectora juntos. Se negó a contestar, alegando motivos personales. Pero le dolió que la sometieran a un interrogatorio tan despiadado estando ella tan grave. Al Departamento de Policía le importaba una mierda. No tuvo en cuenta su brillante historial. Pero todo terminó bien. El Departamento se las arregló para que la investigación acerca del dinero no aclarara nada.

Aspinella tardó otra semana de convalecencia en comprender lo ocurrido. Les habían tendido una trampa. Y el único que se la había podido tender era Heskow. El hecho de que faltaran cuarenta de los grandes significaba que el muy cerdo no había podido resistir la tentación de engañar a su propia gente. Bueno, se recuperaría, pensó Aspinella, y entonces volvería a reunirse con Heskow.

10

Astorre tenía mucho cuidado con sus movimientos, no sólo para evitar una acción contra él sino también para no dar lugar a que lo detuvieran por la razón que fuera. Procuraba no alejarse demasiado de su bien vigilada casa, con sus equipos de seguridad integrados cada uno por cinco hombres las veinticuatro horas del día. Había mandado instalar sensores en los bosques y los terrenos circundantes, y luces infrarrojas para vigilancia nocturna. Cuando se atrevía a salir, lo hacía acompañado por seis guardaespaldas en tres equipos de dos hombres. A veces viajaba solo, confiando en el sigilo, la sorpresa y la confianza en sus propios poderes, contando siempre con que hubiera sólo un asesino y no dos. La eliminación de los dos investigadores, aunque necesaria, había provocado un enorme revuelo. Cuando Aspinella se recuperara, comprendería que Heskow la había traicionado. Y como Heskow cantara, ella iría a por él.

Pero ahora Astorre ya había comprendido la enormidad de su problema. Sabía quiénes eran todos los culpables de la muerte del Don y no ignoraba las graves dificultades que se le planteaban. Eran Kurt Cilke, esencialmente intocable; Timmona Portella, el mandante del asesinato; y también Inzio Tulippa, Grazziella y Michael. A los únicos a quienes había conseguido castigar era a los hermanos Sturzo, que no habían sido más que unos simples peones.

Toda la información la había obtenido a través de Heskow y de las averiguaciones llevadas a cabo por el señor Pryor, Don Craxxi e incluso Ottavio Bianco en Sicilia. Lo mejor sería lograr reunir a todos sus enemigos en un mismo lugar al mismo tiempo. Atraparlos uno a uno resultaría prácticamente imposible. Y el señor Pryor y Craxxi ya le habían advertido de que no tocara a Cilke, pues las repercusiones serían gravísimas.

Tenía que contar también con el cónsul general del Perú, Marriano Rubio, el amigo de Nicole. ¿Hasta qué extremo estaría ella dispuesta a serle fiel? ¿Qué había borrado Nicole del expediente del FBI sobre el Don que no deseaba que él viera? ¿Qué le estaba ocultando?

En sus ratos libres, Astorre soñaba con las mujeres a las que había amado. Primero Nicole, aquella joven tan testaruda que, con su menudo y delicado cuerpo tan increíblemente apasionado, lo había obligado a amarla. Qué distinta era ahora, en que su carrera y la política acaparaban toda su pasión.

Recordó a Buji, la de Sicilia, no exactamente una prostituta de lujo pero casi, con aquella bondad tan impulsiva que fácilmente se transformaba en furia. Recordó su espléndida cama en las dulces noches sicilianas en que ambos nadaban y comían aceitunas de los toneles llenos de aceite. Recordó con inmenso cariño que ella jamás le había mentido; era totalmente sincera respecto a su vida y a los hombres con quienes se acostaba. Y su fidelidad cuando le dispararon, cómo lo había arrastrado fuera del agua, manchándose el cuerpo con la sangre de su garganta. Y el collar de oro que le había regalado, con el medallón para cubrir la desagradable cicatriz.

Después pensó en Rosie, su traidora Rosie, la chica norteamericana tan dulce, hermosa y sentimental, que constantemente le repetía que lo amaba con todo su corazón mientras lo traicionaba con otros. Y sin embargo él era feliz a su lado. Había querido destruir el afecto que sentía por ella utilizándola contra los hermanos Sturzo, y se asombró de que a ella le encantara interpretar aquel papel que tanto encajaba con la falsedad de su vida.

Finalmente, flotando en su mente como un espectro, la imagen de Georgette, la mujer de Cilke. Se había pasado una noche contemplándola, oyéndola hablar de bobadas en las que él no creía acerca del valor incalculable de todas las almas humanas. Y sin embargo, no podía olvidarla. ¿Cómo coño se había podido casar con un tipo como Kurt Cilke?

Algunas noches se acercaba al barrio de Rosie y la llamaba desde el teléfono de su automóvil. Le sorprendía que siempre estuviera libre, pero ella le explicó que estaba muy ocupada preparando el doctorado y no podía salir. A él le parecía muy bien, pues la cautela le hubiera impedido ir a cenar a un restaurante o llevarla al cine. En vez de eso pasaba por el Zabar's del West Side y compraba unos exquisitos platos preparados que despertaban la complacida sonrisa de Rosie. Entretanto, Monza esperaba fuera en el automóvil.

Rosie ponía la mesa y descorchaba una botella de vino. Mientras comían, ella apoyaba amistosamente las piernas sobre sus rodillas y se le iluminaba el rostro de felicidad por tenerlo a su lado y poder escuchar sus palabras. Era un don especial que tenía, y Astorre sabía muy bien que se comportaba de la misma manera con todos sus hombres. Pero a él le daba igual. Después, cuando se iban a la cama, se mostraba tan apasionada como siempre, pero más dulce y cariñosa que nunca.

—Somos almas gemelas —le decía, mientras le acariciaba la cara y lo besaba.

Al oír aquellas palabras, Astorre experimentaba un escalofrío. No quería que ella fuera el alma gemela de un hombre como él. En semejantes momentos soñaba con que ella fuera la quintaesencia de la virtud, pero no podía evitar verla tal como era en realidad.

Permanecía a su lado cinco o seis horas y se iba sobre las tres de la madrugada. A veces, cuando ella estaba dormida, la miraba y veía en los relajados músculos de su rostro una melancólica serenidad y una especie de tensión, como si los demonios que ella guardaba en lo más recóndito de su alma pugnaran por escapar de su encierro.

Aquella noche se fue temprano. Cuando subió al automóvil que lo aguardaba, Aldo Monza le dijo que se había recibido el mensaje urgente de que llamara al señor Juice. Era el nombre en clave que él y Heskow utilizaban. Tomó al instante el teléfono del vehículo.

—No puedo hablar por teléfono —dijo Heskow con tono apremiante—. Tenemos que reunirnos ahora mismo.

—¿Dónde? —preguntó Astorre.

—Estaré justo delante del Madison Square Garden —contestó Heskow—. Recójame enseguida. Dentro de una hora.

Cuando Astorre pasó por delante del Garden, vio a Heskow en la acera. Monza sostenía el arma sobre las rodillas cuando se detuvo a la altura de Heskow.

Astorre abrió la portezuela y Heskow se acomodó a su lado en el asiento del copiloto. El frío le había dejado unas huellas húmedas en las mejillas.

—Tiene usted un problema muy grave —le dijo a Astorre.

Astorre sintió un frío estremecimiento por todo el cuerpo.

—¿Mis primos? —preguntó.

Heskow asintió con la cabeza.

—Portella ha secuestrado a su primo Marcantonio y lo tiene escondido en algún lugar. No sé dónde. Mañana lo invitará a usted a una reunión. Quiere algo a cambio de su rehén. Pero como no se ande usted con cuidado, tiene preparado un equipo de cuatro hombres que irá a por usted. Utiliza a sus propios hombres. Quiso encomendarme el trabajo a mí, pero yo lo rechacé.

Se encontraban en una calle oscura.

—Gracias —dijo Astorre—. ¿Dónde quiere que le deje?

—Aquí mismo —contestó Heskow—. Tengo el vehículo a sólo una manzana de distancia.

Astorre lo comprendió. Heskow temía que lo vieran con él.

—Otra cosa —dijo Heskow—. ¿Sabe usted la suite que tiene Portella en su hotel privado? Su hermano Bruno la utiliza esta noche con un par de tías. Y no lleva guardaespaldas.

—Gracias de nuevo —dijo Astorre. Abrió la portezuela del automóvil y Heskow se perdió en la noche.

Marcantonio Aprile estaba celebrando la última reunión del día y quería abreviar. Ya eran las siete de la tarde y tenía una cena a las nueve.

Estaba reunido con su productor preferido y amigo íntimo del mundillo cinematográfico, un tal Steve Brody, que nunca rebasaba los presupuestos, tenía un olfato impresionante para elegir los mejores guiones y a menudo le presentaba a jóvenes aspirantes a actrices que necesitaban un empujoncito en su carrera.

Pero aquella noche se habían intercambiado los papeles. Brody se había presentado con uno de los más poderosos agentes del sector, un tal Matt Glazier, un hombre enteramente fiel a sus clientes. Había acudido en representación de un novelista cuyo último libro Steve Brody había convertido en una serie dramática de televisión de ocho horas. Ahora quería vender los tres libros anteriores del autor.

—Marcantonio —dijo Glazier—, los otros tres libros son sensacionales pero no se vendieron. Ya sabe usted cómo son los editores... no podían vender una lata de caviar por un centavo. Aquí Brody está dispuesto a producirlas. Usted ha ganado paletadas de dinero con su última obra, sea generoso y hagamos un trato.

—No lo veo claro —dijo Marcantonio—. Estamos hablando de unos libros antiguos que jamás fueron best séllers. Y ahora ya están agotados.

—Eso no importa —dijo Glazier con la vehemencia propia de todos los agentes—. En cuanto hagamos el trato, los editores los volverán a editar.

Marcantonio había oído aquel razonamiento muchas veces. Cierto que los editores harían reimpresiones, pero aquello no serviría para incrementar el éxito de la producción televisiva. Sería más bien esta última la que incrementaría las ventas del libro.

—Y dejando eso aparte —añadió Marcantonio—, yo he leído los libros. No contienen nada de interés para nosotros. Son excesivamente literarios. Lo que cuenta es el lenguaje, no el argumento. Me han gustado mucho. No digo que no puedan funcionar. Lo que digo es que no merece la pena correr el riesgo y hacer un esfuerzo tan grande.

—No me venga con historias —replicó Glazier—, usted lo que ha leído es el informe del lector. Es usted el director de la cadena, no tiene tiempo para leer.

Marcantonio soltó una carcajada.

—Se equivoca. Me encanta leer y me encantan esos libros. Pero no sirven para la televisión. —Marcantonio añadió en tono amistoso y cordial—: Lo siento, pero no podemos aceptar. De todos modos, ténganos en cuenta. Nos encantará colaborar con usted.

Cuando se fueron los dos visitantes, Marcantonio se duchó en el cuarto de baño de la suite de su despacho y se cambió de ropa para ir a cenar. Se despidió de su secretaria, que siempre se quedaba hasta que él se marchaba, y tomó el ascensor para bajar al vestíbulo del edificio.

La cena era en el Four Seasons, a sólo unas manzanas de distancia, por lo que decidió ir a pie. A diferencia de casi todos los altos ejecutivos, no disponía de un automóvil y un chófer exclusivamente para él sino que se limitaba a pedirlos cuando los necesitaba. Se enorgullecía de su sobriedad y sabía que la había aprendido de su padre, que siempre estaba en contra de gastar el dinero en tonterías.

Cuando salió a la calle, el gélido viento le azotó el rostro y le provocó un estremecimiento de frío. Una limusina negra se acercó al bordillo y el chófer bajó y le abrió la portezuela. ¿Acaso su secretaria le había pedido un automóvil? El chófer era un hombre alto y fornido, con una gorra que le iba un poco estrecha.

—¿Señor Aprile? —dijo, inclinándose levemente.

—Sí —contestó Marcantonio—. Esta noche no lo voy a necesitar.

—Por supuesto que sí —dijo el chófer con una jovial sonrisa en los labios—. Suba al vehículo o le descerrajamos un tiro.

Marcantonio se percató de repente de la presencia de tres hombres a su espalda. Vaciló sin saber qué hacer.

—No se preocupe —dijo el chófer—, es sólo un amigo suyo que quiere charlar un ratito con usted.

Marcantonio se acomodó en el asiento de atrás de la limusina y los tres hombres se apretujaron a su lado.

Recorrieron una o dos manzanas y entonces uno de los hombres le ofreció a Marcantonio unas gafas ahumadas y le dijo:

—Póngaselas.

Marcantonio así lo hizo. Fue como si se hubiera quedado ciego. Las gafas eran tan oscuras que no permitían distinguir la menor luz. Le pareció una idea muy inteligente y tomó nota mentalmente para usarla en algún guión. Era una señal esperanzadora. Si no querían que viera adónde se dirigían, eso significaba que no tenían previsto matarlo. Y sin embargo todo le pareció tan irreal como una de sus series dramáticas. Hasta que de pronto pensó en su padre y se dio cuenta de que finalmente se encontraba en el mundo de su viejo, en el que jamás había creído por completo.

Una hora después se detuvo el vehículo y dos de los guardias lo ayudaron a bajar. Sus pies recorrieron un camino enladrillado. Después lo ayudaron a subir los cuatro peldaños de la entrada de una casa. Más peldaños hasta llegar a una habitación cuya puerta se cerró a su espalda. Sólo entonces le quitaron las gafas. Se encontraba en un pequeño dormitorio con las ventanas protegidas por unas gruesas cortinas. Uno de los guardias se acomodó en una silla, al lado de la cama.

—Túmbese y duerma un poquito —le dijo el guardia—. Tiene una jornada muy dura por delante.

Marcantonio consultó su reloj. Eran justo las doce de la noche.

Poco después de las cuatro de la madrugada, cuando los espectros de los rascacielos aún estaban envueltos en la oscuridad, Astorre y Aldo Monza descendieron del vehículo delante del Lyceum Hotel. El conductor aparcó un poco más allá. Monza agitó un manojo de llaves mientras ambos subían los tres tramos de escalera hasta llegar a la puerta de la suite de Portella.

Monza abrió la puerta de la suite y ambos entraron en el salón. Vieron la mesa llena de recipientes de comida china para llevar, unos vasos vacíos y unas botellas de vino y whisky. Había también un enorme pastel de crema batida a medio comer cuyo centro estaba adornado con una colilla de cigarrillo aplastada, como si fuera una velita de cumpleaños. Pasaron de la suite al dormitorio, y Astorre pulsó el interruptor de la luz. Tumbado en la cama y en calzoncillos vieron a Bruno Portella.

Se aspiraba en el aire un intenso perfume, pero Bruno se encontraba solo en la cama y el espectáculo no era demasiado agradable. Su fofo y mofletudo rostro estaba empapado de sudor, y de su boca escapaba un agrio olor de mariscos. Su poderoso tórax le confería el aspecto de un oso. Bien mirado, pensó Astorre, tenía pinta de osito de peluche. Al pie de la cama, el áspero aroma de una botella de vino tinto destapada creaba una isla olfativa aparte. Era una pena despertarlo, pero Astorre lo hizo dándole una suave palmada en la frente.

Bruno abrió un ojo y después el otro.

No pareció asustarse ni sorprenderse.

—Astorre —dijo—. ¿Qué demonios estás haciendo tú aquí?

Tenía la voz ronca a causa del sueño.

—No tienes por qué preocuparte, Bruno —le contestó amablemente Astorre—. ¿Dónde está la chica?

Bruno se incorporó en la cama y soltó una carcajada.

—Se ha tenido que ir a casa temprano para acompañar al crío a la escuela. Ya la había follado tres veces y he dejado que se fuera.

Lo dijo con orgullo no sólo de macho sino de hombre comprensivo con los problemas de una chica trabajadora. Alargó como el que no quiere la cosa la mano hacia la mesilla de noche y Astorre se la sujetó delicadamente. Monza abrió el cajón y sacó el arma.

—Escúchame bien, Bruno —dijo Astorre en tono tranquilizador—. Nada malo va a ocurrir. Sé que tu hermano no te cuenta nada, pero anoche secuestró a mi primo Marc. Ahora yo tengo que cambiarte por él. Tu hermano te quiere, Bruno, se avendrá al trato. Tú lo crees, ¿verdad?

—Pues claro —contestó Bruno, lanzando un suspiro de alivio.

—Tú no hagas ninguna tontería —dijo Astorre—. Y ahora, vístete.

Cuando Bruno terminó de vestirse, pareció que tenía dificultades para atarse los cordones de los zapatos.

—¿Qué te pasa? —le preguntó Astorre.

—Es la primera vez que me pongo estos zapatos —contestó Bruno—. Normalmente, calzo mocasines.

—¿No sabes atarte los cordones de los zapatos? —preguntó Astorre.

—Son los primeros zapatos con cordones que calzo —contestó Bruno.

—Qué barbaridad —exclamó Astorre, riéndose—. Bueno. Yo te los ataré.

Dejó que Bruno apoyara el pie en su rodilla.

Al terminar, Astorre le pasó a Bruno el teléfono de la mesilla de noche.

—Llama a tu hermano —le dijo.

—¿A las cinco de la madrugada? —preguntó Bruno—. Timmona me va a matar.

Astorre comprendió que no era el sueño lo que embotaba el cerebro de Bruno, sino que era realmente tonto.

—Dile simplemente que te tengo en mi poder —dijo Astorre—. Después ya hablaré yo con él.

Bruno tomó el teléfono.

—Timmona, me has metido en un buen lío —dijo en tono quejumbroso—, por eso te llamo a esta hora.

Astorre oyó un rugido a través del teléfono y entonces Bruno se apresuró a añadir:

—Astorre Viola me tiene en su poder y quiere hablar contigo.

Le pasó rápidamente el teléfono a Astorre.

—Timmona —dijo Astorre—, siento haberte despertado. Pero he tenido que secuestrar a Bruno porque tú tienes a mi primo.

Se oyó otro rugido furioso de Timmona a través del teléfono.

—Yo no sé nada de eso. ¿Qué coño quieres?

Bruno lo oyó y dijo a voz en grito:

—¡Tú me has metido en esto, imbécil! ¡Ahora sácame de aquí!

Astorre añadió sin perder la calma:

—Timmona, hagamos el intercambio y después hablaremos del trato que tú sabes. Sé que piensas que he sido muy testarudo, pero cuando nos volvamos a ver te explicaré el porqué y entonces comprenderás que te he estado haciendo un favor.

Ahora la voz de Timmona sonó un poco más calmada.

—De acuerdo —dijo—. ¿Cómo organizamos la reunión?

—Me reuniré contigo al mediodía en el restaurante Paladin —dijo Astorre—. Tengo allí un comedor privado. Llevaré a Bruno conmigo y tú llevarás a Marc. Puedes ir con guardaespaldas si no te fías, pero será mejor que no haya un baño de sangre en un restaurante abierto al público. Hablaremos de todo y haremos el canje.

—Allí estaré —dijo Timmona tras una prolongada pausa—, pero no intentes ninguna jugarreta.

—No te preocupes —dijo jovialmente Astorre—. Cuando termine la reunión, seremos amigos.

Astorre y Monza se situaron uno a cada lado de Bruno, y Astorre le tomó amistosamente del brazo. Bajaron con él la escalera y salieron a la calle. Había otros dos vehículos con hombres de Astorre esperando.

—Sube con Bruno a uno de los automóviles —le dijo Astorre a Monza—. Llévalo al restaurante Paladin al mediodía. Allí me reuniré contigo.

—¿Y qué hago yo con él hasta entonces? —preguntó Monza—. Faltan casi siete horas.

—Llévalo a desayunar —le dijo Astorre—. Le encanta comer. Eso te ocupará un par de horas. Después llévalo a dar un paseo por Central Park. Llévalo al zoo. Yo me iré en uno de los automóviles, con un conductor. Si intenta correr, no lo mates. Atrápalo.

—Tú irás solo y por tu cuenta. ¿Te parece prudente? —preguntó Monza.

—No ocurrirá nada —contestó Astorre.

Una vez en el vehículo, Astorre marcó en el automóvil el número privado de Nicole. Ya eran casi las seis de la madrugada y la luz atravesaba la ciudad, formando delgadas líneas de piedra.

Nicole contestó con voz adormilada. Astorre recordó que su voz sonaba de aquella misma manera cuando era su amante adolescente.

—Despierta, Nicole —le dijo—. ¿Sabes quién soy?

La pregunta molestó visiblemente a Nicole.

—Pues claro que sé quién eres. ¿Quién sino tú podría llamarme a estas horas?

—Presta mucha atención —dijo Astorre—. Y no hagas preguntas. Este documento que me tienes guardado, el que le firmé a Cilke, ¿recuerdas que tú me aconsejaste que no firmara?

—Sí —contestó Nicole con sequedad—. Claro que lo recuerdo.

—¿Lo tienes en casa, o en la caja fuerte de tu despacho? —preguntó Astorre.

—En mi despacho, por supuesto —repuso Nicole.

—Muy bien —dijo Astorre—. Estaré en tu casa dentro de media hora. Tocaré el timbre. Procura estar lista para bajar. Llévate todas las llaves. Iremos a tu despacho.

Cuando Astorre llamó al timbre, Nicole bajó inmediatamente, vestida con una chaqueta de cuero azul. Llevaba un bolso grande. Le dio a Astorre un beso en la mejilla, pero no se atrevió a decirle nada. Subió a su vehículo y le indicó al chófer la dirección. Permaneció en silencio hasta que llegaron a la suite de su despacho.

—Y ahora dime por qué quieres el documento —dijo.

—No tienes por qué saberlo —contestó Astorre.

Se dio cuenta de que su prima se había molestado con su respuesta, pero la vio acercarse a la caja fuerte del despacho y sacar una carpeta.

—No cierres la caja —le dijo Astorre—. Quiero la cinta que grabaste de nuestra reunión con Cilke.

Nicole le entregó la carpeta.

—Tienes derecho a tener estos documentos —dijo—. Pero no a reclamar ninguna cinta, aunque hubiera alguna.

—Hace tiempo me dijiste que grababas todas las reuniones que mantenías en tu despacho —dijo Astorre—. Y te estuve observando durante la reunión. Parecías demasiado satisfecha de ti misma.

Nicole soltó una carcajada de despectivo afecto.

—Has cambiado —dijo—. Nunca fuiste uno de esos imbéciles que se creen capaces de leerles el pensamiento a los demás.

—Pensaba que todavía te gustaba —dijo Astorre, sonriendo tristemente y en tono de disculpa—. Por eso nunca te pregunté qué borraste en el expediente de Don Aprile antes de enseñármelo.

—No borré nada —dijo fríamente Nicole—. Y no te daré la cinta hasta que me digas a qué viene todo eso.

—De acuerdo —dijo Astorre tras una breve pausa—, ahora ya eres una chica mayor. —Se rió al ver su enfado, la furia de sus ojos oscuros y la mueca de desprecio de sus labios. Le recordó la cara que puso cuando se enfrentó con él y su padre, mucho tiempo atrás—. Bueno, tú siempre querías jugar con los chicos mayores. ¡Y vaya si lo haces! Como abogada has pegado un susto a casi tanta gente como tu padre.

—No era tan malo como la prensa y el FBI lo pintaban —dijo Nicole en tono enojado.

—De acuerdo —dijo Astorre, tratando de apaciguarla—. Tu hermano Marc fue secuestrado anoche por Timmona Portella. Pero no te preocupes. Yo fui y secuestré a su hermano, Bruno. Ahora podemos hacer un canje.

—¿Has perpetrado un secuestro? —preguntó Nicole sin poderlo creer.

—Ellos han hecho lo mismo —replicó Astorre—. Lo que quieren es que les vendamos los bancos.

—¡Pues dales los malditos bancos de una vez!

—No lo entiendes. No tenemos que darles nada. Tenemos a Bruno. Si ellos le hacen algún daño a Marc, nosotros se lo haremos a Bruno.

Nicole lo miró, horrorizada.

Astorre le devolvió la mirada sin pestañear, acariciando con una mano el collar de oro que llevaba alrededor del cuello.

—Pues sí —dijo—, tendremos que matarlo.

En el terso rostro de Nicole se dibujaron unas leves arrugas de inquietud.

—Tú no, Astorre. No hagas tú lo mismo.

—O sea que ahora ya lo sabes —dijo Astorre—. No soy el hombre que les venderá los bancos a los que mataron a quien era tu padre y mi tío. Pero necesito la cinta y el documento para llegar a un acuerdo y recuperar a Marc sin derramamiento de sangre.

—Véndeles los bancos y déjate de historias —dijo Nicole sin levantar la voz—. Seremos ricos. ¿Qué importa eso?

—A mí sí me importa —dijo Astorre—. Y al Don también le importaba.

Nicole introdujo en silencio la mano en la caja fuerte y sacó un paquetito que depositó sobre la carpeta.

—Pásamela —le dijo Astorre.

Nicole buscó en su escritorio un pequeño casete. Insertó la cinta y escucharon cómo Cilke exponía su plan para atrapar a Portella. Astorre se lo guardó todo en el bolsillo.

—Más tarde te lo devolveré junto con Marc —dijo—. No te preocupes. No ocurrirá nada. Y si ocurre, será peor para ellos que para nosotros.

Poco después del mediodía, Astorre, Aldo Monza y Bruno Portella ya estaban sentados en un comedor privado del restaurante Paladin, del cincuenta y tantos, en el East End.

Bruno no parecía nada preocupado de ser un rehén y hablaba animadamente con Astorre.

—¿Sabes que me he pasado toda la vida viviendo en Nueva York sin enterarme de que en Central Park había un zoo? —dijo—. Convendría que mucha gente lo supiera y fuera a verlo.

—O sea que te lo has pasado bien —dijo amablemente Astorre, pensando que, como la cosa fallara, Bruno tendría por lo menos un recuerdo agradable antes de morir. Se abrió la puerta del comedor y apareció el propietario del restaurante en compañía de Timmona Portella y Marcantonio. El corpachón de Portella, enfundado en su traje de impecable corte, casi ocultaba a Marcantonio. Bruno corrió a los brazos de Timmona y lo besó en las mejillas mientras Astorre contemplaba con asombro la expresión de amor y satisfacción del rostro de Timmona Portella.

—¡Qué hermano, pero qué hermano! —exclamó Bruno en voz alta.

A diferencia de ellos, Astorre y Marcantonio se limitaron a estrecharse la mano, y después Astorre medio abrazó a su primo y le dijo:

—Todo va bien, Marc.

Marcantonio se apartó de él y se sentó. Le temblaban las piernas en parte de alivio y en parte por el aspecto de Astorre. El muchacho que tanto se divertía cantando, el risueño y despreocupado joven, revelaba ahora su auténtica personalidad de Ángel de la Muerte, capaz de dominar el temor y la bravuconería de Timmona.

Astorre se sentó a su lado y le dio una palmada en la rodilla, sonriendo alegremente como si aquello fuera un simple almuerzo entre amigos.

—¿Cómo estás? —preguntó.

Marcantonio miró a Astorre directamente a los ojos. Jamás se había percatado de que fueran tan claros y despiadados. Después miró a Bruno, el hombre que hubiera pagado por su muerte. Éste le estaba contando algo a su hermano acerca del zoo de Central Park.

—Tenemos cosas de que hablar —le dijo Astorre a Timmona.

—De acuerdo —dijo Timmona—. Bruno, lárgate de aquí. Hay un vehículo esperando fuera. Hablaré contigo en casa.

Monza entró en el comedor privado.

—Acompaña a Marcantonio a su casa —le dijo Astorre—. Marc, tú espérame allí.

Portella y Astorre se quedaron a solas, sentados el uno frente al otro alrededor de la mesa ya puesta. Portella descorchó una botella de vino y se llenó la copa. No le ofreció bebida a Astorre.

Astorre se introdujo la mano en el bolsillo, sacó un sobre marrón y lo vació sobre la mesa. Era el documento confidencial que le había firmado a Cilke, en el que éste le pedía que traicionara a Portella al FBI.

Estaba también el pequeño casete con la cinta dentro.

Timmona echó un vistazo al documento con el logotipo del FBI y lo leyó.

—Podría ser falso —dijo, apartándolo a un lado—. ¿Y cómo pudiste tú ser tan necio como para firmarlo?

En lugar de responder, Astorre puso en marcha el casete y se oyó la voz de Cilke pidiéndole que colaborara con él para atrapar a Portella.

Éste trató de disimular el asombro y la cólera que sentía, pero su rostro se había teñido de rojo y sus labios se movían, maldiciendo sin duda. Astorre pulsó el botón de pausa.

—Sé que ha estado usted colaborando con Cilke durante los últimos seis años —dijo—. Le ayudó a aniquilar a las Familias de Nueva York. Y sé que gracias a ello Cilke le otorgó inmunidad. Pero ahora va a por usted. Esos tipos de las placas nunca están contentos. Lo quieren todo. Usted creía que era su amigo. Rompió la *omertà* por él. Se hizo famoso gracias a usted, y ahora él quiere enviarlo a la cárcel. Ya no le necesita. Irá a por usted en cuanto usted compre los bancos. Por eso yo no podía concertar el trato. Yo jamás quebrantaría la *omertà*.

Timmona permaneció inmóvil como una estatua, hasta que por fin tomó una decisión.

—Si yo resuelvo el problema de Cilke, ¿qué acuerdo concertarías en el asunto de los bancos?

Astorre lo volvió a guardar todo en su cartera de documentos.

—Venta total. Excepto en mi caso: yo me quedo con un cinco por ciento.

Timmona ya se había recuperado del sobresalto.

—De acuerdo —dijo—. Negociaremos los detalles cuando se haya resuelto este problema.

Se estrecharon la mano. Timmona fue el primero en levantarse. Astorre se dio cuenta de repente de que estaba muerto de hambre y pidió un buen bistec poco hecho para almorzar. «Un problema resuelto», pensó.

Aquella misma noche, Timmona Portella se reunió con el cónsul general Marriano Rubio, Inzio Tulippa y Michael Grazziella, el jefe de la *cosca* de Corleone de Sicilia. La reunión tuvo lugar a medianoche en la residencia del cónsul general, que pertenecía a la embajada del Perú.

El cónsul general siempre había sido un extraordinario anfitrión para todos y se desvivía por hacerles la estancia agradable. Los acompañaba al teatro, a la ópera y al ballet, y les proporcionaba hermosas y discretas jóvenes de cierta notoriedad en el mundo de las artes o la música. Tulippa y Grazziella se lo estaban pasando muy bien y no sentían el menor deseo de regresar a sus ambientes habituales, mucho menos estimulantes. Eran unos reyes subalternos mimados por un emperador supremo que hacía todo lo posible por complacerlos.

Aquella noche el cónsul general se superó a sí mismo en su papel de anfitrión. La mesa de negociación estaba repleta de platos exóticos, fruta, quesos, enormes bombones de chocolate y una botella de champán en su cubo de hielo junto a cada silla. Unos exquisitos pastelillos descansaban sobre una delicada nube de algodón de azúcar. Había también una enorme y humeante cafetera y varias cajas de habanos diseminadas por la mesa, de la variedad maduro, con su oscuro color característico, marrón claro y verde.

El cónsul general abrió la sesión.

—¿Qué es eso tan importante que nos ha obligado a cancelar nuestros compromisos para celebrar esta reunión? —preguntó a Timmona Portella.

A pesar de su exquisita cortesía, el leve tono de superioridad de su voz enfureció a Portella, quien no ignoraba que perdería estatura ante los presentes en cuanto se enteraran del engaño de Cilke. Les contó toda la historia.

Tulippa se estaba comiendo un enorme bombón de chocolate cuando le dijo en tono de absoluto desprecio:

—Quieres decir que tenías en tu poder a su primo Marcantonio Aprile y concertaste un trato con él para que te devolviera a tu hermano, sin consultar con nosotros.

—No podía dejar morir a mi hermano —contestó Portella—. Y además, si no hubiera llegado a un acuerdo, habríamos caído en la trampa de Cilke.

—Muy cierto —dijo Tulippa—. Pero tú no tenías que tomar la decisión.

—¿Quién entonces? —preguntó Portella.

—¡Todos nosotros! —contestó Tulippa—. Somos tus socios.

Portella lo miró mientras pensaba: «¿Por qué no mato de una puta vez a este cerdo hijo de la gran puta?». Pero entonces recordó los cincuenta sombreros de jipijapa lanzados al aire.

El cónsul general pareció leerle el pensamiento.

—Todos procedemos de distintas culturas y tenemos distintos valores —intervino en tono apaciguador—. Tenemos que adaptarnos los unos a los otros. Timmona es norteamericano y por eso es tan sentimental.

—Tu hermano es un estúpido, un mierda —dijo Tulippa.

—Inzio —dijo el cónsul general, moviendo el dedo en dirección a Tulippa—, deja de armar jaleo sin motivo. Todos tenemos derecho a tomar una decisión cuando se trata de asuntos personales.

Michael Grazziella esbozó una leve sonrisa burlona.

—Es cierto. Tú, Inzio, nunca nos revelaste la existencia de tus laboratorios secretos. No nos hablaste de tu deseo de poseer tus propias armas personales. Qué idea tan insensata. ¿Crees que el Estado aceptará semejante amenaza? Cambiarán todas las leyes que ahora nos protegen y nos permiten medrar.

Tulippa soltó una carcajada. Se lo estaba pasando bien.

—Soy un patriota —dijo—. Quiero que América del Sur esté en condiciones de defenderse de países como Israel, la India e Irak.

El cónsul general le dirigió una benévola sonrisa.

—Nunca pensé que fueras un nacionalista.

A Timmona Portella todo aquello no le hacía la menor gracia.

—Aquí tengo un problema muy serio. Pensé que Cilke era mi amigo. Invertí un montón de dinero en él. Y ahora resulta que nos está persiguiendo a mí y a todos vosotros.

—Tenemos que abandonar todo el proyecto —dijo Grazziella en tono decidido y enérgico—. Tenemos que acostumbrarnos a vivir con menos. —Ya no era el hombre amable y cortés que todos conocían—. Tenemos que buscar otra solución. Olvidémonos de Kurt Cilke y de Astorre Viola. Son demasiado peligrosos como enemigos. No podemos seguir un camino que nos destruiría a todos.

—Eso no resolverá mi problema —dijo Portella—. Cilke seguirá yendo a por mí.

Inzio Tulippa también se había despojado de su máscara amable.

—Que tú abogues por semejante solución pacífica es algo totalmente contrario a todo lo que sabemos de ti —le dijo a Grazziella—. Mataste a cien policías en Sicilia. Asesinaste al gobernador y a su mujer. Tú y tu *cosca* de los corleoneses matasteis al general del Ejército encargado de aniquilar tu organización. Y ahora nos vienes a decir que abandonemos un proyecto que nos reportaría miles de millones de dólares, y que dejemos en la cuneta a nuestro amigo Portella.

—Voy a deshacerme de Cilke —dijo Portella—. Me importa un bledo lo que digáis.

—Es una acción muy arriesgada —dijo el cónsul general—. El FBI se vengará. Utilizarán todos los medios a su alcance para localizar al asesino.

—Yo estoy de acuerdo con Timmona —dijo Tulippa—. EL FBI actúa con muchas limitaciones legales y se puede manejar. Yo facilitaré un equipo de ataque y, horas después de la operación, los hombres ya estarán a bordo de un avión rumbo a América del Sur.

—Sé que es peligroso —dijo Portella—, pero es lo único que se puede hacer.

—Estoy de acuerdo —repitió Tulippa—. Para conseguir miles de millones de dólares hay que correr riesgos. De lo contrario, ¿para qué estamos en este negocio?

—Tú y yo corremos un riesgo mínimo porque gozamos de inmunidad diplomática —le dijo el cónsul general a Inzio—. Grazziella, tú regresa a Sicilia de momento. Portella, a partir de este momento tú tendrás que soportar todo el peso de lo que ocurra.

—En el peor de los casos —dijo Tulippa—, yo te podría ocultar en América del Sur.

Portella extendió las manos en gesto de impotencia.

—Tengo una alternativa —dijo—. Pero necesito vuestro apoyo. ¿Estás de acuerdo, Grazziella?

—Sí, estoy de acuerdo —contestó Grazziella con semblante impasible—. Pero yo que tú me preocuparía más por Astorre Viola que por Kurt Cilke.

11

Cuando recibió el mensaje cifrado en el que se le informaba de que Heskow deseaba reunirse con él, Astorre tomó precauciones. Siempre cabía la posibilidad de que Heskow se volviera contra él. Por consiguiente, en lugar de responder al mensaje, a medianoche se presentó sin previo aviso en la casa que Heskow tenía en Brightwaters. Se hizo acompañar por Aldo Monza y otro automóvil con cuatro hombres más. Llevaba el chaleco antibalas. Llamó a Heskow para que abriera la puerta cuando ya estaba en el camino de la entrada.

Heskow no pareció sorprendido lo más mínimo. Él mismo preparó café y se lo sirvió. Después le dijo sonriendo:

—Tengo una buena noticia y una mala noticia —le dijo sonriendo—. ¿Cuál le digo primero?

—Suelte lo que sea —contestó Astorre.

—La mala noticia es que me veo obligado a abandonar el país para siempre a causa precisamente de la buena noticia. Y quiero pedirle que cumpla su promesa. Que no le ocurra nada a mi chico aunque yo ya no pueda trabajar más para usted.

—Ya la tiene —dijo Astorre—. Dígame ahora por qué tiene que abandonar el país.

Heskow sacudió la cabeza con semblante abatido.

—Porque el muy imbécil de Portella se está pasando de la raya. Va a cargarse al tal Cilke, el tipo del FBI. Y quiere que yo sea el jefe operativo del equipo que llevará a cabo la acción.

—Pues dígale que no quiere hacerlo —dijo Astorre.

—No puedo —dijo Heskow—. La acción ha sido decidida por todo su grupo, y si me niego estoy perdido, y hasta es posible que también mi hijo. Así que yo organizaré el ataque, pero no participaré en él. Habré desaparecido. Después, cuando se carguen a Cilke, el FBI enviará a cien hombres a la ciudad para resolver el problema. Se lo he dicho a ellos, pero les importa una mierda. Cilke los debe de haber traicionado o algo así. Creen que con sus difamaciones podrán conseguir que no se arme demasiado revuelo.

Astorre procuró disimular su satisfacción. Había dado resultado. Cilke moriría sin que él tuviera que correr el menor riesgo. Y con un poco de suerte, el FBI se cargaría a Portella.

—¿Quiere dejarme alguna dirección? —le preguntó a Heskow. Éste lo miró con una sonrisa de despectiva desconfianza.

—Mejor que no —contestó—. No porque no me fíe de usted. Pero puedo ponerme en contacto, en caso necesario.

—Bueno, pues gracias por la información —dijo Astorre—; pero, dígame, ¿quién ha tomado la decisión?

—Timmona Portella —contestó Heskow—, aunque Inzio Tulippa y el cónsul general han dado su visto bueno. Grazziella, el tipo de los corleoneses, se ha lavado las manos. Quiere desmarcarse de la operación. Se va a Sicilia. Lo cual tiene gracia después de haber matado prácticamente a media Sicilia. No entienden cómo van las cosas aquí, en Estados Unidos —añadió—, y Portella es un estúpido. Dice que pensaba que él y Cilke eran amigos de verdad.

—Y usted estará al frente del equipo —dijo Astorre—. Tampoco es una muestra de inteligencia que digamos.

—No, ya le he dicho que cuando ataquen la casa, yo estaré lejos.

—¿La casa? —preguntó Astorre, y en aquel momento temió lo que iba a escuchar.

—Sí —contestó Heskow—. Todo el equipo de ataque regresará en avión a América del Sur y desaparecerá de inmediato.

—Muy profesional —dijo Astorre—. ¿Cuándo ocurrirá todo eso?

—No mañana por la noche sino pasado mañana —contestó Heskow—. Lo único que tendrá usted que hacer es mantenerse al margen. Ellos resolverán todos sus problemas. Ésta es la buena noticia.

—Vaya si lo es —dijo Astorre.

Su semblante permaneció inmutable, pero en su mente surgió la visión de Georgette Cilke, con toda su belleza y bondad.

—Pensé que convenía que usted lo supiera para que tenga una buena coartada —dijo Heskow—. Así que ahora está usted en deuda conmigo y tiene que proteger a mi chico.

—Por supuesto —dijo Astorre—. No se preocupe por él.

Estrechó la mano de Heskow, disponiéndose a marchar.

—Creo que hace usted muy bien en abandonar el país. Se armará una muy gorda.

—Sí —dijo Heskow.

Astorre se preguntó por un instante qué haría con Heskow. Era el hombre que iba al volante del vehículo desde el que se había asesinado al Don. Tenía que pagarlo a pesar de toda la ayuda que le estaba prestando. Pero él había perdido en parte su energía al enterarse de que la esposa y la hija de Cilke iban a morir con él. «Déjale que se vaya —pensó—. Puede que te sea útil más adelante. Ya tendrás ocasión de liquidarlo después.» Contempló el sonriente rostro de Heskow y le devolvió la sonrisa.

—Es usted un hombre muy listo —le dijo.

Heskow se ruborizó de satisfacción.

—Lo sé —dijo—. Por eso estoy vivo.

A las once de la mañana del día siguiente, Astorre se presentó en la oficina del FBI en compañía de Nicole Aprile, que había concertado la cita por teléfono.

Astorre se había pasado toda la larga noche pensando en lo que tendría que hacer. Lo había planeado todo para que Portella liquidara a Cilke, pero no a su familia. Sabía que no podía permitir que Georgette o su hija murieran. Sabía también que Don Aprile jamás se hubiera interpuesto en el camino del destino en un asunto como aquél. Pero entonces recordó una historia del Don que le dio mucho que pensar.

Cuando él tenía doce años y acompañaba al Don en su visita de cada año a Sicilia, una noche Caterina les sirvió la cena en la glorieta del jardín.

—¿Cómo os conocisteis vosotros dos? —les preguntó Astorre de repente, con su peculiar inocencia—. ¿Crecisteis juntos de niños?

El Don y Caterina intercambiaron una mirada y después se rieron ante la seriedad de su infantil interés. El Don se acercó el dedo a los labios y susurró en tono burlón:

—*Omertà*. Es un secreto.

Caterina le dio a Astorre un golpecito en la mano con la cuchara de palo.

—Eso no es asunto tuyo, diablillo —le dijo—. Y además, no es que yo me enorgullezca de ello.

Don Aprile miró afectuosamente a Astorre.

—¿Y por qué no puede saberlo? Es siciliano hasta la médula. Cuéntaselo.

—No —replicó Caterina—. Pero dígaselo usted si quiere.

Después de la cena, Don Aprile encendió un puro, se llenó una copa de anisete y le contó toda la historia.

—Hace diez años, el hombre más importante de la ciudad era un tal padre Sigismondo, un tipo muy peligroso pero dotado de un gran sentido del humor. Cuando yo visitaba Sicilia, acudía a menudo a mi casa y jugaba a las cartas con mis amigos —explicó el Don—. Por aquel entonces yo tenía otra ama de llaves.

Pero el padre Sigismondo no era un impío. Era un piadoso sacerdote y trabajaba muy duro. Reprendía a la gente y la exhortaba a ir a misa, y hasta una vez se lió a puñetazos con un ateo que lo había sacado de quicio.

El padre Sigismondo se había hecho muy famoso porque solía administrar la extremaunción a las víctimas de la Mafia que yacían moribundas; perdonaba sus pecados y purificaba su alma para que pudieran subir al cielo. Todo el mundo lo apreciaba por eso, pero aquello se repetía con tanta frecuencia que algunos empezaron a comentar en voz baja que siempre estaba a mano porque era uno de los verdugos, que revelaba los secretos de confesión en provecho propio.

Por aquel entonces, el marido de Caterina era un policía que luchaba con todas sus fuerzas contra la Mafia. Llegó incluso a presentar una denuncia por asesinato a pesar de haber recibido una advertencia del jefe de la Mafia provincial, lo cual constituía por aquel entonces un inaudito acto de desafío. Una semana después de haber recibido la amenaza, el marido de Caterina cayó en una emboscada y quedó moribundo en el suelo de una callejuela de Palermo. El padre Sigismondo pasó casualmente por allí y le administró la extremaunción. El crimen jamás se resolvió.

Caterina, la desconsolada viuda, se pasó un año de luto e iba muy a menudo a la iglesia. Un sábado se fue a confesar con el padre Sigismondo. A la vista de todo el mundo, cuando el cura abandonó el confesionario, le asestó una puñalada en el corazón con la navaja de su marido. La policía la envió a la cárcel, pero eso no fue lo peor. El jefe de la Mafia la condenó a muerte.

Astorre miró a Caterina con ojos asombrados.

—¿De veras hiciste eso, tía Caterina?

Caterina lo miró con semblante burlón. El niño sentía verdadera curiosidad y no tenía ni pizca de miedo.

—Pero tienes que comprender por qué lo hice. No fue porque él hubiera matado a mi marido. Aquí en Sicilia los hombres siempre se están matando. El padre Sigismondo era un sacerdote hipócrita, un asesino sin remisión. No estaba en condiciones de administrar debidamente los últimos sacramentos. ¿Cómo podía Dios escucharle? Así que a mi marido no sólo lo mataron sino que le impidieron subir al cielo y fue a parar al infierno. Bueno, es que los hombres no saben dónde está el límite. Hay cosas que no se pueden hacer. Por eso maté al cura.

—Y ahora, ¿cómo es posible que estés aquí? —preguntó Astorre.

—Porque Don Aprile se interesó por el caso —contestó Caterina—. Y todo se arregló, como es natural.

—Yo gozaba de cierta posición en la ciudad, me tenían respeto —le dijo el Don a Astorre con la cara muy seria—. Las autoridades se dieron fácilmente por satisfechas y la Iglesia no quiso que la opinión pública se centrara demasiado en un cura corrupto. El jefe de la Mafia no fue tan sensato y se negó a anular la condena a muerte. Lo encontraron en el cementerio donde estaba enterrado el marido de Caterina, degollado. Su *cosca* fue destruida y perdió el poder. Para entonces yo ya me había encariñado con Caterina y la nombré administradora de mi casa. En el transcurso de los últimos nueve años, mis meses de verano en Sicilia han sido los más dulces de mi vida.

A Astorre le maravilló el relato. Se comió un puñado de aceitunas y escupió los huesos.

—¿Caterina es tu novia? —le preguntó a su tío.

—Pues claro —contestó Caterina—. Tienes doce años y ya lo puedes comprender. Vivo bajo su protección, como si fuera su mujer, y cumplo mis deberes de esposa.

Por primera vez, que Astorre recordara, Don Aprile pareció sentirse un poco incómodo.

—Pero ¿por qué no os casáis? —preguntó Astorre.

—Yo jamás podría abandonar Sicilia —contestó Caterina—. Aquí vivo como una reina, y tu tío es muy generoso. Aquí tengo a mis amigos, a mi familia, a mis hermanos y hermanas y a todos mis primos. Y tu tío no podría vivir en Sicilia. Así que hacemos lo que podemos.

—Tío, te podrías casar con Caterina y quedarte a vivir aquí —le dijo Astorre a Don Aprile—. Yo viviría contigo. Yo no quiero irme de Sicilia.

Don Aprile y Caterina se echaron a reír.

—Mira —le dijo el Don—, me costó mucho trabajo acabar con la *vendetta* que pesaba contra ella. Si nos casáramos, empezarían las intrigas y las discordias. Aceptan que sea mi amante, pero no mi mujer. De esta manera, los dos estamos contentos y somos libres. Además, yo no quiero que mi mujer se niegue a aceptar mis decisiones y, puesto que ella se niega a abandonar Sicilia, yo no soy su marido.

—Y sería una *infamità* —añadió Caterina.

Inclinó ligeramente la cabeza, elevó los ojos al oscuro cielo siciliano y rompió a llorar. Astorre estaba desconcertado. Para su ingenua mentalidad de niño, aquello no tenía sentido.

—¿De verdad? Pero ¿por qué? ¿Por qué? —preguntó.

Don Aprile lanzó un suspiro. Dio una calada al puro y bebió un traguito de anisete.

—Tienes que comprenderlo —dijo el Don—. El padre Sigismondo era mi hermano.

Astorre recordó ahora que aquella explicación no lo había convencido. Con su romántica terquedad infantil, creía que dos personas que se amaban se podían permitir cualquier libertad que quisieran. Sólo ahora comprendía la terrible decisión que se habían visto obligados a tomar su tío y su tía. En caso de que el Don se hubiera casado con Caterina, todos sus parientes carnales se habrían convertido en enemigos suyos. No es que ignoraran la maldad del padre Sigismondo, pero era un hermano y eso justificaba todos sus pecados. Y un hombre como el Don no podía casarse con la asesina de su hermano. Caterina no podía exigirle semejante sacrificio. Además, ¿y si Caterina creyera que el Don había estado en cierto modo implicado en el asesinato de su marido? Qué salto en el vacío hubiera supuesto para la fe de ambos, y quizá qué traición a todo aquello en lo que ambos creían. Pero él vivía en Estados Unidos, no en Sicilia. Durante aquella larga noche, Astorre tomó una decisión. Por la mañana llamó a Nicole.

—Paso a recogerte para ir a desayunar —le dijo—. Después nos iremos juntos a visitar a Cilke en la oficina del FBI.

—Debe de ser algo muy serio, ¿verdad? —preguntó Nicole.

—Sí —contestó Astorre—. Te lo explicaré durante el desayuno.

—¿Has concertado una cita con él? —preguntó Nicole.

—No, eso te corresponde a ti —contestó Astorre.

Una hora más tarde ya estaban desayunando en la cafetería de un lujoso hotel con mesas muy separadas para respetar la intimidad de los clientes, pues se trataba de un habitual punto de reunión de primera hora de la mañana frecuentado por importantes agentes de bolsa de la ciudad.

Nicole era partidaria de los desayunos sustanciosos, pues necesitaba energía para sus duras jornadas laborales de doce horas. En cambio Astorre se conformó con un zumo de naranja y un café. Todo ello, con unos bollos, le costó veinte dólares.

—Menudos estafadores —le dijo sonriendo a Nicole.

Nicole se impacientó.

—Pagas el ambiente —le explicó—. Los manteles importados, la vajilla. ¿Se puede saber qué ocurre ahora?

—Voy a cumplir con mi deber de ciudadano —contestó Astorre—. Según la información que tengo, de fuente fidedigna, Cilke y su familia serán asesinados mañana por la noche. Quiero advertir a Cilke. Quiero que me agradezca la advertencia. Querrá saber cuál es mi fuente y yo no se lo puedo revelar.

Nicole apartó a un lado su plato y se reclinó contra el respaldo de su asiento.

—¿Quién puede ser tan estúpido? —le preguntó a su primo—. Espero que tú no estés metido en nada de todo eso.

—¿Por qué lo dices? —preguntó Astorre.

—No sé —contestó Nicole—. Se me acaba de pasar la idea por la cabeza. ¿Y por qué no le informas con un anónimo?

—Porque quiero que me agradezcan mis buenas obras —contestó Astorre—. Últimamente tengo la sensación de que nadie me quiere —añadió, mirando con una sonrisa a Nicole.

—Yo te quiero —dijo Nicole, inclinándose hacia él—. Verás, le vamos a decir lo siguiente. En el momento en que entrábamos en el hotel se ha acercado un desconocido y te ha susurrado la información al oído. Vestía traje gris a rayas, camisa blanca y corbata negra. Era de estatura media y tez morena, podía ser italiano o hispano. A partir de aquí, podemos improvisar. Yo corroboraré tu relato y él sabe que conmigo no se juega. —Astorre soltó una carcajada. Su risa siempre resultaba cautivadora porque desbordaba de júbilo infantil.

—O sea que te tiene más miedo a ti que a mí —dijo.

Nicole lo miró sonriendo.

—Y además conozco al director del FBI. Es un animal político, no tiene más remedio que serlo. Llamaré a Cilke y le diré que nos espere. —Se sacó el móvil del bolsillo y efectuó la llamada.

—Señor Cilke —dijo con el aparato pegado a la boca—, soy Nicole Aprile. Estoy con mi primo Astorre Viola. Tiene que facilitarle una importante información. —Y añadió tras una breve pausa—: Es demasiado tarde, estaremos ahí dentro de una hora.

Colgó antes de que Cilke pudiera decir nada. Una hora después, Astorre y Nicole fueron acompañados al despacho de Cilke. Era una espaciosa estancia de esquina con ventanas polaroid a prueba de balas, y por tanto no tenían ninguna vista.

Cilke los estaba esperando de pie, detrás de su enorme escritorio. Había tres sillones de cuero negro delante de la mesa. Curiosamente, a su espalda, se podía ver una pizarra escolar. En uno de los sillones se encontraba sentado su ayudante, Bill Boxton. Cilke los presentó. A pesar de la amable expresión de su rostro y de su cordial sonrisa, Boxton no les estrechó la mano.

—¿Lo va usted a grabar? —preguntó Nicole.

—Por supuesto que sí —contestó Cilke.

—Aquí lo grabamos todo —añadió Boxton en tono tranquilizador—, hasta cuando pedimos café y donuts. También grabamos a cualquiera que a nuestro juicio merezca ser enviado a la cárcel.

—Es usted muy gracioso —le dijo Nicole con semblante impasible—. Ni en el mejor día de su vida me podría enviar a la cárcel. Búsquese otro modo. Mi cliente Astorre Viola se reúne voluntariamente con ustedes para facilitarles una importante información. Y yo estoy aquí para protegerle contra cualquier maltrato que se le pudiera causar, una vez efectuada.

Kurt Cilke no se mostró tan encantador como en sus anteriores encuentros con ellos. Les indicó los sillones y tomó asiento detrás del escritorio.

—Muy bien —dijo—. Veamos de qué se trata.

Astorre percibió su hostilidad, como si el hecho de encontrarse en su propio terreno no le obligara a mostrarse tan cordial como de costumbre. ¿Cómo reaccionaría? Astorre lo miró directamente a los ojos.

—Según la información que he recibido —le dijo—, mañana por la noche se producirá un masivo ataque armado contra su casa. Entrada la noche. El propósito es matarle a usted por alguna razón que yo ignoro.

Cilke no contestó. Se quedó petrificado en la silla. En cambio Bill Boxton se levantó de un salto de su asiento y se situó a la espalda de Astorre.

—No te alteres, Kurt —dijo.

Cilke se levantó. Todo su cuerpo pareció estallar de furia.

—Eso es un viejo truco de la Mafia —dijo—. Uno organiza la operación y después la sabotea. Y cree que yo le estaré agradecido. Dígame cómo cojones ha obtenido usted semejante información.

Astorre le contó la historia que él y Nicole habían preparado. Cilke se volvió hacia Nicole y le preguntó:

—¿Usted ha sido testigo de los hechos?

—Sí —contestó Nicole—, pero no he oído lo que ha dicho el hombre.

—Queda usted detenido —le dijo Cilke a Astorre.

—¿Por qué razón? —preguntó Nicole.

—Por amenaza a un agente federal —contestó Cilke.

—Creo que será mejor que llame a su director —dijo Nicole.

—La decisión la tomo yo —replicó Cilke.

Nicole consultó su reloj.

Cilke añadió en tono pausado:

—Amparándome en una orden de rango superior, del presidente de la nación, tengo autoridad para retenerles a usted y a su cliente durante cuarenta y ocho horas sin asistencia letrada, por amenaza a la seguridad nacional.

Astorre, sorprendido, preguntó con infantil ingenuidad:

—¿Es eso cierto? ¿De veras puede hacerlo? —Se asombraba sinceramente de que el hombre tuviera semejante poder. Se volvió hacia Nicole y le dijo jovialmente—: Oye, esto se parece cada vez más a Sicilia.

—Si adopta usted esta medida, el FBI se pasará los próximos diez años en los tribunales y usted pasará a la historia —le dijo Nicole a Cilke—. Tiene tiempo para sacar a su familia y tender una emboscada a los atacantes. Ellos no sabrán que se ha informado sobre su acción. Si captura a algunos, los podrá interrogar. Nosotros no hablaremos. No los avisaremos.

Cilke pareció reflexionar.

—Por lo menos yo respetaba a su tío —le dijo a Astorre con desprecio—. Él jamás hubiera hablado.

Astorre esbozó una sonrisa, visiblemente molesto.

—Eran otros tiempos y eso se hacía en el viejo país, y además usted, con sus órdenes de rango superior, no es muy distinto que digamos.

Se preguntó qué hubiera dicho Cilke si él le hubiera revelado la verdadera razón: que lo quería salvar, simplemente, porque había pasado una noche en presencia de su mujer, de cuya imagen y personalidad él se había enamorado, tan romántica como inútilmente.

—No me creo esta bobada que me ha contado, pero indagaremos en este asunto en caso de que mañana por la noche se produzca efectivamente un ataque. Si ocurre algo, lo meto en la trena, y puede que a usted también la encierre, señora abogada. Pero ¿por qué me ha advertido?

Astorre sonrió de oreja a oreja.

—Porque me cae usted bien —contestó.

—Largo de aquí ahora mismo —dijo Cilke. Después se volvió hacia Boxton—: Que venga inmediatamente el comandante de las fuerzas tácticas especiales, y dile a mi secretaria que me prepare una llamada con el director.

Los retuvieron dos horas más para ser sometidos a interrogatorio por parte de los miembros del equipo de Cilke. Entretanto, Cilke habló desde su despacho con su director en Washington a través del teléfono con discriminador.

—No los detenga bajo ningún concepto —le dijo el director—. Todo saldría en los medios de difusión y nos convertiríamos en el hazmerreír de todo el mundo. Y no cometa ninguna tontería con Nicole Aprile, a no ser que tenga pruebas contra ella. Todo tiene que mantenerse en la máxima reserva, y ya veremos qué ocurre mañana por la noche. Los vigilantes de su casa ya han sido alertados, y ahora mismo su familia ya está siendo trasladada a otro lugar. Que se ponga su ayudante, Bill Boxton. Él dirigirá la emboscada de la operación.

—Señor, ese trabajo tendría que corresponderme a mí —dijo Cilke.

—Usted colaborará en la planificación —dijo el director—, pero no participará en la operación táctica bajo ningún pretexto. El Bureau actúa de acuerdo con unas severas reglas de combate para evitar cualquier violencia innecesaria. Si las cosas fallaran, usted sería sospechoso. ¿Comprende?

—Sí, señor —contestó Cilke. Lo comprendía muy bien.

12

Aspinella salió del hospital al cabo de un mes, pero aún no estaba lo bastante restablecida como para que le pudieran colocar un ojo artificial. Su cuerpo, un espléndido ejemplar físico, pareció recomponerse en torno a las heridas. Cierto que todavía arrastraba un poco el pie y que la cuenca del ojo ofrecía un aspecto espantoso, pero se había puesto un parche de color verde en lugar de negro, y el color acentuaba la belleza de su piel de color moka. Regresó al trabajo vestida con unos pantalones negros, una blusa verde y una chaqueta de cuero también verde. Cuando se miró al espejo, pensó que tenía una figura sensacional.

Aunque todavía no le habían dado el alta médica, a veces acudía a la Brigada de Investigación para echar una mano en los interrogatorios. Las lesiones sufridas le habían infundido la liberadora sensación de tener derecho a hacer lo que quisiera y ello la llevaba a abusar de su poder.

En su primer interrogatorio tuvo que habérselas con dos sospechosos, una insólita pareja formada por un blanco y un negro. El sospechoso blanco tenía unos treinta años, e inmediatamente le tuvo miedo y se puso en guardia ante ella. En cambio su compinche negro se alegró al ver a aquella alta y hermosa mujer del parche verde en el ojo y la mirada tan fría como el hielo. Era una hermana superguay.

—¡Mierda puta! —exclamó el negro.

Tenía un jovial y risueño semblante. Era su primera detención, carecía de antecedentes penales y creía sinceramente que su situación no era grave. Él y su compinche blanco habían cometido un allanamiento de morada en un barrio residencial, habían maniatado al marido y a la mujer, y habían saqueado la vivienda. Un confidente los había delatado. El negro aún llevaba puesto el Rolex del propietario de la casa.

—Oye, capitán Kidd —le dijo alegremente a Aspinella, sin mala intención y más bien en tono de admiración—, ¿nos vas a obligar a caminar por la pasarela como hacen los piratas?

Los demás investigadores presentes en la sala esbozaron una sonrisa ante aquella temeridad. Pero Aspinella no contestó. El chico iba esposado y no pudo defenderse del golpe. La porra se estrelló contra el rostro del muchacho, le rompió la nariz y le partió el pómulo. La cara del chico quedó convertida en una masa sanguinolenta. Después se le doblaron las piernas y se desplomó al suelo. Aspinella lo golpeó sin compasión durante diez minutos. La sangre empezó a manar de los oídos del chico como de un manantial.

—¡Qué barbaridad! —exclamó uno de los investigadores—, y ahora ¿cómo cojones lo vamos a interrogar?

—Yo no quería hablar con él —dijo Aspinella—. Yo quiero hablar con este tío. —Señaló con la porra al sospechoso blanco—. Te llamas Zeke, ¿verdad? Quiero hablar contigo, Zeke.

Zeke la miró aterrorizado. Aspinella se percató de que el parche del ojo se le había desplazado hacia un lado y de que Zeke le estaba viendo la cuenca vacía. Levantó la mano y volvió a colocar el parche sobre la lechosa cuenca.

—Escúchame con atención, Zeke —le dijo—. No perdamos el tiempo. Quiero saber cómo metiste a este chaval en este lío. Cómo te metiste tú en todo esto. ¿Me has comprendido? ¿Vas a colaborar?

Zeke palideció intensamente, pero no titubeó.

—Sí, señora —contestó—. Se lo diré todo.

—Muy bien —le dijo Aspinella al otro investigador—. Llévate al chico a la enfermería y que bajen los del vídeo para grabar la voluntaria confesión de Zeke.

Mientras instalaban los monitores, Aspinella le preguntó a Zeke:

—¿Quién os ha comprado los objetos robados? ¿Quién os facilitó información sobre el objetivo? Descríbeme el robo con todo detalle. Está claro que tu compañero es un buen chico. No tiene antecedentes y no es demasiado listo.

Por eso he sido benévola con él. Tú en cambio tienes un historial de lo más distinguido, Zeke, por consiguiente supongo que eres el que lo metió en todo eso, algo así como el Fagin de *Oliver Twist* que obligaba a los niños a robar. Así que empieza a ensayar para el vídeo.

Al salir de la comisaría, Aspinella se dirigió en su automóvil a Brightwaters, Long Island, por la carretera arbolada del Southern State.

Curiosamente, había descubierto que conducir con un solo ojo resultaba más agradable que con dos. El paisaje era más interesante porque lo enfocaba como si fuera una imagen futurista, con los bordes desvaneciéndose poco a poco en un sueño. Era como si medio mundo, aquella arboleda, por ejemplo, se hubiera dividido en dos partes y la mitad que ella podía ver le exigiera más atención.

Al final atravesó Brightwaters y pasó por delante de la casa de John Heskow. Vio su automóvil en el camino de la entrada y a un hombre trasladando una gran azalea desde el invernadero a la casa. Otro hombre salió de él con una caja llena de flores amarillas. Qué interesante, pensó Aspinella. Lo estaban vaciando de flores.

Durante su estancia en el hospital había llevado a cabo una investigación sobre John Heskow. Había examinado las fichas del registro de automóviles del estado de Nueva York, y había encontrado su dirección. Después había examinado todas las bases de datos sobre delincuentes y había descubierto que John Heskow se llamaba, en realidad, Louis Ricci. El muy hijo de puta era italiano, aunque tuviera pinta de tarta alemana. Sin embargo no tenía cuentas pendientes con la justicia. Había sido detenido varias veces por extorsión y agresión, pero nunca se había podido demostrar su culpabilidad. Los invernaderos no le reportaban el dinero suficiente como para poder costear su elevado tren de vida.

Todo aquello lo había hecho porque había llegado a la conclusión de que el único que podía haberlos señalado con el dedo a ella y a Di Benedetto era Heskow. Sin embargo, la desconcertaba que Heskow les hubiera entregado el dinero. Ese dinero había puesto en estado de alerta a la Oficina de Asuntos Internos, pero ella se los había quitado rápidamente de encima y había conseguido librarse muy pronto de sus desganadas investigaciones, porque lo que a ellos les interesaba de verdad era quedarse con el dinero. Ahora se estaba preparando para librarse de Heskow.

Veinticuatro horas antes del ataque programado contra Cilke, Heskow se dirigió en su automóvil al Aeropuerto Kennedy para volar rumbo a Ciudad de México, donde desaparecería del mundo civilizado mediante los pasaportes falsos que se había preparado años atrás.

Había dejado resueltos todos los asuntos pendientes. Los invernaderos se habían vaciado, su ex mujer vendería la casa e ingresaría el producto de la venta en el banco para sufragar los estudios universitarios de su hijo. Le había dicho que permanecería ausente un par de años, y lo mismo le había dicho a su hijo durante una cena en el Shun Lee's.

Llegó al Aeropuerto Kennedy por la tarde y facturó dos maletas, lo único que necesitaba, salvo los cien mil dólares en billetes de cien que llevaba en unas bolsitas sujetas alrededor del cuerpo con cinta adhesiva. Se había empapelado con dinero para hacer frente a los gastos más inmediatos, y tenía una cuenta secreta en las islas Caimán, casi cinco millones de dólares. Se enorgullecía de haber llevado una vida austera y no haber malgastado sus fondos en el juego, las mujeres u otras tonterías parecidas.

Se acercó al control y tomó la tarjeta de embarque. Sólo llevaba una pequeña cartera con sus falsos documentos de identidad y sus pasaportes. Había dejado el automóvil en un aparcamiento permanente; su ex mujer se encargaría de ir a recogerlo y de guardárselo.

Había llegado al aeropuerto demasiado temprano, con una hora por lo menos de adelanto. Se sentía un poco incómodo sin un arma de fuego encima, pero tenía que pasar por los detectores para subir a bordo, y además a través de sus contactos en Ciudad de México conseguiría todas las armas que quisiera.

Para pasar el rato se compró unas revistas en la librería del aeropuerto y se fue a la cafetería de la terminal. Se llenó la bandeja con pasteles y un café y se sentó a una de las mesas. Echó un vistazo a las revistas y se comió un pastel, una falsa tarta de fresas cubierta de falso chantilly. De repente se percató de que había alguien sentado a su mesa. Levantó la vista y vio a la investigadora Aspinella Washington. Como todo el mundo, inmediatamente se sintió atraído por el parche verde del ojo. Tuvo un estremecimiento de terror. Estaba mucho más guapa de lo que él recordaba.

—Hola, John —dijo Aspinella—. No fuiste a verme ningún día al hospital.

Heskow estaba tan trastornado que se tomó el comentario en serio.

—Sabe usted que no podía hacerlo, investigadora. Pero lamenté mucho su mala suerte.

Aspinella lo miró con una radiante sonrisa en los labios.

—Era una broma, John. Pero me apetecía charlar un ratito contigo antes de que tomes el vuelo.

—Faltaría más —dijo Heskow. Suponía que tendría que pagar, y guardaba diez de los grandes en la cartera de documentos, precisamente para sorpresas como aquélla—. Me alegro de verla tan guapa. Estaba preocupado por usted.

—¡Déjate de chorradas! —dijo Aspinella mientras el único ojo le brillaba como el de un halcón—. Qué lástima lo de Paul. Éramos buenos amigos, ¿sabes?, aparte de que él fuera mi jefe, claro.

—Fue una pena —dijo Heskow, haciendo incluso un chasquido con la lengua que hizo sonreír a Aspinella.

—No hace falta que te enseñe mi placa, ¿verdad? —dijo Aspinella. Hizo una pausa—. Quiero que me acompañes a una pequeña sala de interrogatorios que tenemos aquí, en la terminal. Si me das unas cuantas respuestas interesantes, podrás tomar tu vuelo.

—De acuerdo —dijo Heskow, levantándose y recogiendo la cartera de documentos.

—No se te ocurra hacer ninguna tontería si no quieres que te deje seco de un balazo —sentenció Aspinella—. Tiene gracia, soy mejor tiradora con un ojo que con dos.

Se levantó, tomó a Heskow del brazo y subió con él una escalera que conducía a la entreplanta, donde estaban ubicados los despachos administrativos de las líneas aéreas. Después recorrió con él un largo pasillo y abrió la puerta de un despacho.

Heskow se sorprendió al ver no sólo la espaciosa estancia sino también todas las hileras de monitores de televisión de las paredes, por lo menos veinte pantallas, controladas por dos hombres que permanecían sentados en unos mullidos sillones, comiendo bocadillos y bebiendo café.

—Hola, Aspinella —dijo uno de los hombres, levantándose—. ¿Qué ocurre?

—Tengo que mantener una conversación privada con este tipo en la sala de interrogatorios —contestó Aspinella—. Cierra la puerta de la sala por fuera.

—Vale —dijo el hombre—. ¿Quieres que uno de nosotros entre contigo?

—No —contestó Aspinella—. Es sólo una charla amistosa.

—Ya... una de tus famosas charlas amistosas —dijo el hombre riéndose mientras estudiaba detenidamente a Heskow—. Lo he visto en las pantallas abajo, en la terminal. Comiendo una tarta de fresas, ¿verdad?

El hombre los acompañó a una puerta del otro extremo de la estancia y la abrió. En cuanto Heskow y Aspinella entraron en la sala de interrogatorios, cerró la puerta por fuera.

La presencia de otras personas tranquilizó a Heskow. La sala de interrogatorios era una preciosidad, con un sofá, un escritorio y tres sillones de aspecto muy cómodo. En un rincón había un refrigerador de agua con vasos de papel. Las paredes rosas estaban decoradas con fotografías y cuadros de aviones de todas las épocas.

Aspinella le indicó a Heskow que se acomodara en uno de los sillones situados delante del escritorio en el que ella acababa de sentarse para poder mirarlo desde arriba.

—¿Podemos ir al grano? —preguntó Heskow—. No puedo perder el vuelo.

Aspinella no contestó. Se inclinó hacia delante y tomó la cartera de documentos que Heskow sostenía sobre las rodillas. Heskow se sobresaltó. Aspinella abrió la cartera y examinó el contenido, con los diez grandes fajos de billetes de cien dólares. Estudió uno de los pasaportes falsos, y después lo volvió a guardar todo en la cartera y se la devolvió.

—Eres un hombre muy listo —dijo—. Te diste cuenta de que había llegado el momento de largarte. ¿Quién te dijo que yo te iba detrás?

—¿Por qué me tenía usted que ir detrás? —preguntó Heskow.

Se había tranquilizado un poco, después de que Aspinella le devolviera la cartera de documentos.

Como respuesta, Aspinella se levantó el parche verde del ojo para que él pudiera ver el terrible cráter. Heskow ni siquiera parpadeó. Había visto cosas mucho peores en sus tiempos.

—Me has costado un ojo —le dijo Aspinella—. Sólo tú pudiste informar y prepararnos la trampa a Paul y a mí.

Heskow habló con la máxima sinceridad, lo cual había sido siempre una de las mejores armas en su profesión.

—Se equivoca, se equivoca de medio a medio. Si lo hubiera hecho yo, me habría quedado con el dinero, como usted comprenderá. Mire, tengo que tomar sin falta este vuelo. —Se desabrochó la camisa y arrancó un trozo de cinta adhesiva. Dos bolsitas de dinero cayeron sobre la mesa—. Eso es suyo. Y también el dinero de la cartera. Son treinta de los grandes.

—¡Coño! —exclamó Aspinella—. Treinta mil. Eso es mucho dinero por un simple ojo. De acuerdo. Pero tiene que decirme el nombre del tipo que le pagó para tendernos la trampa.

Heskow tomó una decisión. Era su única oportunidad de no perder aquel vuelo. Sabía que Aspinella hablaba en serio. En su trabajo había tenido que tratar con demasiados asesinos maníacos como para que ahora pudiera equivocarse con ella.

—Puede creerme —le dijo—. Nunca imaginé que ese tipo fuera capaz de cargarse a dos policías de tan alto rango. Yo me limité a cerrar un trato con Astorre Viola para que él se pudiera esconder. Nunca hubiera imaginado que pudiera hacer algo así.

—Muy bien —dijo Aspinella—. Y ahora dime, ¿quién te pagó para que emprendieras la acción contra él?

—Paul lo sabía —contestó Heskow—. ¿No se lo dijo? Timmona Portella.

Aspinella tuvo un arrebato de furia. Su socio gordinflón no sólo era una mierda en la cama sino que además era un embustero hijo de puta.

—Levántate —le dijo a Heskow. De repente un arma apareció en su mano.

Heskow se aterrorizó. Había visto aquella mirada en otras ocasiones, cuando él no era la víctima. Por un instante pensó que sus cinco millones de dólares ocultos morirían con él sin que nadie los reclamara. Y aquellos cinco millones se le antojaban un ser vivo. Qué desgracia tan grande.

—¡No! —gritó, echándose hacia atrás en el sillón.

Aspinella lo agarró por el pelo y lo levantó. Sostuvo el arma a cierta distancia de su cuello y abrió fuego. Heskow pareció escaparse volando de su presa y se desplomó ruidosamente contra el suelo. Aspinella se arrodilló a su lado. Le había arrancado media garganta. Tomó el arma de repuesto que guardaba en la funda del tobillo, la colocó en la mano de Heskow y se levantó. Oyó que abrían la puerta por fuera, e inmediatamente dos de los hombres que controlaban las pantallas irrumpieron en la estancia con las armas desenfundadas.

—He tenido que disparar —dijo—. Intentó sobornarme y después extrajo un arma. Avisad a los de la ambulancia de la terminal y yo misma llamaré a Homicidios. No toquéis nada y no me quitéis los ojos de encima.

A la noche siguiente, Portella llevó a cabo su ataque. La mujer y la hija de Cilke ya habían sido conducidas en secreto a una zona prohibida y fuertemente vigilada del FBI en California. Por orden del director, Cilke se encontraba en la oficina del FBI en Nueva York con todos los hombres de su equipo de guardia. Bill Boxton dirigiría la operación. Ostentaría el mando del destacamento especial y haría saltar la trampa de la casa de Cilke. No obstante, las reglas de combate eran muy severas. El Bureau no quería que se produjera un baño de sangre que desencadenara protestas de los grupos liberales. El equipo del FBI no abriría fuego a no ser que fuera atacado. Se haría todo lo posible por ofrecer a los atacantes la oportunidad de rendirse.

En su calidad de oficial adjunto de planificación, Kurt Cilke se reunió con el comandante del destacamento especial y con Bill Boxton. El jefe del destacamento era un hombre de treinta y cinco años en cuyo rostro se habían grabado las rígidas arrugas que suele llevar aparejadas el mando. Tenía la piel grisácea y un deplorable hoyuelo en la barbilla. Se llamaba Sestak y hablaba con marcado acento de Harvard. Se reunieron en el despacho de Cilke.

—Confío en que se mantenga en constante comunicación conmigo durante la operación —dijo Cilke—. Las reglas de combate deberán cumplirse tajantemente.

—Tengo otros cien hombres para cercarlos —dijo Sestak en tono pausado—. Los dejaremos entrar, pero no los dejaremos salir.

—Bien —dijo Cilke—. Cuando los capture, envíelos a nuestro centro de interrogatorios de Nueva York. Yo no estoy autorizado a participar en los interrogatorios, pero quiero información lo antes posible.

—¿Y si falla algo y acaban muertos? —preguntó Sestak.

—En tal caso se llevará a cabo una investigación interna y el director lo lamentará mucho. La realidad es la siguiente: serán detenidos por asociación para asesinar y saldrán en libertad bajo fianza. Después desaparecerán en América del Sur. Por consiguiente, sólo dispondremos de muy pocos días para interrogarlos.

Boxton miró a Cilke con una leve sonrisa en los labios. Sestak le dijo con su culto tono de voz:

—Creo que eso supondría para usted un enorme disgusto.

—Por supuesto que me molesta —dijo Cilke—. Pero el director tiene que tomar en consideración las repercusiones políticas. Las acusaciones de asociación son siempre muy complicadas.

—Comprendo —dijo Sestak—. O sea que tiene las manos atadas.

—Así es —dijo Cilke.

—Es una lástima —dijo Boxton en voz baja—, pueden intentar asesinar a un agente federal y largarse tranquilamente.

Sestak los estaba mirando a los dos con una burlona sonrisa en los labios. Su grisácea piel adquirió un tinte rojizo.

—Están ustedes tratando de convencer a alguien que ya lo está —dijo—. En cualquier caso, estas operaciones siempre fallan. Los tipos que van armados siempre creen que a ellos no les pueden disparar. Es un hecho muy curioso de la naturaleza humana.

Aquella noche Boxton acompañó a Sestak al área de operaciones que rodeaba la casa de Cilke en Connecticut. Se habían dejado encendidas las luces para dar la impresión de que había gente dentro. También había tres vehículos aparcados en el camino de la entrada para que pareciera que los guardias estaban dentro. Los automóviles llevaban trampas explosivas para que estallaran en el caso de que alguien los pusiera en marcha. Por lo demás, Boxton no podía ver nada.

—¿Dónde demonios están sus cien hombres? —le preguntó a Sestak.

Sestak sonrió de oreja a oreja.

—No está mal, ¿verdad? Se encuentran repartidos por aquí y ni siquiera usted los puede ver. Ya tienen líneas de fuego. Cuando entren los atacantes, la carretera se cerrará a sus espaldas. Tendremos un saco lleno de ratas.

Boxton permaneció al lado de Sestak en un puesto de mando, a cincuenta metros de la casa. Los acompañaba un equipo de comunicación de cuatro hombres, todos ellos con uniformes de camuflaje que se confundían con el bosque que les servía de escondrijo. Sestak y su equipo iban armados con rifles, pero Boxton sólo llevaba su revólver.

—No le quiero a usted en el combate —le dijo Sestak a Boxton—. Además, el arma que lleva no sirve de nada.

—¿Por qué no? —preguntó Boxton—. Me he pasado toda la carrera esperando el momento de poder disparar contra los malos.

Sestak se echó a reír.

—Pero hoy, no. Una orden de rango superior protege a mi equipo contra cualquier investigación legal o enjuiciamiento. A usted, no.

—Pero yo estoy al mando de la operación —dijo Boxton.

Sestak lo miró fríamente.

—No cuando seamos operacionales. Entonces el mando lo ejerceré yo solo. Yo tomaré todas las decisiones. Ni siquiera el director me puede sustituir.

Esperaron juntos en la oscuridad. Boxton consultó su reloj. Faltaban diez minutos para la medianoche.

—Se acercan a la casa cinco vehículos llenos de hombres —le dijo a Sestak en voz baja uno de los hombres del equipo de comunicaciones—. La carretera ha sido cerrada a sus espaldas. El tiempo de llegada calculado es de cinco minutos.

Sestak llevaba unas gafas de rayos infrarrojos que le permitían ver en la oscuridad.

—De acuerdo —dijo—. Transmita la orden. No abrir fuego a no ser que disparen contra ellos, o por orden mía.

Esperaron. De repente cinco automóviles enfilaron a toda velocidad el camino de la entrada y bajaron varios hombres. Uno de ellos arrojó una bomba incendiaria contra la casa de Cilke, rompiendo el cristal de una ventana y enviando al interior de la estancia una fina llamarada roja.

De pronto toda la zona quedó inundada por la luz de unos potentes reflectores que dejó paralizado al grupo de veinte atacantes.

Se oyó un zumbido, y un helicóptero con luces cegadoras empezó a sobrevolar la zona. Unos altavoces lanzaron un mensaje a través de la noche.

—Éste es el FBI. Arrojen las armas y échense en el suelo.

Los hombres —deslumbrados por los reflectores y por el helicóptero— se quedaron petrificados. Boxton observó con alivio que habían perdido la voluntad de resistir.

Su sorpresa fue enorme cuando vio que Sestak levantaba el rifle y abría fuego contra el grupo. Los atacantes respondieron al instante con sus armas. A Boxton le ensordeció el fragor de los disparos que barrieron el camino de la entrada y abatieron a los atacantes. Estalló uno de los coches con trampa explosiva. Fue como si un huracán de plomo hubiera devastado el camino de la entrada. Se rompieron los cristales y cayó una lluvia de plata. Los demás quedaron como hundidos en el suelo y tan acribillados a balazos que hasta perdieron el color de la carrocería. Del camino de la entrada pareció brotar un manantial de sangre que empezó a correr y a arremolinarse alrededor de los automóviles. Los veinte atacantes se habían convertido en una masa sanguinolenta, en unos bultos de trapos empapados que parecían bolsas de una lavandería, listos para su recogida.

Boxton se encontraba en estado de choque.

—Ha disparado usted antes de que pudieran rendirse —le dijo a Sestak en tono acusador—. Así lo señalaré en mi informe.

—Discrepo —dijo Sestak, mirándolo con una sonrisa—. El lanzamiento de una bomba incendiaria contra la casa ha sido un intento de asesinato. No podía poner en riesgo a mis hombres. Así lo señalaré en mi informe. Además, ellos abrieron fuego primero.

—Eso no lo dirá el mío —dijo Boxton.

—No sea ridículo —dijo Sestak—. ¿Cree que al director le interesa su informe? Usted irá a parar a su lista negra. Para siempre.

—Pedirá su cabeza porque ha desobedecido usted sus órdenes —dijo Boxton—. Arderemos juntos en el infierno.

—Muy bien —dijo Sestak—. Pero yo soy el comandante táctico. Nadie me puede contradecir. Una vez que se me encomienda el mando, claro. No quiero que unos criminales piensen que pueden atacar a un agente federal. Ésta es la realidad, y usted y el director pueden irse a tomar por culo. Así de claro.

—Veinte hombres muertos —dijo Boxton.

—Y en buena hora —dijo Sestak—. Usted y Cilke querían que yo desobedeciera, pero no han tenido los cojones de hacerlo ustedes mismos.

Boxton comprendió de repente que era verdad.

Kurt Cilke se preparó para otra reunión con el director en Washington. Había redactado unas notas con un esquema de lo que pensaba decir y un informe sobre todas las circunstancias que habían rodeado el ataque contra su casa.

Lo acompañaría como siempre Bill Boxton, pero esta vez por expreso deseo del director.

Cilke y Boxton se encontraban en el despacho del director, con toda su hilera de monitores de televisión en los que figuraban los informes de los agentes de la oficina local del FBI. El director, siempre cortés, les estrechó la mano a los dos y los invitó a sentarse, pero mientras lo hacía le dirigió a Boxton una fría y apagada mirada.

—Señores —dijo, dirigiéndose también a dos agentes adjuntos presentes en la reunión—. Tenemos que resolver todo este desastre. No podemos dejar pasar una acción tan atroz sin responder a ella con todos los medios a nuestro alcance. Cilke, ¿quiere usted permanecer en el puesto o prefiere pedir el retiro?

—Me quedo —contestó Cilke.

El director se volvió hacia Boxton. En su fino rostro aristocrático apareció una mueca severa.

—Usted estaba al frente de la operación. ¿Cómo es posible que resultaran muertos todos los atacantes y no tengamos a nadie a quien interrogar? ¿Quién dio la orden de abrir fuego? ¿Usted? ¿Y por qué motivo?

Boxton se incorporó rígidamente en su asiento, en posición de firmes.

—Señor —dijo—, los atacantes arrojaron una bomba contra la casa y abrieron fuego. No hubo más remedio.

El director lanzó un suspiro. Uno de los agentes auxiliares soltó un gruñido de desprecio.

—El capitán Sestak hizo una de las suyas. ¿Trató por lo menos de capturar a algún prisionero?

—Todo terminó en cuestión de dos minutos, señor —contestó Boxton—. Sestak es un táctico muy eficiente.

—Bueno, menos mal que ni los medios de difusión ni la opinión pública han armado demasiado alboroto —dijo el director—. Pero debo decir que lo considero un baño de sangre.

—Ya lo creo —dijo uno de los agentes auxiliares.

—En fin, ahora ya no tiene remedio —dijo el director—. Cilke, ¿ya tiene preparado un plan operacional?

Cilke sintió un arrebato de cólera al oír aquellas críticas, pero consiguió contestar serenamente.

—Quiero que se asignen cien hombres a mi oficina. Quiero pedir una exhaustiva auditoría de los bancos Aprile. Pienso profundizar al máximo en los antecedentes de todos los implicados en este asunto.

—¿No se siente usted en deuda con Astorre Viola por haberle salvado a usted y a su familia? —preguntó el director.

—No —contestó Cilke—. Hay que conocer a esta gente. Primero te meten en un lío y después te ayudan a salir de él.

—Recuerde que uno de nuestros principales objetivos es apoderarnos de los bancos Aprile —dijo el director—. No sólo porque nos beneficiaremos de ello sino también porque estos bancos están destinados a ser un centro de blanqueo de dinero del narcotráfico. Y a través de ellos atraparemos a Portella y a Tulippa. Tenemos que considerarlo desde un punto de vista global. Astorre Viola se niega a vender los bancos, y el sindicato de mafiosos está tratando de liquidarlo. Hasta ahora han fracasado. Hemos averiguado que los dos asesinos a sueldo contratados para liquidar al Don han desaparecido. Dos investigadores de la policía de Nueva York saltaron por los aires.

—Astorre es astuto y escurridizo, y no mantiene relación con ningún tipo de crimen organizado, lo cual significa que no podemos acusarlo de nada —les dijo Cilke—. Puede que sus enemigos de la Mafia consigan deshacerse de él y que entonces los hijos del Don les vendan los bancos. Si así fuera, estoy seguro de que dentro de un par de años traspasarán la frontera de la legalidad.

No era insólito que los representantes de la ley y el orden del Estado jugaran una partida muy larga, especialmente con los narcotraficantes. Pero para ello no tenían más remedio que hacer la vista gorda cuando se cometían ciertos crímenes.

—Varias veces nos lo hemos tomado con calma —dijo el director—. Pero eso no significa que tenga usted que darle carta blanca a Portella.

—Por supuesto que no —dijo Cilke.

Lo sabía muy bien, y todos los presentes en la estancia hablaban simplemente para que constara en acta.

—Le asignaré cincuenta hombres —dijo el director—. Y solicitaré una auditoría completa de los bancos, simplemente para que se lleven un buen susto.

—Ya les hemos hecho auditorías otras veces y no hemos encontrado nada —dijo uno de los agentes auxiliares.

—Siempre cabe una posibilidad —dijo Cilke—. Astorre no es banquero y a lo mejor ha cometido algún error.

—Sí —dijo el director—, al fiscal general del Estado le basta un pequeño resbalón.

De vuelta en Nueva York, Cilke se reunió con Boxton y Sestak para planificar la campaña.

—Nos van a enviar otros cincuenta hombres para investigar el ataque contra mi casa —les dijo—. Tenemos que andarnos con mucho cuidado. Quiero todo lo que se pueda averiguar sobre Astorre Viola. Quiero averiguar qué hay detrás de la explosión que hizo volar por los aires a los dos investigadores. Quiero toda la información que se pueda conseguir sobre la desaparición de los hermanos Sturzo y sobre el sindicato del crimen mafioso. Quiero que os concentréis muy especialmente en Astorre y Aspinella. Tiene fama de corrupta y de brutal, y toda esta historia que cuenta sobre la voladura del vehículo y el dinero que se encontró en el lugar de los hechos es de lo más sospechoso.

—¿Y qué hacemos con el tal Tulippa? —preguntó Boxton—. Puede abandonar el país cuando le dé la gana.

—Tulippa se encuentra en estos momentos de gira, pronunciando conferencias en favor de la legalización de la droga y cobrando sus chantajes a las grandes empresas.

—¿No podríamos detenerlo por eso? —preguntó Sestak.

—No —contestó Cilke—. Tiene una compañía de seguros y les vende pólizas. Podríamos acusarlo, pero las empresas se oponen. Han conseguido resolver el problema de la seguridad de su personal en América del Sur. Y Portella no tiene ningún sitio adonde ir.

Sestak miró a Cilke con una fría sonrisa en los labios.

—¿Cuáles son las reglas de combate en este caso?

—El director ha ordenado que no se produzcan más matanzas, pero tú procura protegerte —contestó Cilke en un suave susurro—. Sobre todo contra Astorre.

—En otras palabras, podemos dar a Astorre por muerto —dijo Sestak.

Cilke pareció reflexionar un instante.

—Si es necesario —dijo.

Apenas una semana después, los auditores federales entraron en tromba en los archivos del banco Aprile, y Cilke acudió a entrevistarse personalmente con el señor Pryor en su despacho.

Cilke le estrechó la mano y le dijo jovialmente:

—Me encanta reunirme personalmente con la gente a la que quizá tenga que enviar a la cárcel. Bien, ¿puede usted ayudarnos de alguna manera y apearse del tren antes de que sea demasiado tarde?

El señor Pryor estudió al joven con expresión de benévola preocupación.

—¿De veras? —dijo—. Se ha equivocado usted totalmente de camino, se lo aseguro. Yo dirijo estos bancos con la máxima limpieza, según todas las leyes nacionales e internacionales.

—Bien, sólo quería decirle que estoy investigando sus antecedentes y los de todos los demás —dijo Cilke—. Y espero que estén todos en regla. Especialmente, los hermanos Aprile.

—Estamos inmaculadamente limpios —dijo el señor Pryor, sonriendo.

Cuando Cilke se fue, el señor Pryor se reclinó en su asiento. La situación estaba adquiriendo un carácter alarmante. ¿Y si localizaran a Rosie? Lanzó un profundo suspiro. Qué lástima. Tendría que hacer algo al respecto.

Cuando Cilke le comunicó a Nicole que quería verla a ella y a Astorre en su despacho al día siguiente, aún no había comprendido del todo el carácter de Astorre, y tampoco le apetecía comprenderlo.

Simplemente sentía por él el mismo desprecio que le inspiraba toda la gente que quebrantaba la ley. No comprendía la determinación de un auténtico mafioso.

Astorre creía en las antiguas tradiciones. Sus seguidores lo querían no sólo por su carisma personal sino también porque valoraba el honor por encima de todo.

Un verdadero mafioso tenía la suficiente fuerza de voluntad como para vengar cualquier afrenta a su persona o a su *cosca*. Jamás podía someterse a la voluntad de otra persona, gobierno o entidad. Y en eso estribaba su poder. Su voluntad estaba por encima de todo, la justicia era lo que él decretaba que tenía que ser. Astorre había nacido en aquel ambiente y había sido adiestrado para aquel servicio durante sus años de estancia en Sicilia. La salvación de Cilke y de su familia había sido un fallo de su carácter. Pese a ello, se dirigió con Nicole al despacho de Cilke, con la vaga esperanza de que éste le diera las gracias y se mostrara algo menos hostil con él.

Enseguida se percató del cuidado con que se había organizado el encuentro. Delante de la puerta del despacho de Cilke había dos guardias de seguridad, que los registraron tanto a él como a su prima antes de entrar. Cilke se encontraba de pie detrás de su escritorio, mirándolos con rabia mal contenida. Les indicó por señas que se sentaran, sin el menor gesto amistoso.

Los dos guardias de seguridad entraron en el despacho y los encerraron a todos dentro.

—¿Se está grabando esta entrevista? —preguntó Nicole.

—Sí —contestó Cilke—. En audio y vídeo. No quiero que haya ningún malentendido al respecto. —Hizo una pausa—. Quiero que comprendan que nada ha cambiado. Le considero un pedazo de escoria —le dijo a Astorre— y no permitiré que viva en este país. Yo no me trago este cuento del Don. No me trago su historia sobre el confidente. Creo que todo eso lo montó con su cómplice y que después lo traicionó para recibir un trato más clemente por mi parte. Desprecio todas esas tretas.

Astorre se sorprendió sinceramente de que Cilke hubiera conseguido acercarse tanto a la verdad. Y lo miró con renovado respeto. Pero seguía estando dolido. Aquel tipo no le estaba agradecido y no sentía el menor respeto por el hombre que les había salvado la vida a él y a su familia. Sonrió al pensar en las contradicciones que se agitaban en su interior.

—Usted lo considera gracioso, una de sus bromas de la Mafia —añadió Cilke—. Yo le borraré la sonrisa de la cara en dos segundos. —Se volvió hacia Nicole—. En primer lugar, el Bureau exige que nos revelen las verdaderas circunstancias en que obtuvieron esa información. No esa historia falsa que nos contó su primo. Me deja usted de piedra, señora abogada. Estoy pensando en la posibilidad de acusarla de complicidad.

—Puede usted intentarlo —replicó fríamente Nicole—, pero le aconsejo que lo consulte primero con su director.

—¿Quién le reveló el previsto ataque contra mi casa? —preguntó Cilke—. Queremos saber quién es el verdadero confidente...

Astorre se encogió de hombros.

—Lo toma o lo deja —dijo.

—Ninguna de las dos cosas —replicó fríamente Cilke—. Que quede claro. Usted es una mierda como los demás. Un asesino como ellos. Sé que hizo saltar por los aires a Di Benedetto y Aspinella. Estamos investigando la desaparición de los hermanos Sturzo en Los Ángeles. Mató usted a tres matones de Portella y tomó parte en un secuestro. A la larga lo atraparemos. Y entonces no será más que otro pedazo de mierda.

Por primera vez, Astorre pareció perder un poco la compostura mientras la máscara de cordialidad desaparecía de su rostro. Sorprendió a Nicole mirándolo con una especie de aterrorizada compasión. Por eso dejó que se esfumara parte de su cólera.

—No espero ningún favor de usted —le dijo a Cilke—. Usted no sabe ni siquiera lo que significa el honor. Salvé la vida de su mujer y de su hija. Podrían estar bajo tierra de no haber sido por mí. Y ahora usted me manda llamar para insultarme. Su esposa y su hija están vivas gracias a mí. Respéteme por eso, por lo menos.

Cilke lo miró fijamente.

—Yo no lo respeto por nada —dijo, lamentando con toda su alma estar en deuda con Astorre.

Astorre hizo ademán de levantarse de su asiento para abandonar la estancia, pero uno de los guardias de seguridad lo empujó, obligándolo a volver a sentarse.

—Le voy a hacer la vida imposible —dijo Cilke.

—Haga usted lo que quiera —dijo Astorre, encogiéndose de hombros—. Pero permítame decirle lo siguiente: sé que usted contribuyó a colocar a Don Aprile a tiro de sus asesinos, y todo porque usted y el Bureau quieren apoderarse de los bancos.

Al oír sus palabras, los guardias de seguridad empezaron a acercarse a él, pero Cilke les indicó por señas que no lo hicieran.

—Sé que usted puede detener los ataques contra mi familia —dijo Astorre—. Y ahora le digo que le hago a usted responsable de lo que les pueda ocurrir.

Desde el otro extremo del despacho, Bill Boxton preguntó, arrastrando las palabras:

—¿Está usted amenazando a un agente federal?

—Por supuesto que no —terció Nicole—, le está pidiendo ayuda, simplemente.

Cilke parecía más tranquilo.

—Y todo eso por su amado Don. Bien, eso quiere decir que no ha leído usted el expediente que le entregué a Nicole. Su amado Don fue el hombre que mató a su padre natural cuando usted sólo tenía dos años.

Astorre miró a Nicole.

—¿Ésa es la parte que borraste?

Nicole asintió con la cabeza.

—No creí que fuera cierto, y en caso de que lo fuera no me pareció oportuno que lo supieras. Sólo hubiera servido para hacerte daño.

Astorre sintió que la estancia daba vueltas a su alrededor, pero mantuvo la compostura.

—No importa —dijo.

—Y ahora que todo está claro, ¿nos podemos marchar? —le preguntó Nicole a Cilke.

La impresionante figura de Cilke se irguió en todo su poder cuando éste salió de detrás del escritorio y le dio a Astorre una juguetona palmada en la cabeza. La sorpresa fue tan grande para él como para Astorre, pues jamás en su vida había hecho nada semejante. Pretendía manifestarle con ello su desprecio, que era el disfraz del profundo odio que sentía. Comprendió que jamás podría perdonarle a Astorre el que hubiera salvado a su familia. Astorre se limitó a mirarlo fijamente a los ojos. Y comprendió exactamente lo que sentía.

Nicole regresó con Astorre a su apartamento y trató de consolarlo de la humillación sufrida, pero eso sólo sirvió para avivar su furia. Más tarde le preparó un ligero almuerzo y le convenció de que se tumbara a echar la siesta en su cama. Astorre, medio adormilado, percibió la presencia de Nicole a su lado, en la cama, abrazándolo. La apartó.

—Ya has oído lo que ha dicho Cilke de mí —le dijo—. ¿Quieres seguir mezclándote en mi vida?

—No le creo ni me creo sus informes —contestó Nicole—. Astorre, creo sinceramente que te sigo queriendo.

—No podemos regresar a la época en que éramos unos niños —le dijo dulcemente Astorre—. Yo no soy la misma persona y tú tampoco. Tú lo que quieres es que volvamos a ser unos muchachos.

Permanecieron abrazados en la cama. Astorre preguntó finalmente con voz soñolienta:

—¿Crees que es cierto eso que dicen de que el Don mató a mi padre?

Al día siguiente, Astorre voló a Chicago con el señor Pryor y consultó con Benito Craxxi. Puso a los dos hombres al corriente de lo ocurrido y después les hizo la pregunta:

—¿Es cierto que Don Aprile mató a mi padre?

En lugar de responder, Craxxi le formuló una pregunta.

—¿Tuviste algo que ver con el ataque contra la familia de Cilke?

—No —mintió Astorre.

Les mintió porque no quería que nadie conociera el alcance de su astucia. Sabía que ellos no lo hubieran aprobado.

—Y sin embargo los salvaste —dijo Don Craxxi—. ¿Por qué?

Astorre tuvo que volver a mentir. No quería que sus aliados supieran que era tan sentimental, que no podía soportar la idea de ver morir a la esposa y la hija de Cilke.

—Hiciste bien —dijo Don Craxxi.

—No han contestado a mi pregunta —dijo Astorre.

—Porque es muy complicado. Frank Viola no era tu verdadero padre —le explicó Craxxi—. Tú eras el hijo recién nacido de un gran jefe de la Mafia de Sicilia que a los 85 años estaba al frente de una *cosca* muy poderosa. Tu madre era muy joven cuando murió de parto. El viejo Don, cuando estaba en las últimas, nos mandó llamar a mí, a Don Aprile y a Bianco junto a su lecho. Toda su *cosca* se derrumbaría a su muerte, y él estaba preocupado por tu futuro. Nos hizo prometer que cuidaríamos de ti y eligió a Don Aprile para que te llevara consigo a Estados Unidos. Una vez allí, Don Aprile, como su mujer se estaba muriendo de cáncer y él quería ahorrarte sufrimientos, te encomendó a la custodia de la familia Viola, lo cual fue un error, pues tu padre adoptivo resultó ser un traidor y lo tuvieron que ejecutar. En cuanto terminaron sus problemas, Don Aprile te acogió en su casa. El Don tenía un siniestro sentido del humor y lo dispuso todo de tal forma que la muerte fuera calificada de suicidio en el maletero de un automóvil. A medida que ibas creciendo se fueron acentuando en ti todos los rasgos de tu verdadero padre, el gran Don Zeno. Y entonces Don Aprile decidió que te convirtieras en el defensor de su familia. Por eso te envió a Sicilia para que te adiestraran.

Astorre no se sorprendió. En algún recóndito rincón de su memoria conservaba grabada la imagen de un hombre muy viejo y de un paseo en una carroza fúnebre.

—Sí, y ahora estoy preparado —dijo Astorre—. Aún sé cómo tomar la ofensiva. Portella y Tulippa están bien protegidos. Y yo tengo que preocuparme por Grazziella. Al único a quien podría matar es al cónsul general Marriano Rubio. Entretanto, Cilke me persigue como un sabueso. Ni siquiera sé por dónde empezar.

—Jamás debes atacar a Cilke —dijo Don Craxxi.

—Sí —convino el señor Pryor—. Sería desastroso.

Astorre les dirigió una tranquilizadora sonrisa.

—De acuerdo —dijo.

—Tengo una buena noticia —le dijo Craxxi—. Grazziella, en Corleone, le ha pedido a Bianco que concierte una reunión contigo en Sicilia. Bianco te mandará llamar dentro de un mes. Puede que sea tu clave.

El grupo se reunió en la sala de conferencias del consulado peruano. La reunión había sido convocada por Inzio Tulippa, Timmona Portella y

Marriano Rubio. Desde Sicilia, Michael Grazziella manifestó su profundo pesar por no poder asistir.

Inzio dio comienzo a la reunión, prescindiendo de su habitual encanto sudamericano. Estaba impaciente.

—Tenemos que resolver la cuestión, ¿nos hacemos con los bancos o no? He invertido muchos millones de dólares y estoy muy decepcionado con los resultados.

—Astorre es como un fantasma —dijo Portella—. No hay manera de convencerlo. No acepta más dinero. Tenemos que liquidarlo. Entonces, los otros venderán.

Inzio se volvió hacia Rubio.

—¿Estás seguro de que tu amorcito se mostrará de acuerdo?

—Yo la convenceré —contestó Rubio.

—¿Y los dos hermanos? —preguntó Inzio.

—No les interesa en absoluto una *vendetta* —dijo Rubio—. Nicole me lo ha asegurado.

—Sólo hay un medio —dijo Timmona Portella—. Secuestrar a Nicole y atraer a Astorre para que acuda a rescatarla.

Rubio protestó.

—¿Y por qué no a uno de los hermanos?

—Porque ahora Marcantonio está fuertemente protegido —respondió Portella—. Y no podemos hacer ninguna tontería con Valerius porque el espionaje militar se nos echaría encima, y son una pandilla de depravados.

—No quiero oírte decir más idioteces —le dijo Inzio a Rubio—. ¿Por qué vamos a poner en peligro miles de millones de dólares para no causarle molestias a tu novia?

—Es que eso ya lo hemos probado —dijo Rubio—. Y recuerda que tiene a Helene, su guardaespaldas.

El cónsul cuidaba mucho sus palabras. Hubiera sido terrible que Inzio se enojara con él.

—La guardaespaldas no es ningún problema —dijo Timmona Portella.

—Bueno, pues estoy de acuerdo con vosotros siempre y cuando Nicole no sufra ningún daño —dijo Rubio.

Marriano Rubio lo organizó todo, invitando a Nicole al baile de gala anual en el consulado peruano. La misma tarde del baile, Astorre fue a verla a su casa para comunicarle que se iba a Sicilia para una breve visita. Mientras Nicole se bañaba y se vestía, Astorre tomó la guitarra que ella le guardaba y empezó a cantarle dulces canciones de amor con su áspera pero bien timbrada voz.

Cuando Nicole salió del cuarto de baño, iba completamente desnuda; sólo llevaba un albornoz blanco colgado del brazo.

Astorre se quedó boquiabierto de asombro ante aquella belleza normalmente oculta por los vestidos. Cuando ella se inclinó hacia él, Astorre tomó el albornoz y le envolvió el cuerpo con él.

Nicole dejó que la rodeara con sus brazos y lanzó un suspiro.

—Ya no me quieres.

—En realidad tú no sabes quién soy yo —contestó Astorre, riéndose—. Ya no somos unos niños.

—Pero sé que eres bueno —dijo Nicole—. Salvaste a Cilke y a su familia. ¿Quién es tu confidente?

Astorre soltó otra carcajada.

—Eso no es asunto tuyo —respondió.

Después se fue al salón para evitar que ella le siguiera haciendo más preguntas.

Aquella noche Nicole asistió al baile en compañía de su guardaespaldas, Helene, que se lo pasó mucho mejor que ella. Sabía que Rubio, en su calidad de anfitrión, no podía estar demasiado pendiente de ella. Pero él había puesto una limusina a su disposición para aquella noche.

Cuando terminó el baile, la limusina la dejó delante de su casa. Helene bajó primero. Pero antes de que pudieran entrar, cuatro hombres las rodearon. Helene se inclinó hacia la funda del tobillo, pero demasiado tarde. Uno de los hombres le pegó un tiro en la cabeza, tiñendo de sangre su diadema de flores.

En aquel momento otro grupo de hombres emergió de entre las sombras. Tres de los atacantes emprendieron la huida mientras Astorre se situaba delante de Nicole. El que había abierto fuego contra Helene ya había sido desarmado.

—Que la saquen de aquí —le dijo Astorre a uno de los hombres, apuntando con su arma al asesino—. Bueno, ¿quién os envía? —preguntó.

El asesino no parecía asustado.

—¡Vete a la mierda! —le contestó.

Nicole vio cómo se endurecía el rostro de Astorre instantes antes de efectuar un disparo contra el pecho del individuo. Después Astorre se acercó un poco más, agarró al hombre por el pelo mientras se desplomaba al suelo y le descerrajó un tiro en la cabeza. Nicole comprendió en aquel momento lo que debía de haber sido su padre y vomitó sobre el cuerpo de Helene. Astorre se volvió a mirarla con una triste sonrisa en los labios. Nicole no pudo mirarlo.

Astorre la acompañó a su apartamento. Le dio instrucciones sobre lo que debería decirle a la policía: que se había desmayado cuando dispararon contra Helene y no había visto nada. En cuando él se fue, Nicole llamó a la policía.

Al día siguiente, tras haber tomado disposiciones para que un equipo de guardaespaldas protegiera a su prima las veinticuatro horas del día, Astorre voló a Sicilia para reunirse con Grazziella y Bianco en Palermo.

Astorre siempre seguía la misma ruta cuando regresaba a Sicilia. Volaba a México, y allí subía a bordo de un jet privado para que no quedara constancia del viaje.

En Palermo fue recibido por Bianco, que ahora iba tan elegantemente vestido al estilo de Palermo que nadie hubiera reconocido en él al feroz bandido de otros tiempos. Un chófer los condujo a la villa de Bianco, al borde del mar.

Bianco se alegró mucho de verlo y lo abrazó con afecto.

—O sea que tienes dificultades en América —le dijo—. En cambio yo tengo una buena noticia para ti. —Estaban sentados en el jardín de la villa, adornado con estatuas del antiguo Imperio romano—. ¿Qué tal tu vieja herida? ¿Te causa molestias?

Astorre se acarició la cadena de oro.

—No —contestó—. Pero me estropeó la voz para cantar. En lugar de cantar como un tenor, ahora suelto graznidos como un cuervo.

—Mejor un barítono que una soprano —dijo Bianco, echándose a reír—. De todos modos, en Italia sobran tenores. Uno menos no importa. Tú eres un verdadero mafioso, y eso es lo que nos interesa.

Astorre sonrió al evocar aquel lejano día en que había decidido nadar un poco en el mar. En lugar del afilado aguijón de la traición, ahora sólo recordaba lo que sintió al despertar.

—¿Cuál es la buena noticia? —preguntó, acariciándose el amuleto de la garganta.

—He hecho las paces con los corleoneses y Grazziella —dijo Bianco—. Él no tuvo nada que ver con el asesinato de Don Aprile. Entró a formar parte del grupo más tarde. Pero ahora no está de acuerdo con Portella y Tulippa. Cree que son demasiado temerarios y chapuceros. No aprobó el ataque contra el agente federal. Y te respeta enormemente. Te conoce por los servicios que me has prestado. Piensa que eres un hombre muy difícil de matar. Y ahora quiere abandonar todas las acciones contra ti. Incluso está dispuesto a ayudarte.

Astorre lanzó un suspiro de alivio. Su tarea sería mucho más fácil si no tenía que preocuparse por Grazziella.

—Mañana reúnete aquí con nosotros en la villa —le dijo Bianco.

—¿Tanto confía en usted? —preguntó Astorre.

—No tiene más remedio —contestó Bianco—. Porque si yo no estuviera aquí en Palermo, él no podría gobernar Sicilia. Y hoy somos más civilizados que la última vez que tú estuviste aquí.

Cuando Michael Grazziella se presentó, la tarde del día siguiente, Astorre observó que iba vestido de acuerdo con el respetabilísimo estilo de un político de Roma: traje oscuro, camisa blanca y corbata oscura.

Los dos guardaespaldas que lo acompañaban vestían del mismo modo. Grazziella era un hombre bajito y educado que hablaba en tono muy suave. A juzgar por su aspecto, nadie hubiera dicho que era el responsable del asesinato de seis altos magistrados de la lucha contra la Mafia. Tomó la mano de Astorre y le dijo:

—He venido aquí para ayudarte como prueba de afecto hacia nuestro amigo Bianco. Te ruego por favor que olvides el pasado. Tenemos que empezar por el principio.

—Gracias —dijo Astorre—. Es un honor.

Grazziella les hizo una seña a los guardaespaldas y éstos salieron a la playa.

—Bueno, Michele —dijo Bianco—. ¿Qué ayuda puedes prestar?

Grazziella miró a Astorre y dijo:

—Portella y Tulippa son demasiado temerarios para mi gusto. Y el cónsul general Marriano Rubio es demasiado deshonesto. En cambio tú me pareces un hombre inteligente y cualificado. Además, Nello es mi sobrino y me enteré de que tú le habías perdonado la vida, lo cual no es poca cosa. O sea que tengo mis motivos.

Astorre asintió con la cabeza. Detrás de Grazziella vio las olas del mar verde oscuro siciliano iluminadas por los mortíferos rayos del sol de Sicilia. Tuvo una repentina sensación de nostalgia y una punzada al pensar que tendría que volver a marcharse. Todo aquello le era más familiar de lo que jamás le sería Estados Unidos.

Echaba de menos las calles de Palermo, el sonido de las voces italianas, su propia lengua hablando un idioma que era más suyo que el inglés. Volvió a mirar a Grazziella.

—Bueno, ¿qué más me puede decir?

Grazziella se tomó el café pero no tocó las pastas.

—Los del grupo quieren que me reúna con ellos en América. Te puedo faciliar su paradero y revelarte sus medidas de seguridad. Si emprendes una acción drástica, te puedo ofrecer refugio en Sicilia, y si ellos intentaran extraditarte, tengo amigos en Roma que lo podrían impedir.

—¿Tanto poder tiene usted? —le preguntó Astorre.

—Por supuesto que sí —contestó Grazziella, encogiéndose levemente de hombros—. ¿Cómo podríamos existir de otro modo? Pero no tienes que ser imprudente.

Astorre comprendió que se estaba refiriendo a Cilke. Miró con una sonrisa a Grazziella.

—Yo jamás cometería una imprudencia.

—Tus enemigos son mis enemigos y me comprometo con tu causa —dijo Grazziella, mirándolo con una cortés sonrisa.

—Supongo que no participará usted en la reunión —dijo Astorre.

Grazziella volvió a sonreír.

—Algo me retendrá aquí en el último momento y no estaré presente.

—¿Y cuándo será eso? —preguntó Astorre.

—Dentro de un mes —contestó Grazziella.

Cuando Grazziella se fue, Astorre le preguntó a Bianco:

—Dígame, por favor, ¿por qué lo hace?

Bianco le dirigió una sonrisa de admiración.

—Qué bien comprendes Sicilia. Todas las razones que ha dado son válidas. Pero hay un motivo principal que no ha dicho. —Bianco dudó un poco antes de seguir adelante—. Tulippa y Portella lo han estado engañando en el reparto de los beneficios de la droga, y más pronto o más tarde hubiera tenido que enfrentarse con ellos. Eso él no lo puede consentir. Te tiene en muy buen concepto y le iría muy bien que eliminaras a sus enemigos y te convirtieras en su aliado. Grazziella es un hombre muy listo.

Aquella noche Astorre dio un paseo por la playa y pensó en lo que tendría que hacer. Ya se vislumbraba el desenlace.

El señor Pryor no estaba preocupado por el control de los bancos Aprile y sabía que podría defenderlos contra las autoridades. Sin embargo, cuando el FBI inundó Nueva York tras el intento de asesinato contra Cilke, temió que pudiera descubrir algo. Sobre todo después de la visita de Cilke.

En su primera juventud, el señor Pryor había sido uno de los más apreciados asesinos de la Mafia de Palermo. Pero había comprendido lo que le convenía y se había dedicado al negocio de la banca, donde su natural encanto e inteligencia y sus conexiones criminales le aseguraron el éxito. De hecho se convirtió en un banquero de la Mafia en todo el mundo. No tardó en convertirse en experto en tormentas monetarias y en ocultación de dinero negro. Por si fuera poco, tenía un talento especial para comprar negocios legales a buen precio. Al final emigró a Inglaterra, porque la justicia del sistema inglés podía proteger mejor sus riquezas que los sobornos generalizados de Italia.

Pero su largo brazo se extendía hasta Palermo y Estados Unidos. Era el principal banquero de los negocios inmobiliarios controlados por la *cosca* de Bianco en Sicilia, y el vínculo entre el banco Aprile y Europa.

Ahora, en medio de toda aquella actividad policial, el señor Pryor recordó un posible foco de peligro. Rosie. Ella podía establecer un nexo entre Astorre y los hermanos Sturzo. Además, el señor Pryor sabía que Astorre aún sentía debilidad por la chica y hallaba cierto alivio en sus encantos. Y por mucho que él admirara a la joven, no lo consideraba prudente.

Decidió tomar cartas en el asunto, tal como ya hiciera en otros tiempos en Londres. Sabía que Astorre no aprobaría su acción, pero él lo podría convencer una vez consumados los hechos. El señor Pryor no subestimaba el peligro que entrañaría la acción, pues de sobras conocía el carácter de Astorre. Pero éste siempre había sido razonable, y al final comprendería la sagacidad de su proceder. Esto no empañaba para nada el respeto que él sentía por Astorre, pues era una debilidad que existía desde tiempos inmemoriales. Y además Rosie era una mafiosa al cien por cien. ¿Quién no hubiera sucumbido ante sus encantos?

Sin embargo, no había más remedio que hacerlo. Aquella noche el señor Pryor llamó al apartamento de Rosie. Ella se alegró de oír su voz, sobre todo al decirle él que tenía una buena noticia que darle. Cuando colgó el teléfono, el señor Pryor lanzó un suspiro de pesar.

Al salir se llevó consigo a sus dos sobrinos como chófer y guardaespaldas. Dejó a uno en el vehículo delante del edificio y subió con el otro al apartamento de Rosie.

Rosie los recibió arrojándose en brazos del señor Pryor. Esto pilló tan por sorpresa al sobrino que hizo ademán de introducir la mano bajo la chaqueta para extraer el arma.

Después la joven preparó café y sacó una bandeja de pastas, especialmente importadas de Nápoles. Al señor Pryor no le parecieron gran cosa, y eso que se consideraba un experto en la materia.

—Eres un encanto de chica —dijo el señor Pryor—. Toma, prueba una —le dijo a su sobrino.

Pero el sobrino se había retirado a un rincón de la estancia para presenciar la pequeña comedia que estaba interpretando su tío.

Rosie dio una palmada al sombrero flexible que el señor Pryor había dejado a su lado y le dijo en tono burlón:

—Me gustaba más su bombín inglés. Entonces no tenía una pinta tan envarada.

—Ya —dijo jovialmente el señor Pryor—, cuando uno cambia de país siempre tiene que cambiar de sombrero. Mi querida Rosie, he venido aquí para pedirte un gran favor.

Observó su casi imperceptible titubeo antes de que ella batiera jubilosamente palmas.

—Ya sabe usted que haré lo que sea —dijo Rosie—. Le debo muchas cosas.

El señor Pryor se enterneció ante su dulzura, pero lo que se tenía que hacer se tenía que hacer.

—Rosie —le dijo—, quiero que arregles tus asuntos para que mañana te puedas ir a Sicilia, aunque sólo por muy poco tiempo. Astorre te estará esperando allí y tú deberás entregarle unos papeles de mi parte con carácter estrictamente confidencial. Te echa de menos y quiere mostrarte Sicilia.

Rosie se ruborizó de emoción.

—¿De veras quiere verme?

—Pues claro —dijo el señor Pryor.

En realidad, en aquellos momentos Astorre estaba regresando a casa desde Sicilia y estaría de vuelta en Nueva York a la noche del día siguiente. Los aparatos de ambos se cruzarían sobre el Atlántico.

Rosie adoptó un tono afectadamente práctico.

—No puedo irme así, sin más. Tengo que hacer las reservas, ir al banco y resolver un montón de pequeños detalles.

—No quisiera parecerte presuntuoso —le dijo el señor Pryor—, pero ya lo he arreglado todo. —Se sacó del bolsillo un sobre blanco alargado—. Esto es tu billete de avión. En primera clase. Dentro hay también diez mil dólares para compras de última hora y gastos de viaje. Mi sobrino, ese que te está mirando deslumbrado desde aquel rincón, pasará a recogerte en su limusina mañana por la mañana. En Palermo te recibirá Astorre o uno de sus amigos.

—Tengo que regresar dentro de una semana —dijo Rosie—. Tengo unos exámenes para el doctorado.

—No te preocupes —dijo el señor Pryor—. No tendrás que preocuparte por los exámenes, te lo prometo. ¿Acaso te he fallado alguna vez?

Hablaba con un cariñoso tono de anciano tío bonachón, pero en realidad estaba pensando: qué lástima que Rosie jamás pueda volver a ver Estados Unidos.

Se bebieron el café y saborearon unos cuantos pastelillos. El sobrino declinó una vez más la invitación a tomar algo. La charla quedó interrumpida por el timbre del teléfono. Rosie se puso al aparato.

—Oh, Astorre —dijo—, creía que aún estabas en Sicilia. Sí, el señor Pryor me lo ha dicho. Está tomando café aquí conmigo.

El señor Pryor siguió saboreando tranquilamente su café. En cambio el sobrino se levantó, pero se volvió a sentar al ver la severa mirada de su tío.

Rosie guardó silencio y miró inquisitivamente al señor Pryor. Éste asintió con la cabeza en tono tranquilizador.

—Sí, lo había arreglado todo para que yo me reuniera contigo en Sicilia y pasara una semana allí. —Rosie hizo una pausa y después añadió—: Sí, pues claro que estoy decepcionada. Siento que hayas tenido que regresar inesperadamente. ¿Quieres hablar con él? ¿No? Bueno. Se lo diré. —Rosie colgó el teléfono—. Qué lástima —le dijo al señor Pryor—. Ha tenido que regresar antes de lo previsto. Pero quiere que lo espere aquí. Vendrá dentro de una media hora.

El señor Pryor alargó la mano hacia otra pasta.

—Muy bien —dijo.

—Se lo explicará todo cuando venga —dijo Rosie—. ¿Un poco más de café?

El señor Pryor asintió con la cabeza y lanzó un triste suspiro.

—Lástima. Te lo hubieras pasado maravillo-samente bien en Sicilia.

Se imaginó su triste entierro en un cemente-rio siciliano.

—Baja y espérame en el automóvil —le dijo a su sobrino.

El joven se levantó a regañadientes, y el se-ñor Pryor le indicó por señas a Rosie que lo acompañara a la puerta. Después le dirigió una sonrisa y le preguntó:

—¿Has sido feliz durante estos últimos años?

Astorre había llegado con un día de adelanto y había sido recogido por Aldo Monza en el pe-queño aeropuerto de Nueva Jersey. Había viaja-do en un jet privado y con pasaporte falso, natu-ralmente. Había llamado a Rosie obedeciendo a un repentino impulso, por puro deseo de verla y para poder relajarse pasando una noche con ella. Pero al decirle Rosie que el señor Pryor se en-contraba en su apartamento se disparó su alarma de peligro. Y al comentarle ella el viaje a Sicilia, comprendió de inmediato los planes del señor Pryor. Procuró reprimir su cólera. El señor Pryor se proponía hacer lo que a su juicio era necesa-rio, basándose en su experiencia. Pero era un precio demasiado alto a cambio de la seguridad.

Rosie abrió la puerta y se arrojó en sus bra-zos. El señor Pryor se levantó de su asiento y Astorre se acercó a él y lo abrazó. El señor Pryor disimuló su extrañeza, pues Astorre no tenía por costumbre mostrarse tan afectuoso.

Después, para asombro del señor Pryor, Astorre le dijo a Rosie:

—Ve a Sicilia mañana, según lo previsto. Yo me reuniré allí contigo dentro de unos días. Nos lo pasaremos divinamente.

—Estupendo —dijo Rosie—. Nunca he estado en Sicilia.

—Gracias por arreglarlo todo —le dijo Astorre al señor Pryor. Después se volvió de nuevo hacia Rosie—. No puedo quedarme —le dijo—. Nos veremos en Sicilia. Esta noche tengo unos asuntos importantes que resolver con el señor Pryor. Así que ya puedes empezar a prepararte para el viaje. Y no lleves demasiada ropa. Ya iremos de compras en Palermo.

—De acuerdo —dijo Rosie.

Besó al señor Pryor en la mejilla y le dio a Astorre un fuerte abrazo y un prolongado beso. Después, abrió la puerta.

Cuando los dos hombres estuvieron en la calle, Astorre le dijo al señor Pryor:

—Acompáñeme a mi automóvil. Dígales a sus sobrinos que regresen a casa. Esta noche no los va a necesitar.

Sólo entonces se puso un poco nervioso el señor Pryor.

—Lo hacía por tu bien —le dijo a Astorre.

En cuanto se acomodaron en el asiento de

atrás del vehículo de Astorre, a cuyo volante se sentaba Monza, Astorre se volvió hacia el señor Pryor.

—No hay nadie que le aprecie más que yo —le dijo—. ¿Pero soy yo el jefe, o no lo soy?

—Sin la menor duda —contestó el señor Pryor.

—Era un problema que ya tenía intención de resolver —dijo Astorre—. Comprendo el peligro y me alegro de que me haya usted obligado a actuar. Pero la necesito. Podemos correr ciertos riesgos. Así que aquí van mis instrucciones. En Sicilia, proporciónele una lujosa vivienda con servidumbre. Podrá matricularse en la universidad de Palermo. Dispondrá de una generosa asignación, y Bianco la presentará a la mejor sociedad de Sicilia. Allí procuraremos que sea feliz, y Bianco controlará cualquier problema que pueda surgir. Sé que usted no aprueba el afecto que siento por ella, pero es algo que no puedo evitar. Cuento con sus defectos para que sea feliz en Palermo. Siente debilidad por el dinero y el placer, pero ¿quién no la siente? Le hago a usted responsable por tanto de su seguridad. No quiero que ocurra ningún accidente.

—Yo también aprecio mucho a la muchacha, como tú bien sabes —dijo el señor Pryor—. Es una auténtica mafiosa. ¿Regresarás a Sicilia?

—No —contestó Astorre—. Tenemos otros asuntos más importantes.

13

Tras haberle pedido los platos al camarero, Nicole se concentró por entero en Marriano Rubio. Aquel día tenía que transmitir dos importantes mensajes y quería asegurarse de que llegaran felizmente a su destino.

Rubio había elegido el restaurante, un lujoso *bistrot* francés cuyos camareros permanecían nerviosamente de pie, próximos a las mesas, con sus altos y relucientes molinillos de pimienta y sus alargados cestos de paja llenos de crujiente pan recién hecho. A Rubio no le gustaba aquel tipo de comida, pero conocía al *maître* y éste le había reservado una buena mesa en un tranquilo rincón. A menudo llevaba allí a sus mujeres.

—Estás más apagada que de costumbre —le dijo a Nicole, alargando la mano sobre la mesa para acariciarle la suya. Nicole se estremeció de arriba abajo. Lo odiaba por aquel poder que ejercía sobre ella, y rápidamente apartó la mano—. ¿Te ocurre algo?

—He tenido un día muy difícil —contestó ella.

—Ah —exclamó Rubio con un suspiro—, es el precio que hay que pagar por trabajar con víboras. —Rubio despreciaba el bufete de abogados de Nicole—. ¿Por qué los aguantas? —le preguntó sonriendo—. Deja que cuide de ti.

Nicole se preguntó a cuántas mujeres les habría dicho lo mismo y les habría arruinado la carrera para que estuvieran con él. Tenía casi cincuenta años, pero tenía un cuerpo tan ágil y en forma como el de Astorre.

—No me tientes —le dijo, coqueteando descaradamente con él.

Rubio se quedó sorprendido, pues sabía que Nicole estaba entregada en cuerpo y alma a su profesión. Pero era lo que él esperaba.

—Deja que cuide de ti —le repitió—. Además, ¿a cuántas empresas puedes seguir acusando?

Uno de los camareros descorchó una botella de vino blanco, le ofreció a Rubio el tapón y escanció una pequeña cantidad en una elegante copa de cristal. Rubio lo probó y asintió con la cabeza.

Después se volvió de nuevo hacia Nicole.

—Me encantaría dejarlo ahora mismo —le dijo ella—, pero hay ciertas causas en las que colaboro gratuitamente y que quiero llevar a buen puerto. —Hizo una pausa, tomó un sorbo de vino y añadió—: Últimamente he estado pensando mucho en el negocio de la banca.

Rubio entornó los ojos.

—Bueno —dijo—, tienes suerte de que tu familia sea propietaria de bancos.

—Sí —convino Nicole—, pero por desgracia mi padre no creía que las mujeres fueran capaces de dirigir un negocio. Por eso tengo que quedarme cruzada de brazos mientras el muy chiflado de mi primo lo echa todo a perder. —Levantó la cabeza para mirar a Rubio mientras decía—: Por cierto, Astorre cree que tú quieres ir a por él.

Rubio forzó una expresión burlona.

—No me digas. ¿Y cómo iba yo a poder hacer eso?

—Pues no sé —dijo Nicole en tono contrariado—. Recuerda que ese chico se gana la vida vendiendo macarrones. Tiene harina en lugar de cerebro. Dice que tú quieres utilizar el banco para el blanqueo de dinero, y yo qué sé qué otras cosas. Hasta quiso convencerme de que querías secuestrarme. —Nicole sabía que en eso tenía que andarse con mucho tiento—. Pero yo no puedo creerlo. Astorre está detrás de todo lo que ocurre. Sabe que mis hermanos y yo queremos controlar el banco y por eso intenta asustarnos. Pero ya estamos hartos de oírle.

Rubio estudió el rostro de Nicole. Se enorgullecía de su capacidad de distinguir la verdad de la mentira. En sus años de diplomático había escuchado las mentiras de los más respetados estadistas del mundo. Y ahora, mientras miraba fijamente a Nicole a los ojos, comprendió que ésta le estaba diciendo toda la verdad.

—¿Hasta qué extremo estáis hartos? —preguntó.

—Estamos hasta la coronilla —contestó Nicole.

Varios camareros revolotearon unos cuantos minutos a su alrededor para servirles el primer plato. Cuando finalmente se retiraron, Nicole se inclinó hacia Rubio y le dijo en un susurro:

—Casi todas las noches mi primo Astorre trabaja hasta muy tarde en su almacén.

—¿Qué estás insinuando? —preguntó Rubio.

Nicole tomó el cuchillo y empezó a cortar unos oscuros medallones de carne de pato que nadaban entre el tenue brillo de una salsa anaranjada.

—No estoy insinuando nada —contestó—. Pero me pregunto cómo es posible que el accionista mayoritario de un banco internacional se pase el rato en un almacén de macarrones. Si yo ejerciera el control, estaría constantemente en los bancos y procuraría que mis socios obtuvieran el máximo beneficio en sus inversiones. —Después probó el pato y miró con una sonrisa a Rubio—. Delicioso, ¿verdad?

Aparte de otras cualidades, Georgette Cilke era una mujer muy organizada. Cada martes por la tarde dedicaba exactamente dos horas de su tiempo a la sede nacional de la Campaña contra la Pena de Muerte, donde ayudaba a atender el teléfono y examinaba los recursos de los abogados de los reclusos del Corredor de la Muerte. Así que Nicole sabía exactamente dónde transmitir su importante segundo mensaje del día.

Al ver entrar a Nicole en el despacho, el rostro de Georgette se iluminó con una sonrisa.

—Gracias a Dios que has venido —le dijo, dándole un rápido abrazo—. Hoy ha sido tremendo. Me alegro de que estés aquí. No me vendrá mal un poco de apoyo moral.

—No sé si te podré ser muy útil —dijo Nicole—. Tengo que comentarte una cosa que me tiene muy preocupada.

En todos los años que llevaban colaborando juntas, Nicole jamás le había hecho confidencias a Georgette, a pesar de mantener con ella una cordial relación profesional. Georgette jamás comentaba el trabajo de su marido con nadie. Y Nicole no veía por qué razón hubiera tenido que hablar de sus amantes a unas mujeres casadas que siempre se creían obligadas a dar consejos sobre la mejor manera de llevar a un hombre al altar, cosa que a ella no le interesaba.

Prefería hablar de sexo sin más, aunque había observado que casi todas las mujeres casadas se sentían incómodas. Pensó que a lo mejor no les gustaba que les contaran lo que se estaban perdiendo.

Georgette le preguntó si deseaba hablar en privado. Nicole asintió con la cabeza y la acompañó a un pequeño despacho vacío, al fondo del pasillo.

—Nunca se lo he comentado a nadie —dijo Nicole—. Pero debes saber que mi padre era Raymonde Aprile, el llamado Don Aprile. ¿Has oído hablar de él?

Georgette se levantó de súbito.

—No creo que deba mantener esta conversación contigo...

—Siéntate, por favor —la interrumpió Nicole—. Tienes que saberlo.

Georgette se sentía incómoda, pero hizo lo que Nicole le pedía.

En realidad siempre había sentido curiosidad por la familia de Nicole, pero sabía que aquella cuestión no podía plantearla. Como mucha otra gente, Georgette pensaba que Nicole, por medio de aquel trabajo gratuito y voluntario, quería compensar los pecados de su padre. Qué aterradora debía de haber sido su infancia a la sombra de aquellos criminales. Y qué situación tan incómoda para ella. Georgette pensó en su propia hija adolescente, que se avergonzaba de que la vieran en público con alguno de sus progenitores. Se preguntaba cómo habría sobrevivido Nicole a todos aquellos años.

Nicole sabía que Georgette jamás traicionaría a su marido, pero también sabía que era una mujer compasiva y de mentalidad abierta, una persona que dedicaba su tiempo libre a defender a los condenados por asesinato. Nicole la miró fijamente a los ojos.

—A mi padre lo mataron unos hombres que mantienen estrechas relaciones con tu marido. Y mis hermanos y yo tenemos pruebas de que tu marido aceptó sobornos de esos hombres.

La primera reacción de Georgette Cilke fue de asombro y después de incredulidad. No dijo nada, pero al instante sintió un arrebato de cólera.

—Cómo te atreves —dijo en un susurro, mirando a Nicole directamente a los ojos—. Mi marido antes preferiría morir que quebrantar la ley.

Nicole se sorprendió de la vehemencia de la respuesta de Georgette y comprendió que creía sinceramente en la honradez de su marido.

—Tu marido no es el hombre que parece —añadió—. Y sé lo que sientes. Acabo de leer el expediente del FBI sobre mi padre y, a pesar de lo mucho que yo le quería, sé que ciertos secretos no me los revelaba. De la misma manera que Kurt no te revela los suyos.

Después le habló a Georgette del millón de dólares que Portella había ingresado en la cuenta bancaria de su marido y de las relaciones de Portella con los barones de la droga y los sicarios que sólo podían llevar a cabo su trabajo con la tácita bendición de su marido.

—No abrigo la esperanza de que me creas —dijo Nicole—. Sólo espero que le preguntes a tu marido si te digo la verdad. Si es el hombre que tú dices que es, no te mentirá.

Georgette no dejó traslucir la angustia que se agitaba en su interior.

—¿Por qué me cuentas todo eso?

—Porque tu marido está preparando una venganza contra mi familia —contestó Nicole—. Va a permitir que sus socios maten a mi primo Astorre para que puedan hacerse con el control de los negocios bancarios de mi familia. Ocurrirá mañana por la noche en el almacén de macarrones de mi primo.

Al oír lo de los macarrones, Georgette se echó a reír.

—No te creo —dijo, y se levantó para marcharse—. Perdona, Nicole. Sé que estás muy alterada, pero ya no tenemos nada que decirnos.

Aquella noche, en el sencillo dormitorio del rancho amueblado al que había sido trasladada su familia, Cilke se enfrentó con su pesadilla. Él y su mujer habían terminado de cenar y estaban sentados alrededor de la mesa, uno frente al otro, leyendo. De repente Georgette dejó su crucigrama, se volvió hacia él y le dijo:

—Tengo que hablarte de Nicole Aprile.

En todos los años que llevaban juntos, Georgette jamás le había pedido a su marido que comentara cosas de su trabajo. No quería asumir la responsabilidad de conocer secretos federales. Y sabía que aquélla era una parte de la vida de Cilke que tenía que guardar sólo para él. A veces, por la noche, acostada a su lado en la cama, se preguntaba cómo sería su trabajo, qué tácticas utilizaría para obtener información y qué presión ejercería sobre los sospechosos. Pero en su mente siempre se lo imaginaba como la quintaesencia del agente federal, con su traje impecablemente planchado y su manoseado ejemplar de la Constitución guardado en el bolsillo posterior del pantalón. En su fuero interno era lo bastante inteligente como para comprender que todo aquello no era más que una fantasía. Su marido era un hombre muy decidido, capaz de llegar hasta donde fuera necesario con tal de derrotar a sus enemigos. Sin embargo, todo aquello era una realidad que ella prefería ignorar.

Cilke estaba leyendo una novela de intriga y misterio, el tercer libro de una serie basada en hechos reales sobre un asesino múltiple que educa a su hijo para que se convierta en sacerdote. Cuando Georgette le hizo la pregunta, cerró el libro de golpe.

—Te escucho —dijo.

—Hoy Nicole me ha dicho ciertas cosas sobre ti y sobre la investigación que estás llevando a cabo —dijo Georgette—. Ya sé que no te gusta que hablemos de tu trabajo, pero es que ha hecho unas graves acusaciones.

Cilke tuvo un acceso de cólera. Primero habían matado a sus perros. Después habían destruido su familia. Y ahora estaban ensuciando su relación más pura. Al final, cuando el corazón se le calmó un poco, le pidió a Georgette, tan sereno como pudo, que le contara exactamente lo que había ocurrido.

Georgette le repitió toda su conversación con Nicole, y mientras se lo contaba estudió detenidamente la expresión de su rostro. Su cara no reveló el menor atisbo de sorpresa o indignación.

—Gracias, cariño —le dijo Cilke cuando ella hubo terminado—. Estoy seguro de que te habrá costado mucho decírmelo. Y siento que hayas tenido que hacerlo. —Después se dirigió hacia la puerta principal de la casa.

—¿Adónde vas? —le preguntó Georgette.

—Necesito tomar un poco el aire —contestó él—. Necesito pensar.

—¿Kurt, amor mío? —dijo Georgette en tono de pregunta, como si necesitara que él la tranquilizara.

Cilke se había jurado no mentirle jamás a su mujer. En caso de que ella insistiera en conocer la verdad, él se la tendría que decir y arrostrar las consecuencias. Confiaba en que ella lo comprendiera y llegara a la conclusión de que era mejor hacer como que se ignoraba la existencia de aquellos secretos.

—¿Hay algo que puedas decirme? —preguntó Georgette.

Kurt Cilke sacudió la cabeza.

—No —contestó—. Haría cualquier cosa por ti. Cualquier cosa, ¿verdad?

—Sí —respondió Georgette—. Pero tengo que saberlo. Por nosotros y por nuestra hija.

Cilke comprendió que no tenía escapatoria y que ella jamás lo volvería a mirar de la misma manera en el caso de que él le dijera la verdad. En aquel momento hubiera deseado machacar el cráneo de Astorre Viola. No sabía qué decirle a su mujer. ¿Sólo acepté los sobornos que el FBI quiso que aceptara? ¿Hicimos la vista gorda en los pequeños delitos para poder concentrarnos en los más grandes? ¿Quebrantamos algunas leyes para obligar a cumplir otras más importantes? Sabía que todas aquellas respuestas sólo servirían para enfurecer a Georgette, y él la amaba y respetaba demasiado como para hacer tal cosa.

Cilke abandonó la casa sin decir nada. Cuando regresó, su mujer hizo como que estaba dormida. Fue entonces cuando tomó la decisión. A la noche siguiente se enfrentaría con Astorre Viola y actuaría según la visión que él tenía de la justicia.

Aspinella no odiaba a todos los hombres, pero no salía de su asombro al comprobar que había tantos que le repugnaban. Eran tan... inútiles.

Tras haber liquidado a Heskow, dos oficiales del servicio de seguridad del aeropuerto la sometieron a un breve interrogatorio, pero o eran muy tontos o se sintieron demasiado intimidados como para poner en tela de juicio su versión de lo sucedido. Al descubrir los 100.000 dólares fijados con cinta adhesiva al cuerpo de Heskow, creyeron comprender los motivos del muerto y decidieron que tenían derecho a cobrar una comisión por limpiar todo el desastre que ella había armado antes de que llegara la ambulancia. Y también le entregaron a Aspinella un buen puñado de billetes manchados de sangre que ella añadió a los 40.000 que ya le había dado Heskow.

El dinero sólo le serviría a Aspinella para dos cosas. Lo guardó todo menos 3.000 dólares en su caja fuerte y dio instrucciones a su madre para que, en caso de que alguna vez le ocurriera algo, depositara todo el dinero de la caja fuerte —más de 300.000 dólares procedentes de sobornos— en un fondo bancario para su hija. Con los 3.000 restantes, tomó un taxi hasta la confluencia de la Quinta Avenida con la Calle 53, donde entró en la tienda de artículos de cuero más lujosa de la ciudad y tomó un ascensor que la condujo a una suite privada del tercer piso.

Una mujer con gafas de diseño y traje azul marino a rayas tomó el dinero y la acompañó al fondo del pasillo, donde ella se metió en una bañera llena de perfumados aceites importados de China. Permaneció en remojo unos veinte minutos escuchando un CD de canto gregoriano mientras esperaba a Rudolfo, un masajista sexual diplomado.

Rudolfo cobraba 3.000 dólares por una sesión de dos horas que, tal como él se complacía en explicarles a sus satisfechas clientes, era mucho más de lo que cobraran los más célebres abogados por sólo una hora de trabajo.

—La diferencia —decía con su acento bávaro y su taimada sonrisa— es que ellos se limitan a joderos mientras que yo os jodo y os dejo extasiadas.

Aspinella se había enterado de la existencia de Rudolfo en el transcurso de una investigación secreta sobre el vicio en los más lujosos hoteles de la ciudad. Un conserje temía que lo llamaran a declarar y, a cambio de que no lo citaran, le facilitó a Aspinella la información sobre Rudolfo. Aspinella tenía intención de detenerlo, pero en cuanto lo vio y probó uno de sus masajes, pensó que sería un crimen tremendo privar a las mujeres del placer que les deparaban sus singulares habilidades.

Al cabo de unos minutos, Rudolfo llamó con los nudillos a la puerta.

—¿Puedo pasar? —preguntó.

—Te estoy esperando, nene —contestó Aspinella.

Rudolfo entró y cerró la puerta.

—Llevas un parche en el ojo sensacional... —le dijo.

Durante la primera sesión, Aspinella se había sorprendido de que Rudolfo entrara en la estancia desnudo, pero él le había dicho:

—¿Por qué me voy a tomar la molestia de vestirme si me voy a desnudar?

451

Era un ejemplar extraordinario, alto y fuerte, con un tigre tatuado en el bíceps derecho y una sedosa mata de vello rubio en el pecho. A Aspinella le gustaba sobre todo el vello del pecho, que lo distinguía de todos aquellos modelos de las revistas que se depilaban, afeitaban y untaban tanto de aceite que ya no se sabía si eran hombres o eran mujeres.

—¿Qué tal lo has pasado últimamente?

—Ni te lo imaginas —contestó Aspinella—. Lo único que tú tienes que saber es que necesito un poco de terapia sexual.

Rudolfo empezó por la espalda, concentrándose especialmente en desanudar los puntos de tensión. Después le aplicó un suave masaje en el cuello antes de darle la vuelta y empezar a frotarle delicadamente los pechos y el estómago. Para cuando empezó a acariciarle la entrepierna, Aspinella ya estaba húmeda y respiraba afanosamente.

—Pero ¿por qué otros hombres no me lo saben hacer? —preguntó Aspinella, lanzando un extasiado suspiro.

Rudolfo estaba a punto de comenzar la parte más importante de su servicio: el masaje con la lengua, que practicaba con insuperable maestría y extraordinario entusiasmo. Sin embargo le había llamado la atención aquella pregunta que tantas veces había oído y que siempre le dejaba perplejo. Tenía la impresión de que la ciudad estaba llena a rebosar de mujeres sexualmente desnutridas.

—Para mí es un misterio que otros hombres no puedan hacerlo —le dijo a Aspinella.

Aspinella lamentó tener que interrumpir sus ensueños sexuales, pero se dio cuenta de que Rudolfo necesita un poco de charla de enamorados antes de alcanzar el sublime acto final.

—Los hombres son débiles —le dijo Aspinella—. Somos nosotras las que tomamos las decisiones importantes: cuándo casarnos, cuándo tener hijos. Reinamos sobre ellos y les hacemos responsables de las cosas que hacen.

Rudolfo esbozó una amable sonrisa.

—Pero ¿qué tiene que ver eso con el sexo?

Aspinella estaba deseando que reanudara su tarea.

—No lo sé —dijo—. Es sólo una teoría.

Rudolfo volvió a aplicarle masaje... lentamente, rítmicamente. Parecía incansable. Cada vez que conseguía que Aspinella se elevara a las máximas cumbres del placer, ella pensaba en los inefables abismos de dolor en los que sumiría a Astorre Viola y a su banda de matones a la noche siguiente.

La Fábrica de Macarrones Viola estaba ubicada en un gran almacén de ladrillo del Lower East Side de Manhattan. Trabajaban en ella más de cien personas, descargando grandes sacos de arpillera de macarrones importados de Italia sobre una cinta transportadora que después los clasificaba y empaquetaba automáticamente.

Un año atrás, inspirado por un artículo de revista que había leído sobre los medios que estaban utilizando las pequeñas empresas para mejorar su productividad, Astorre había contratado los servicios de un asesor recién salido de la Harvard Business School para que le indicara los cambios que debería hacer. El joven le había dicho que duplicara los precios, cambiara la marca de sus macarrones por la de «Pasta Casera Tío Vito», y que despidiera a la mitad de sus empleados y los sustituyera por trabajadores temporales, con lo cual se ahorraría un cincuenta por ciento de los sueldos.

El despacho de Astorre estaba en el primer piso, un espacio con una superficie casi tan grande como un campo de fútbol en cuyos lados se alineaban unas relucientes máquinas de acero inoxidable. La parte posterior del almacén daba a una zona de carga y descarga. Tanto en las entradas como en el interior de la fábrica, Astorre había instalado unas videocámaras para controlar las visitas y vigilar la marcha de la producción desde su despacho. El almacén cerraba a las seis de la tarde por regla general, pero aquel día Astorre había retenido a cinco de sus mejores empleados y a Aldo Monza. Estaba esperando. La víspera, cuando le había expuesto su plan a Nicole en el apartamento de ésta, ella se había mostrado totalmente en contra.

—En primer lugar, no dará resultado —objetó, sacudiendo la cabeza—. Y en segundo lugar, yo no quiero ser cómplice de un asesinato.

—Ellos mataron a tu guardaespaldas y trataron de secuestrarte —le dijo Astorre—. Estamos todos en peligro a no ser que yo emprenda una acción.

Nicole pensó en Helene y recordó las muchas discusiones que había mantenido durante las comidas con su padre, el cual no hubiera dudado en vengarse. Su padre le hubiera dicho que se lo debía a la memoria de su amiga y le hubiera recordado que era razonable y necesario tomar precauciones para proteger a la familia.

—¿Por qué no acudimos a las autoridades? —preguntó.

—Porque ya es demasiado tarde para eso —contestó Astorre lacónico.

Astorre se encontraba en su despacho, interpretando el papel de cebo vivo. Gracias a Grazziella sabía que Portella y Tulippa se encontraban en la ciudad para reunirse con los miembros de su grupo. No estaba muy seguro de que la filtración de Nicole a Rubio los indujera a hacerle una visita, pero esperaba que por lo menos hicieran un último intento de convencerlo de que vendiera los bancos antes de tener que recurrir a la violencia. Suponía que lo registrarían por si llevara algún arma, de modo que prefirió ir desarmado; sólo llevaba un estilete escondido en un bolsillo especial, cosido en una manga de la camisa.

Astorre estaba contemplando atentamente el monitor cuando vio a media docena de hombres entrando por la parte posterior del edificio, desde la zona de carga y descarga. Había ordenado a sus hombres que permanecieran escondidos y no atacaran hasta que él les hiciera la señal.

Estudió la pantalla y reconoció a Portella y a Tulippa, acompañados de otros cuatro hombres. Mientras todos ellos desaparecían de la pantalla, oyó ruido de pisadas acercándose a su despacho. En caso de que ya hubieran decidido matarle, Aldo y sus hombres estaban preparados y podrían salvarlo.

Oyó que lo llamaban. No contestó.

Portella y Tulippa se detuvieron delante de la puerta.

—Adelante —dijo Astorre con una cordial sonrisa en los labios mientras se levantaba para estrecharles la mano—. Qué grata sorpresa. Raras veces recibo visitas a esta hora. ¿En qué puedo servirles?

—Pues mira —graznó Portella—. Vamos a celebrar una gran cena, y se nos han acabado los macarrones.

Astorre hizo un magnánimo gesto con la mano.

—Mis macarrones son suyos —dijo.

—¿Qué nos puede decir de sus bancos? —preguntó Tulippa en tono amenazador.

Astorre ya estaba preparado.

—Es hora de que hablemos en serio. Es hora

de que hagamos negocio. Pero primero quiero acompañarles en un recorrido por la fábrica. Estoy muy orgulloso de ella.

Tulippa y Portella intercambiaron una mirada de perplejidad. Actuaban con gran cautela.

—Bueno, pero vamos a procurar que sea rápida —dijo Tulippa, preguntándose cómo era posible que aquel payaso hubiera podido sobrevivir tanto tiempo.

Astorre los acompañó a la planta baja. Los cuatro guardaespaldas de Portella se encontraban allí cerca. Astorre los saludó amablemente al verlos, les estrechó la mano a todos y los felicitó por los trajes que llevaban. Los hombres de Astorre lo observaban atentamente, a la espera de que les diera la orden de atacar. Aldo Monza había colocado a tres tiradores ocultos en la entreplanta que daba a la planta baja. Los demás se habían desplegado en abanico a ambos lados del almacén.

Transcurrieron unos largos minutos mientras Astorre les mostraba el almacén a sus visitantes.

—Está claro que esto es lo que a ti te gusta —dijo al final Portella—. ¿Por qué no nos dejas dirigir los bancos a nosotros? Te haremos una nueva oferta e incluiremos un porcentaje para ti.

Astorre estaba a punto de dar a sus hombres la orden de disparar.

Pero de repente oyó un tableteo de disparos de armas de fuego y vio que tres de sus hombres caían desde la entreplanta y se estrellaban boca abajo sobre el suelo de hormigón que tenía delante. Recorrió con la mirada el almacén en busca de Aldo Monza mientras se ocultaba rápidamente detrás de una enorme máquina empaquetadora de macarrones.

Desde allí vio a una negra con un parche verde en un ojo corriendo hacia ellos para agarrar a Portella por el cuello. Con su rifle de asalto le propinó un golpe en la voluminosa tripa y después sacó un revólver y arrojó el rifle al suelo.

—Muy bien —dijo Aspinella—. Que todos arrojen las armas al suelo. Ahora mismo. —Al ver que nadie se movía, no dudó ni un instante. Agarró a Portella por el cuello y le descerrajó dos tiros en el vientre. Mientras Portella se doblaba hacia delante, le golpeó la cabeza con el revólver y le propinó un puntapié en la boca.

Después agarró a Tulippa y le dijo:

—Usted será el siguiente si todo el mundo no hace lo que yo diga. Esto es ojo por ojo, cabrón.

Portella sabía que sólo le quedaban unos segundos de vida a menos que no le prestaran ayuda urgente. Se le estaban empezando a nublar los ojos. Permanecía tendido en el suelo respirando afanosamente, con la vistosa camisa empapada de sangre. Apenas podía hablar.

—Haced lo que ella dice —graznó con un hilillo de voz.

Sus hombres obedecieron.

Siempre había oído decir que recibir un disparo en el estómago era la manera más dolorosa de morir. Ahora comprendía el porqué. Cada vez que respiraba, sentía como si le hubieran pegado una puñalada en el corazón. Perdió el control de la vejiga y la orina dejó una mancha oscura en sus pantalones azules recién estrenados. Trató de enfocar a la tiradora con su mirada, una musculosa negra a la que no conocía. Quiso preguntar «¿Quién es usted?», pero le faltó el aliento. Su último pensamiento fue insólitamente sentimental: se preguntó quién le comunicaría a su hermano, Bruno, que él había muerto.

Astorre tardó sólo un instante en percatarse de lo ocurrido. Jamás había visto a Aspinella, a no ser en alguna fotografía de la prensa y en los programas de televisión. Pero comprendió que si había conseguido localizarlo era porque primero se habría puesto en contacto con Heskow. Y Heskow debía de estar muerto. No lamentó la muerte de aquel escurridizo intermediario. Heskow tenía el gran defecto de ser un hombre capaz de decir o hacer cualquier cosa con tal de salvar el pellejo. Era bueno que ahora estuviera criando malvas.

Tulippa no sabía por qué razón aquella cabrona le estaba apuntando al cuello con el revólver. Había confiado en que Portella se encargara de la seguridad y había concedido la noche libre a sus fieles guardaespaldas. Un estúpido error. Estados Unidos era un país muy raro, pensó, uno nunca sabía de dónde vendría el siguiente acto de violencia.

Mientras Aspinella hundía el cañón del revólver en su piel, Tulippa se prometió a sí mismo que en caso de que escapara con vida y pudiera regresar a América del Sur, aceleraría la producción de su arsenal nuclear. Haría todo lo que pudiera por volar el mayor pedazo posible de Estados Unidos, y sobre todo Washington, un arrogante centro de matones repantigados en sus mullidos sillones, y Nueva York, donde había tanta gente chalada como aquella puta tuerta.

—Bueno —le dijo Aspinella a Tulippa—. Ustedes me ofrecieron medio millón de dólares para que me cargara a ese tío. —Señaló a Astorre—. Me encantaría aceptar el trabajo, pero desde que sufrí el accidente he duplicado la tarifa. Con un solo un ojo, tengo que hacer un doble esfuerzo para concentrarme.

Cilke se había pasado todo el día montando guardia alrededor del almacén. Estaba sentado en su Chevrolet azul con sólo un paquete de chicles y un ejemplar del *Newsweek*, esperando a que Astorre diera el primer paso.

Había acudido solo al lugar pues no había querido mezclar a ningún otro agente federal en algo que, a su juicio, podía ser el final de su carrera. Cuando vio entrar en el edificio a Portella y Tulippa, sintió que el estómago se le llenaba de bilis y comprendió la inteligencia de Astorre como enemigo. En caso de que, tal como él sospechaba, Portella y Tulippa lo atacaran, él se vería en la obligación legal de protegerlo. Astorre quedaría libre y recuperaría la buena fama sin tener que decir nada. Y él destruiría muchos años de duro esfuerzo.

Sin embargo, al ver irrumpir a Aspinella en el edificio empuñando un rifle de asalto sintió algo muy distinto: un frío temor. Había oído hablar del papel interpretado por Aspinella en el tiroteo del aeropuerto. Y le parecía un poco sospechoso. No tenía sentido.

Ahora Cilke comprobó la munición de su revólver y abrigó la lejana esperanza de poder contar con la ayuda de Aspinella. Antes de abandonar el automóvil decidió que ya era hora de informar a la agencia. Marcó el número de Boxton en su móvil.

—Estoy delante del almacén de Astorre Viola —dijo. Después oyó unos disparos—. Voy a entrar —añadió—, y si las cosas van mal, quiero que le digas al director que estaba actuando por mi cuenta. ¿Estás grabando la llamada?

Boxton hizo una pausa pues no sabía si a Cilke le gustaría que lo grabara. Sin embargo, desde que éste se había convertido en un objetivo, todas sus llamadas se habían controlado.

—Sí —contestó.

—Muy bien —dijo Cilke—. Para que conste en acta, ni tú ni nadie más del FBI es responsable de lo que voy a hacer ahora. Entro en una situación hostil en la que están implicados tres hombres destacados del crimen organizado y una policía renegada de Nueva York, que va fuertemente armada...

—Kurt —le interrumpió Boxton—, espera la llegada de refuerzos.

—No hay tiempo —dijo Cilke—. Y además el desastre es mío. Yo lo tengo que arreglar.

Cilke pensó en la conveniencia de dejar un mensaje para Georgette, pero llegó a la conclusión de que sería algo demasiado morboso y teatral. Mejor que los actos hablaran por sí mismos. Interrumpió la comunicación sin decir nada más. Mientras abandonaba el vehículo, se percató de que lo había dejado mal aparcado.

Lo primero que vio Cilke al entrar en el almacén fue el revólver de Aspinella pegado al cuello de Tulippa. Todos los presentes en la estancia permanecían en silencio. Nadie se movía.

—Soy un oficial federal —anunció, blandiendo su revólver—. Depongan todas las armas.

Aspinella se volvió hacia él.

—Ya sé quién coño es usted —le dijo en tono burlón—. Esta detención es mía. Vaya a capturar a algún contable, a algún corredor de bolsa o cualquier otro tipo en el que quiera perder el rato. Esto es asunto del Departamento de Policía de Nueva York.

—Investigadora —dijo serenamente Cilke—, haga usted el favor de deponer el arma. Si no lo hace, utilizaré la fuerza en caso necesario. Tengo motivos para creer que forma parte de un fraude organizado.

Aspinella no contaba con aquello. Por la mirada de los ojos de Cilke y la firmeza de su voz, comprendió que éste no se echaría atrás. Pero ella tampoco pensaba ceder mientras empuñara un arma. Lo más probable, pensó, era que Cilke llevara años sin disparar contra nadie.

—¿Cree usted que formo parte de un grupo criminal? —le gritó—. Bueno, pues usted también. Creo que lleva años aceptando sobornos de este pedazo de mierda. —Volvió a empujar a Tulippa con el cañón de su revólver—. ¿Verdad, señor?

Tulippa no dijo nada, pero cuando Aspinella le propinó un rodillazo en la ingle, se dobló hacia delante y asintió.

—¿Cuánto? —le preguntó Aspinella.

—Más de un millón de dólares —contestó Tulippa entre jadeos.

Cilke procuró dominar su furia.

—Cada dólar que ellos enviaban a mi cuenta estaba controlado por el FBI. Esto es una investigación federal, investigadora Aspinella. —Respiró hondo, contó hasta diez y añadió—: Se lo advierto por última vez. Deponga el arma o disparo.

Astorre los contempló fríamente. Aldo Monza permanecía escondido detrás de otra máquina sin que nadie se hubiera percatado de su presencia. Astorre vio una leve contracción muscular en el rostro de Aspinella, y después, como en cámara lenta, la vio situarse detrás de Tulippa y abrir fuego contra Cilke. Pero en cuanto Aspinella disparó, Tulippa logró liberarse y se arrojó al suelo, haciéndole perder el equilibrio.

Cilke había sido alcanzado en el pecho. Aun así, disparó inmediatamente contra Aspinella y ésta se tambaleó hacia atrás mientras la sangre le empezaba a empapar la ropa por debajo del hombro izquierdo. Ninguno de los dos había disparado con intención de matar. Ateniéndose rigurosamente a las normas, habían apuntado a la zona más ancha del cuerpo. Sin embargo, al sentir el dolor de la carne quemada por la bala y ver los daños que ésta le había causado, Aspinella comprendió que había llegado el momento de olvidarse de las normas. Apuntó a la zona situada entre los ojos de Cilke. Cada una de las balas alcanzó su objetivo hasta que la nariz de Cilke se convirtió en un aplastado amasijo de cartílago y ella vio unos trozos de su cerebro pegados a lo que quedaba de su frente.

Tulippa observó que Aspinella había resultado herida y que se tambaleaba. Le propinó un codazo en el rostro, derribándola limpiamente al suelo. Pero antes de que pudiera arrebatarle el arma, Astorre salió de detrás de la máquina y, de un puntapié, lanzó el revólver al otro extremo de la sala. Después le ofreció cortésmente la mano a Tulippa. Tulippa aceptó la ayuda para levantarse. Entretanto, Aldo Monza y los supervivientes de su equipo habían rodeado a los hombres de Portella que todavía quedaban y los habían atado a los pilares que sostenían el techo del almacén. Nadie tocó a Cilke ni a Portella.

—Bueno —dijo Astorre—, creo que tenemos un asunto pendiente.

Tulippa no salía de su asombro. Astorre era un cúmulo de contradicciones: un cordial adversario y un cantante asesino. ¿Cómo se podía fiar uno de semejante personaje?

Astorre se dirigió al centro del almacén y le hizo señas a Tulippa de que lo siguiera. Cuando llegó a un espacio abierto, se detuvo y miró al sudamericano.

—Usted mató a mi tío y trató de robarnos los bancos. Ni siquiera tendría que gastar saliva con usted. —Sacó el plateado y reluciente estilete y se lo mostró a Tulippa—. Tendría que cortarle la garganta y acabar de una vez. Pero es usted débil y no es un honor matar a un viejo indefenso. Así que le concederé la oportunidad de luchar.

Después, haciéndole una seña casi imperceptible a Aldo Monza, levantó las manos como si se rindiera, soltó el estilete y retrocedió varios pasos. Tulippa tenía más años y era más corpulento que él, pero a lo largo de toda su vida había hecho correr ríos de sangre y era extremadamente hábil en el manejo de un cuchillo. Aun así, no estaba a la altura de Astorre.

Se agachó para recoger el estilete y empezó a acercarse poco a poco a él.

—Es usted un hombre necio y temerario —dijo—. Yo estaba dispuesto a aceptarlo como socio. —Se abalanzó varias veces sobre él, pero Astorre era más rápido y lo esquivó. En el momento en que Tulippa se detuvo para recuperar el resuello, Astorre se quitó el medallón de oro del cuello y lo arrojó al suelo, dejando al descubierto la morada cicatriz de su garganta—. Quiero que esto sea lo último que usted vea antes de morir.

Tulippa se quedó petrificado al ver aquella cicatriz morada que jamás había visto en su vida. Astorre le hizo saltar el estilete de la mano de un certero puntapié, le propinó un rodillazo en la espalda, le hizo una llave de cabeza y le quebró la nuca. Todo el mundo oyó el crujido.

Sin entretenerse en mirar a Tulippa, recogió su medallón, se lo volvió a colocar sobre la cicatriz del cuello y abandonó el edificio.

Cinco minutos después, una flota de vehículos del FBI llegó a la Fábrica de Macarrones Viola. Aspinella, todavía con vida, fue trasladada a la unidad de cuidados intensivos del hospital.

Cuando los oficiales del FBI terminaron de ver el vídeo mudo grabado por las cámaras que Aldo Monza les pasó, llegaron a la conclusión de que Astorre Viola, que había levantado las manos y arrojado el estilete al suelo, había actuado en legítima defensa.

Epílogo

Nicole colgó enfurecida el teléfono.

—¡Estoy harta de oír hablar de la debilidad del maldito euro! —le gritó a su secretaria—. A ver si puedes localizar al señor Pryor. Seguramente está en el noveno hoyo de algún campo de golf.

Habían transcurrido dos años desde que Nicole asumiera la dirección de los bancos Aprile. Antes de retirarse, el señor Pryor había insistido en que ella era la persona más indicada para aquel puesto por ser una hábil negociadora mercantil que no se doblegaría ante las presiones de las normativas bancarias y las exigencias de los clientes.

Aquel día Nicole estaba intentando resolver todos los asuntos que tenía pendientes en su escritorio, pues por la noche ella y sus hermanos tomarían un vuelo con destino a Sicilia para un festejo familiar con Astorre. Pero antes de irse tenía que hablar con Aspinella Washington, que estaba impaciente por saber si ella accedería a representarla en el recurso que había presentado para evitar la pena de muerte. La idea la llenaba de temor, y no sólo porque ahora su trabajo le exigía una plena dedicación.

Al principio, cuando ella se había ofrecido para dirigir los bancos, Astorre había dudado un poco, recordando los deseos del Don. Pero el señor Pryor lo había convencido de que Nicole era digna hija de su padre. Siempre que se tenía que cobrar algún préstamo elevado, el banco sabía que ella echaría mano de una potente combinación de dulces palabras y veladas amenazas. Nicole sabía obtener resultados.

Sonó el interfono, y el señor Pryor la saludó con sus corteses modales de siempre.

—¿En qué puedo ayudarte, querida?

—Estos tipos de cambio nos están matando —le dijo ella—. ¿Qué le parece si nos inclinamos un poco más por los marcos alemanes?

—Me parece una idea excelente —contestó el señor Pryor.

—Es que todos estos cambios de divisas son casi tan absurdos como ir a Las Vegas y pasarse todo el día jugando al bacará.

El señor Pryor soltó una carcajada.

—Puede ser, pero las pérdidas en el bacará no están garantizadas por la Reserva Federal.

Tras colgar el aparato, Nicole permaneció un rato sentada, reflexionando sobre la marcha del banco. Desde que ella asumiera la dirección, se habían adquirido otros seis bancos en florecientes países y se habían duplicado los beneficios. Pero lo que más le gustaba era que el banco pudiera conceder préstamos de mayor cuantía para nuevos negocios en países en vías de desarrollo.

Sonrió para sus adentros al recordar su primer día...

En cuanto recibió el nuevo papel de cartas, redactó una misiva dirigida al ministro de Economía del Perú, exigiendo el pago de todas las deudas atrasadas contraídas por el Gobierno de aquel país. Tal como esperaba, su exigencia provocó una crisis que dio lugar a graves trastornos políticos y a un cambio de Gobierno. El nuevo partido en el poder exigió la dimisión del representante del Perú en las Naciones Unidas, Marriano Rubio.

En los meses sucesivos, Nicole se alegró al leer que Rubio se había declarado en quiebra. Por si fuera poco, Rubio estaba luchando contra toda una serie de complicados juicios con inversores peruanos que habían financiado uño de sus muchos negocios arriesgados... un parque temático fallido. Rubio había jurado que éste se convertiría en la Disneylandia de Sudamérica, pero sólo había conseguido atraer una noria Ferris y una Taco Bell.

El caso, calificado por la prensa sensacionalista como LA MATANZA DE LOS MACARRONES, había alcanzado notoriedad mundial. En cuanto Aspinella se recuperó de la herida causada por la bala de Cilke —un pulmón perforado—, hizo toda una serie de declaraciones a los medios de difusión, y mientras aguardaba el comienzo del juicio procuró presentarse como una mártir al estilo de Juana de Arco. Presentó una denuncia contra el FBI por intento de asesinato, difamación y vulneración de sus derechos civiles. Demandó también al Departamento de Policía de Nueva York, exigiendo el pago de los sueldos que se le habían retenido durante su período de suspensión.

A pesar de sus protestas, al jurado le bastaron tres horas de deliberaciones para declararla culpable. Cuando se anunció el veredicto de culpabilidad, Aspinella despidió a sus abogados y solicitó ser representada por la Campaña contra la Pena de Muerte. Y, con su infalible olfato para la publicidad, pidió que Nicole Aprile asumiera su defensa. Desde su celda del Corredor de la Muerte, Aspinella declaró a la prensa:

—Su primo me metió en todo eso, y ahora ella me puede sacar.

Al principio, Nicole se negó a reunirse con Aspinella, señalando que, en su caso, cualquier buen abogado hubiera rechazado encargarse de su defensa dado el evidente conflicto de intereses que entrañaba la situación. Entonces Aspinella la acusó de racismo, y Nicole —que no quería enemistarse con los representantes de las minorías— accedió a entrevistarse con ella.

El día en que tenía que celebrarse la entrevista, Nicole tuvo que esperar veinte minutos mientras Aspinella recibía a un pequeño grupo de personalidades extranjeras deseosas de saludar a aquella valiente luchadora contra el bárbaro Código Penal de Estados Unidos. Finalmente, Aspinella le hizo señas a Nicole de que se acercara a la ventana de cristal. Ahora lucía un parche amarillo con la palabra «Libertad».

Nicole le explicó todos los motivos por los que deseaba rechazar aquel caso, y al final le dijo que había representado a Astorre en su declaración contra ella.

Aspinella la escuchó atentamente, enrollándose alrededor del dedo sus nuevos rizos rastafari.

—La comprendo —le dijo—, pero hay muchas cosas que usted no sabe. Astorre tenía razón: soy culpable de los delitos por los que he sido condenada y me pasaré el resto de mi vida expiándolos. Pero, por favor, ayúdeme a vivir lo suficiente como para que pueda enmendar mis faltas.

Al principio Nicole pensó que se trataba de otra estratagema de Aspinella para ganarse su simpatía, pero algo en su voz la conmovió. Seguía creyendo que ningún ser humano tenía derecho a condenar a muerte a otro ser humano. Seguía creyendo en la rehabilitación de los delincuentes. Creía que Aspinella tenía tanto derecho a ser defendida como los demás reclusos del Corredor de la Muerte. Pero hubiera preferido no tener que encargarse de aquel caso.

Antes de poder adoptar una decisión, Nicole sabía que tenía que enfrentarse con una persona.

Después del funeral y del entierro de héroe que Cilke recibió, Georgette solicitó entrevistarse con el director del FBI. Un escolta del FBI la recogió en el aeropuerto y la acompañó a la central del FBI.

En cuanto entró en el despacho, el director la abrazó y le prometió que el Bureau haría todo lo necesario para ayudarlas a ella y a su hija a enfrentarse con la pérdida sufrida.

—Gracias —dijo Georgette—, pero no es ésa la razón por la que he venido. Necesito saber por qué mataron a mi marido.

El director hizo una prolongada pausa antes de responder. Sabía que ella había oído rumores. Y aquellos rumores podían suponer una amenaza para la imagen del Bureau. Tenía que tranquilizarla.

—Me avergüenza tener que reconocer que hasta tuvimos que ordenar una investigación. Su esposo era un modelo de lo que debe ser un hombre del FBI. Estaba enteramente entregado a su trabajo y siguió todas las normas al pie de la letra. Sé que él jamás hubiera hecho nada capaz de poner en un aprieto al Bureau o a su familia.

—Pues entonces, ¿por qué se dirigió solo a aquel almacén? —preguntó Georgette—. ¿Y cuáles eran sus relaciones con Portella?

El director siguió el guión de la conversación que había ensayado con sus colaboradores antes de reunirse con ella.

—Su esposo era un gran investigador. Se había ganado la libertad y el respeto suficientes como para seguir sus propias pistas. No creemos que jamás hubiera cobrado un soborno ni hubiera transgredido la ley con Portella o con cualquier otra persona. Los resultados conseguidos hablan por sí solos. Es el hombre que desmanteló la Mafia.

Mientras abandonaba el despacho, Georgette se dio cuenta de que no se creía ni una sola palabra de lo que le había dicho el director. Sabía que, para poder recuperar un poco de paz, tendría que creer la verdad que sentía dentro de su corazón: que su marido, a pesar del celo y el tesón con el que se entregaba a su trabajo, había sido un hombre tan bueno como el que ella siempre había creído que era.

Tras el asesinato de su marido, Georgette Cilke siguió colaborando como voluntaria en la sede de Nueva York de la Campaña contra la Pena de Muerte, pero Nicole no la había vuelto a ver desde aquella fatídica conversación. Debido a sus responsabilidades en el banco, Nicole había comunicado que estaba tan ocupada que no podía dedicar tiempo a la campaña. Pero la verdad era que no soportaba la idea de tener que enfrentarse con Georgette. Aun así, cuando cruzó la puerta, Georgette la recibió con un afectuoso abrazo.

—Te he echado de menos —le dijo.

—Siento no haber estado en contacto —dijo Nicole—. Quise escribirte una carta de pésame, pero no conseguí encontrar las palabras.

—Lo comprendo —dijo Georgette, asintiendo con la cabeza.

—No —dijo Nicole con un nudo en la garganta—, no lo comprendes. En parte me siento culpable de lo que le ocurrió a tu marido. Si yo no te hubiera dicho nada aquella tarde...

—Habría ocurrido lo mismo —la interrumpió Georgette—. Si no hubiera sido tu primo, habría sido otro. Más tarde o más temprano tenía que ocurrir. Kurt lo sabía y yo también. —Georgette vaciló sólo un instante antes de añadir—: Ahora lo importante es recordar su bondad. Así que no hablemos más del pasado. Estoy segura de que todos nos arrepentimos de algo.

Nicole pensó que ojalá fuera tan fácil. Respiró hondo.

—Hay algo más. Aspinella Washington quiere que la represente.

Aunque Georgette trató de disimularlo, Nicole vio que su rostro se contraía levemente al oír aquel nombre. Aunque Georgette no era muy religiosa, en aquel momento estuvo segura de que Dios ponía a prueba todas sus convicciones.

—Me parece bien —dijo, mordiéndose el labio.

—¿Te parece bien? —preguntó Nicole llena de asombro.

Pensaba que Georgette se opondría, se lo prohibiría, y que ella podría rechazar la petición de Aspinella por lealtad a su amiga. Le pareció oír la voz de su padre diciéndole: «Semejante lealtad sería un honor...»

—Sí —dijo Georgette, cerrando los ojos—. Tienes que defenderla.

—No tengo por qué hacerlo. Todo el mundo lo comprenderá.

—Sería una hipocresía —dijo Georgette—. La vida es sagrada o no lo es. No podemos modificar aquello en lo que creemos por el simple hecho de que nos cause dolor.

Georgette guardó silencio y le tendió la mano a Nicole para despedirse. Esta vez no hubo ningún abrazo.

Tras haberse pasado todo el día repasando mentalmente aquella conversación, Nicole llamó finalmente a Aspinella y aceptó a regañadientes su defensa. Faltaba menos de una hora para tomar el vuelo con destino a Sicilia.

A la semana siguiente, Georgette Cilke envió una nota al coordinador de la Campaña contra la Pena de Muerte en la que explicaba que ella y su hija se iban a trasladar a otra ciudad para iniciar una nueva vida, y enviaba sus mejores saludos a todos. No dejó ninguna dirección donde se pudiera establecer contacto con ella.

Astorre había cumplido la promesa que le hiciera a Don Aprile de salvar los bancos y asegurar el bienestar de su familia. Había vengado la muerte de su tío y devuelto el honor al nombre de Don Zeno. En su opinión, ahora ya estaba libre de cualquier compromiso.

Una semana después de haber sido declarado inocente de cualquier participación en los asesinatos del almacén, se reunió con Don Craxxi y Ottavio Bianco en el despacho de su almacén y les manifestó su deseo de regresar a Sicilia. Les explicó que echaba de menos la isla y que se había pasado muchos años evocándola en sus sueños. Conservaba muy gratos recuerdos de su infancia en Villa Grazia, el refugio campestre de Don Aprile, y siempre había abrigado la esperanza de regresar. Era una vida sencilla, pero más satisfactoria en muchos sentidos.

Fue entonces cuando Bianco le dijo:

—No tienes que regresar a Villa Grazia. En Sicilia hay una inmensa propiedad que te pertenece. Todo el pueblo de Castellamare del Golfo.

Astorre lo miró, perplejo.

—¿Cómo es eso posible?

Entonces Benito Craxxi le habló del día en que el gran jefe de la Mafia Don Zeno había mandado llamar a sus tres mejores amigos junto a su lecho de muerte.

—Tú eres el hijo de su corazón y de su alma —dijo—. Y ahora eres el único heredero que le sobrevive. Tu padre natural te legó el pueblo. Es tuyo por derecho de nacimiento.

—Cuando Don Aprile te llevó consigo a Estados Unidos —añadió Bianco—, Don Zeno se encargó de asegurar el porvenir de los habitantes del pueblo hasta el día en que tú te presentaras para tomar posesión de él. Nosotros protegimos el pueblo a la muerte de tu padre, cumpliendo su voluntad. Cuando los campesinos tenían malas cosechas, les ofrecíamos los medios para que pudieran comprar fruta y semillas para sembrar. Siempre les echábamos una mano.

—¿Por qué no me lo dijeron antes? —preguntó Astorre.

—Don Aprile nos hizo jurar que guardaríamos el secreto —contestó Bianco—. Tu padre quería tu seguridad, y Don Aprile quería que formaras parte de su familia. En realidad tuviste dos padres. Eres muy afortunado.

Astorre aterrizó en Sicilia en un hermoso día soleado. Dos guardaespaldas de Michael Grazziella acudieron a recibirlo al aeropuerto y lo acompañaron a un Mercedes azul oscuro.

Astorre quedó asombrado de la belleza de Palermo, mientras atravesaban la ciudad. Algunos edificios parecían templos griegos por las columnas de mármol y las figuras labradas de personajes mitológicos. Otros en cambio semejaban catedrales españolas con ángeles y santos labrados en piedra gris. El trayecto desde Palermo hasta Castellamare del Golfo duró más de dos horas a través de una pedregosa carretera de un solo carril. El rasgo más destacado de Sicilia para Astorre, como siempre, fue la belleza de la campiña, con sus impresionantes vistas del mar Mediterráneo.

El pueblo, situado en un profundo valle rodeado de montañas, era un laberinto de adoquines flanqueados por casitas de estuco de planta baja y un piso. Astorre vio que algunas personas atisbaban por los resquicios de las persianas pintadas de blanco que protegían las viviendas contra el ardiente sol del mediodía.

Lo recibió el alcalde del pueblo, un hombre bajito, vestido con unos anchos pantalones grises sujetos mediante unos tirantes negros, que dijo llamarse Leo Di Marco, y que se inclinó ante él en señal de respeto.

—*Il padrone* —dijo—. Bienvenido.

Astorre, un tanto incómodo, esbozó una sonrisa y le preguntó en dialecto siciliano:

—¿Tendría usted la bondad de acompañarme en un recorrido por el pueblo?

Pasaron por delante de unos viejos que estaban jugando a las cartas sobre unos bancos de madera. Al fondo de la plaza se levantaba una impresionante iglesia. Y aquella iglesia, la de

San Sebastián, fue el primer lugar adonde el alcalde acompañó a Astorre, que llevaba sin rezar una oración convencional desde el asesinato de Don Aprile. Los bancos de caoba tenían ornamentadas tallas, y había candelas azul oscuro en las que ardían velas votivas. Astorre se arrodilló e inclinó la cabeza para recibir la bendición del padre Del Vecchio, el cura del pueblo.

Después, el alcalde Di Marco lo acompañó a la casita donde se alojaría. Por el camino, Astorre observó a varios *carabinieri* apoyados contra los muros de las casas con los rifles a punto.

—Cuando cae la noche es más seguro permanecer en el pueblo —explicó el alcalde—. Pero de día es un placer estar en el campo.

Astorre se pasó varios días dando largos paseos por la campiña y aspirando el perfume de los naranjales y limonares. Su principal propósito era conocer a la gente del pueblo y explorar las antiguas casas labradas en piedra al estilo de las villas romanas. Estaba buscando una que pudiera convertir en su hogar.

Al tercer día comprendió que sería muy feliz en aquel lugar. Los aldeanos, habitualmente circunspectos y comedidos, lo saludaban por la calle. Y cuando se sentaba en la terraza del café de la *piazza*, los viejos y los niños bromeaban jovialmente con él.

Le quedaban sólo otras dos cosas por hacer.

A la mañana siguiente le pidió al alcalde que le indicara el camino del cementerio del pueblo.

—¿Por qué le interesa? —le preguntó Di Marco.

—Para rendir homenaje a mi padre y a mi madre —contestó Astorre.

Di Marco asintió con la cabeza y descolgó de un gancho de la pared de su despacho una enorme llave de hierro forjado.

—¿Conoció usted a mi padre? —le preguntó Astorre.

Di Marco se apresuró a santiguarse.

—¿Y quién no conocía a Don Zeno? A él le debemos la vida. Salvó a nuestros hijos con unas medicinas muy caras de Palermo. Y protegió a nuestro pueblo de los saqueadores y bandidos.

—Pero ¿qué clase de hombre era? —preguntó Astorre.

Di Marco se encogió de hombros.

—Quedan ya muy pocos de los que lo conocieron a fondo, y son menos aún los que accederán a hablarle de él. Se ha convertido en una leyenda. Así que ¿a quién le importa saber cómo era realmente?

A mí, pensó Astorre.

Cruzaron la campiña y subieron por la empinada cuesta de una loma que obligó a Di Marco a detenerse de vez en cuando para recuperar el resuello. Al final, Astorre vio el cementerio. En lugar de lápidas había varias hileras de pequeños panteones de piedra, todos ellos rodeados por altas vallas de hierro fundido con la verja cerrada. Por encima de la entrada se podía leer: «Más allá de estas puertas, todos son inocentes».

El alcalde abrió la verja y acompañó a Astorre al panteón de mármol gris de su padre. El epitafio decía: «Vincenzo Zeno: Un hombre bueno y generoso». Astorre entró en el panteón y contempló la fotografía de su padre que había en el altar. Era la primera vez que veía su imagen y le sorprendió que su rostro le resultara tan familiar.

Di Marco lo acompañó después a otro pequeño panteón situado varias hileras más allá. Era de mármol blanco, y la única nota de color procedía de la túnica azul celeste de una imagen de la Virgen María labrada en el arco de la entrada. Astorre entró también y examinó la fotografía. La muchacha no tendría más de veintidós años, pero sus grandes ojos verdes y su radiante sonrisa lo llenaron de emoción.

—Cuando era pequeño —le dijo a Di Marco al salir—, a menudo soñaba con una mujer como ella, pero pensaba que era un ángel.

Di Marco asintió con la cabeza.

—Era una muchacha muy guapa. La recuerdo en la iglesia. Y tiene usted razón. Cantaba como un ángel.

Astorre cruzó a caballo la campiña montado a pelo y sólo se detuvo el tiempo justo para comerse el queso fresco de cabra con crujiente pan italiano que una de las mujeres del pueblo le había preparado.

Al final llegó a Corleone. Ya no podía aplazar por más tiempo su entrevista con Michael Grazziella. Le debía por lo menos aquella atención.

Estaba intensamente bronceado de tanto pasear por el campo cuando Grazziella lo recibió con los brazos abiertos y lo estrechó con fuerza contra su pecho.

—El sol siciliano te ha sentado muy bien —le dijo.

Astorre le expresó debidamente su gratitud.

—Gracias por todo. Y especialmente por su apoyo.

Graziella se encaminó con él hacia su villa.

—¿Qué te trae a Corleone?

—Creo que usted ya sabe por qué he venido —contestó Astorre.

Grazziella esbozó una sonrisa.

—¿Un mozo tan fuerte como tú? ¡Pues claro! Ahora mismo te llevo junto a ella. Da gusto ver a esta Rosie tuya. Ha sido un placer para todos los que la han conocido.

Sabedor del voraz apetito sexual de Rosie, Astorre se preguntó por un momento si Grazziella no estaría tratando de insinuarle algo. Pero al instante descartó aquella posibilidad. Grazziella era un hombre demasiado digno y demasiado siciliano como para permitir que semejante indecencia tuviera lugar bajo su vigilante mirada.

La villa de Rosie se encontraba a pocos minutos de allí. Cuando llegaron, Grazziella la llamó:

—Rosie, querida, tienes una visita.

Lucía un sencillo vestido playero de color azul y llevaba el cabello rubio recogido en la nuca. Sin maquillaje parecía más joven e ingenua que la muchacha que él recordaba.

Al verlo, se detuvo sorprendida.

—¡Astorre! —gritó, corriendo a su encuentro. Lo besó y se puso a hablar, sin poder contener su emoción—. Ya he aprendido a hablar con fluidez el dialecto siciliano. Y hasta sé preparar algunas recetas famosas. ¿Te gustan los ñoquis de espinacas?

Se la llevó a Castellamare y dedicó una semana a mostrarle el pueblo y la campiña circundante. Cada día dedicaban un buen rato a nadar, se pasaban horas y horas hablando y hacían el amor con aquella plácida comodidad que sólo se alcanza con el tiempo.

A lo largo de aquellos días, Astorre observó atentamente a Rosie para ver si ésta se aburría a su lado o se sentía incómoda llevando aquella vida tan sencilla. Pero le pareció que se encontraba muy a gusto. Se preguntó si, después de las experiencias que ambos habían vivido juntos, podría confiar realmente en ella alguna vez.

Y después se preguntó también si era prudente amar a cualquier mujer hasta el extremo de confiar por entero en ella. Tanto él como Rosie tenían secretos que ocultar... cosas que él no deseaba recordar ni compartir con nadie. Pero Rosie lo conocía, y a pesar de todo lo amaba. Ella guardaría sus secretos y él guardaría los suyos.

Sólo una cosa lo seguía preocupando. Rosie sentía debilidad por el dinero y los costosos regalos. Se preguntó si podría conformarse con lo que pudiera ofrecerle un solo hombre. Necesitaba saberlo.

En su último día juntos en Castellamare, Astorre y Rosie cabalgaron por la campiña hasta el anochecer. Al final se detuvieron en un viñedo, arrancaron unos racimos de uva y se ofrecieron los granos mutuamente.

—Parece imposible que me haya quedado aquí tantos días —dijo Rosie mientras descansaban, sentados sobre la hierba.

En los verdes ojos de Astorre se encendió un fulgor de emoción.

—¿Crees que te podrías quedar un poco más?

Rosie lo miró, sorprendida.

—¿Cuánto tiempo sería?

Astorre hincó una rodilla en tierra y alargó la mano.

—Quizás unos cincuenta o sesenta años —contestó con una sincera sonrisa en los labios. En la palma de la mano sostenía una sencilla sortija de bronce—. ¿Quieres casarte conmigo?

Astorre buscó alguna señal de titubeo en los ojos de Rosie, alguna muestra de decepción por la sencillez de la sortija, pero la respuesta de Rosie fue inmediata. Le arrojó los brazos al cuello y lo inundó de besos. Después rodaron abrazados por la ladera de la loma.

Se casaron un mes después en uno de los limonares de Astorre. Ofició la ceremonia el padre Del Vecchio. Asistieron como invitados los habitantes de los dos pueblos. La colina estaba alfombrada con moradas glicinas. La fragancia de los limones y las naranjas perfumaba el aire. Astorre llevaba un blanco atuendo de campesino y Rosie lucía un vestido de seda de encaje de color rosa. Asaron un cerdo en un espetón sobre carbones encendidos y se lo comieron con tomates maduros recién arrancados en el huerto, hogazas de pan caliente y queso recién hecho. El vino de la casa corrió como un río.

Al terminar la ceremonia, y tras el intercambio de las promesas matrimoniales, Astorre le dedicó a su flamante esposa una serenata con sus canciones preferidas. Hubo tanto vino y tanto baile que la fiesta se prolongó hasta el amanecer.

A la mañana siguiente, al despertar, Rosie vio a Astorre preparando los caballos.

—¿Te apetece dar un paseo conmigo?

Cabalgaron todo el día hasta que Astorre encontró lo que estaba buscando: Villa Grazia.

—El paraíso secreto de mi tío. Aquí pasé los días más felices de mi infancia.

Rodeó la casa y entró en el jardín de atrás, seguido por Rosie. Al final llegaron a su olivo, el que había crecido a partir de los huesos que él había plantado de niño. El árbol era ahora tan alto como él y tenía un tronco muy grueso. Se sacó una afilada navaja del bolsillo y cortó una rama.

—Ésta la plantaremos en nuestro jardín —dijo—. Así, cuando tengamos un hijo, él también tendrá gratos recuerdos.

Un año después Rosie y Astorre celebraron el nacimiento de su hijo, Raymonde Zeno. Invitaron a toda la familia de Astorre a la ceremonia del bautizo en la iglesia de San Sebastián.

Cuando el padre Del Vecchio terminó, Valerius, por ser el mayor de los Aprile, levantó su copa de vino para brindar.

—Que todos prosperéis y seáis felices. Y que vuestro hijo crezca con la pasión de Sicilia y el romanticismo norteamericano en el corazón.

Marcantonio levantó su copa y añadió:

—Y si alguna vez quiere participar en algún culebrón, ya sabéis a quién llamar.

Ahora los bancos Aprile era tan rentables que Marcantonio había establecido una línea de crédito por valor de 20 millones de dólares para poder crear sus propias producciones dramáticas. Él y Valerius estaban trabajando juntos en un proyecto basado en el expediente del FBI sobre su padre. A Nicole la idea le parecía horrible, pero ellos estaban seguros de que al Don le hubiera encantado la idea de recibir grandes sumas de dinero a cambio de la escenificación de la leyenda de sus delitos.

—De sus «presuntos» delitos —les corrigió Nicole.

Astorre se extrañó de que el tema siguiera suscitando interés. La vieja Mafia había muerto. Los grandes dones habían alcanzado sus objetivos y se habían mezclado hábilmente con la sociedad, tal como hacen siempre los mejores criminales. Los pocos aspirantes que todavía quedaban constituían un lamentable surtido de delincuentes de segunda fila y ladronzuelos de pacotilla. ¿Por qué se iba uno a molestar en montar negocios ilegales, siendo así que resultaba mucho más fácil robar millones creando tu propia empresa y vendiendo acciones a la gente?

—Oye, Astorre —dijo Marcantonio—, ¿crees que podrías ser el asesor especial de nuestra producción? Queremos que sea lo más verídica posible.

—Pues claro —contestó Astorre, sonriendo—. Le diré a mi agente que se ponga en contacto contigo.

Aquella noche en la cama, Rosie se volvió hacia Astorre.

—¿Crees que alguna vez querrás regresar?

—¿Adónde? —preguntó Astorre—. ¿A Nueva York? ¿A Estados Unidos?

—Ya sabes —dijo Rosie con cierta vacilación—. A tu antigua vida.

—Éste es el lugar que me corresponde, aquí, a tu lado.

—Ya —dijo Rosie—, pero ¿y el niño? ¿No crees que se merece conocer todo lo que Estados Unidos le puede ofrecer?

Astorre se imaginó a Raymonde corriendo por las lomas de la campiña, comiendo aceitunas de los toneles y oyendo las historias de los grandes dones y de la antigua Sicilia. Estaba deseando contarle a su hijo aquellas historias. Y sin embargo sabía que aquellos mitos no serían suficiente.

Algún día su hijo se iría a América, una tierra de venganzas, compasión y espléndidas posibilidades.

Agradecimientos

Mis más expresivas gracias a Carol Gino, a mis agentes literarios Candida Donadio y Neil Olson, a mis abogados Bert Fields y Arthur Altman, a mi editor en Random House, Jonathan Karp, y a mis hijos y nietos.

Otros títulos de la colección

Memorial del convento
José Saramago

La torre oscura IV
Stephen King

La sombra del águila
Arturo Pérez-Reverte

Cachito
Arturo Pérez-Reverte

La sombra del Halcón
Yasar Kemal

No mires debajo de la cama
Juan José Millás

Ola de crímenes
James Ellroy

L. A. Confidential
James Ellroy

La virgen de los sicarios
Fernando Vallejo

Operación Cobra
Richard Preston

Tómatelo con calma
Elmore Leonard

Cuba libre
Elmore Leonard

Amor América
Maruja Torres

Israel entre la guerra y la paz
Shlomo Ben-Ami